Honderd dagen in angst

www.boekerij.nl

Roxana Saberi

Honderd dagen in angst

BOEKERIJ

ISBN 978-90-225-5870-6
NUR 402

Oorspronkelijke titel: *Between Two Worlds*
Oorspronkelijke uitgever: HarperCollins Publishers
Vertaling: Jolanda te Lindert
Omslagontwerp: DPS design & prepress services, Amsterdam
Omslagbeeld: Deborah Feingold / Corbis Outline
Zetwerk: CeevanWee, Amsterdam

© 2010 by Roxana Saberi
Published by arrangement with HarperCollins Publishers
© 2011 De Boekerij bv, Amsterdam

Voor mijn celgenoten en alle andere moedige mensen die opkomen
voor mensenrechten, vrijheid en waardigheid

Wanneer de vogel zich realiseert dat hij niet de kooi zelf is,
is hij al vrij.

SAEB TABRIZI,
Zeventiende-eeuwse Perzische dichter

Opmerking van de auteur

Dit boek heb ik geschreven om te vertellen wat ik in Iran heb meegemaakt, vooral in 2009 tijdens de honderd dagen die ik in de Evingevangenis heb doorgebracht. Daar heb ik de goede en slechte kanten van de menselijke natuur gezien, ook van mijzelf. Ik hoop ook dat dit verslag enig licht kan werpen op de gebeurtenissen in Iran. Veel mensen hebben daar dezelfde of veel ergere beproevingen ondergaan, maar slechts weinigen hebben de vrijheid om hierover te praten.

Hoewel ik dit verhaal zo volledig mogelijk wilde opschrijven, heb ik bepaalde details weggelaten wanneer deze andere mensen in gevaar kunnen brengen of hun privacy kunnen schenden. Soms heb ik in plaats van namen initialen of met een asterisk gemarkeerde initialen gebruikt. Verder heb ik de namen van bepaalde celgenoten veranderd, maar toch geprobeerd henzelf en hun verhalen zo levensecht mogelijk te beschrijven. Ik heb toestemming gekregen om de echte namen van een handjevol celgenoten te gebruiken.

Voor agenten van inlichtingendiensten en mijn gijzelnemers heb ik bijnamen verzonnen omdat ze me hun echte naam nooit hebben verteld. Na mijn vrijlating heb ik te horen gekregen dat de namen van sommige mensen die mijn zaak hebben behandeld pseudoniemen geweest kunnen zijn.

In de gevangenis mocht ik geen pen en papier hebben, maar ik heb voldoende tijd gehad om gesprekken en gebeurtenissen in gedachten te herhalen. Na mijn vrijlating ben ik wekenlang bezig geweest met het opschrijven van al deze herinneringen. Het geheugen heeft natuurlijk beperkingen, zodat ik niet elke dialoog letterlijk heb kunnen opschrijven. Desondanks heb ik ze, evenals de gebeurtenissen die ik in dit boek beschrijf, zo accuraat mogelijk weergegeven.

Vóór mijn arrestatie werkte ik aan een ander boek over Iran, waar ik op mijn vijfentwintigste naartoe was gegaan om daar als journalist te werken. Het land boeide me echter zo dat ik bijna zes jaar later nog altijd van mijn leven in Teheran genoot, niet wetend dat ik algauw uit mijn comfortabele leventje zou worden gerukt op een manier die ik nooit had kunnen bedenken.

Inhoud

DEEL I
Opgesloten

1

Een geelbruine panty kostte duizend tomans en verschillende hoofd-
doeken tweeduizend.

'Rood met witte bloemen, zwart met turkooizen strepen!' schreeuwde een mollige straatverkoopster die zich een weg baande door de bom-
volle coupé.

Net als de andere vrouwelijke passagiers in de metro van Teheran
rekte ik mijn hals om een glimp te kunnen opvangen van de artikelen
die één tot twee dollar kostten, maar ik stond klem in een hoek en het
enige wat ik kon zien was de achterkant van de hoofden met de verplichte hijab.

De metro kwam piepend tot stilstand. Een paar vrouwen stapten uit
en andere vrouwen pikten snel de vrijgekomen stoelen van onze coupé
in. We zaten in een van de twee aparte coupés voor de vrouwelijke passagiers die niet bij de mannen wilden zitten. Ik bleef waar ik was, moe
maar tevreden omdat ik door mijn reis naar de heilige stad Qom een
stap dichter bij de afronding was gekomen van de interviews voor het
boek dat ik aan het schrijven was.

Toen ik bijna zes jaar eerder, in februari 2003, van Amerika naar Iran
was verhuisd, was ik niet van plan geweest een boek te schrijven. Nee, ik
wilde het geboorteland van mijn vader en zijn rijke cultuur en geschiedenis leren kennen, Farsi leren en mijn droom om buitenlands correspondent te worden realiseren. Alles ging min of meer volgens plan tot
de Iraanse autoriteiten in 2006 onverwacht besloten mijn officiële persaccreditatie in te trekken.

Op dat moment had ik Iran kunnen verlaten, maar ik besloot te blijven. Het verlies van mijn perskaart zou zelfs een káns kunnen zijn, realiseerde ik me. Nu zou ik meer tijd hebben om Iran te verkennen, een
land dat ik opwindend en mysterieus vond en dat veel buitenstaanders
niet leken te begrijpen. Daarom besloot ik een boek te gaan schrijven

over het leven in Iran, gezien vanuit het standpunt van allerlei verschillende Iraniërs.

Ik dacht dat ik, wanneer ik dat niet zou doen voordat ik uit Iran vertrok, daar geen kans meer voor zou krijgen, omdat ik daarna algauw in beslag zou worden genomen door de volgende fasen in mijn leven. Bovendien had ik helemaal geen haast om te vertrekken. Ik was van Iran gaan houden, had er veel goede vrienden gemaakt en wilde voorlopig het liefst daar zijn en nergens anders.

Toen ik op een druk plein in het centrum van Teheran de metro uit stapte, reden verschillende taxi's langzaam mijn kant op. Ze zaten allemaal vol. Sinds de benzine in dit olierijke, benzine slurpende land in 2007 op rantsoen was gegaan, leek het steeds moeilijker op straat een taxi te vinden.

Mijn vriend Bahman had me op het hart gedrukt altijd een taxi van een taxibedrijf te nemen in plaats van een particuliere taxi of een gedeelde taxi waarin mensen die elkaar niet eens kenden naast elkaar zaten. Meestal volgde ik zijn raad op, maar die avond wilde ik gewoon naar huis, mijn hijab afdoen en me ontspannen.

'Darbast!' (letterlijk: exclusief) schreeuwde ik tegen een naderende vierdeurs Peykan; de gewildste auto van Iran tot de productie ervan was gestaakt omdat het zo'n enorme luchtvervuiler was.

'Stap in,' zei de chauffeur, een jonge man met gel in zijn haar en een strak t-shirt.

Toen we op de rondweg kwamen, zette hij de Iraanse rap op zijn stereo harder en begon mee te neuriën. Het was een van die liedjes die alleen op de zwarte markt verkrijgbaar zijn, maar die de autoriteiten tolereren als ze in afzondering worden afgespeeld. Ik keek naar buiten. De grijze smogwolk belemmerde het zicht op de Alborz-bergen ten noorden van Teheran. Als ik niet had geweten dat ze er waren, had ik kunnen denken dat ze niet bestonden.

'Zeg, waar kom je vandaan?' brulde de chauffeur boven de muziek uit.

'Iran!' brulde ik terug. Hoewel ik in Amerika ben geboren, was ik op mijn Iraanse paspoort in Iran.

Hij zette de muziek zacht en keek achterom. 'Je ziet er Japans uit,' zei hij.

'Ja,' zei ik. 'Mijn moeder is Japanse.'

'Echt waar? Japanners zijn heel harde werkers.'

Mijn mobieltje ging, zodat ik niet nog meer over mezelf hoefde te vertellen. Het was Bahman. Hoewel hij op bezoek was bij zijn zus in Los Angeles, belde hij me toch regelmatig op om te vragen hoe het met me ging. Ik vertelde hem wat ik de afgelopen vierentwintig uur had gedaan, waarna we zoals altijd afscheid namen met de woorden *Dust-et dâram*, een term die genegenheid uitdrukt en 'Ik mag je' of 'Ik hou van je' betekent.

Langzaam maar zeker baande de auto zich een weg in noordelijke richting over de Sadr Highway die de Iraanse autoriteiten, net als veel andere straten en snelwegen, de naam van een 'martelaar' hadden gegeven. In dit geval de naam van een belangrijke ayatollah die door het regime van de voormalige Iraakse president Saddam Hoessein was geëxecuteerd. Sinds de Islamitische Revolutie van 1979 in Iran had de Islamitische Republiek geprobeerd het idee van martelaarschap, een concept dat in de sjiitische islam hoog staat aangeschreven, gelijk te stellen met zelfopoffering voor het land. Veel Iraniërs zijn in de jaren tachtig tijdens de Irak-Iran-oorlog naar de frontlinies gelokt met de belofte dat ze als ze stierven, martelaren zouden worden en in de hemel zouden komen.

Ik stapte uit bij mijn buurtwinkel, waar ik de ingrediënten voor mijn avondeten kocht: een paar eieren, vers brood en een zak nep-Doritonachochips. De kruidenier overhandigde me mijn aankopen met een warme glimlach.

Het flatgebouw waar ik woonde stond een blok verderop, aan het einde van een steeg, voorbij een banketbakker, drie fastfoodrestaurants en een aantal hoge gebouwen. Toen ik de portiek binnenkwam, zag ik dat de lift zoals zo vaak kapot was. Toen ik de trap naar de vijfde verdieping nam, kwam ik Gholam tegen, de conciërge.

'Juffrouw Saberi,' zei hij, 'doet uw kachel het wel goed? Het wordt al gauw kouder.'

Mijn kachel blies meer koude dan warme lucht uit, vertelde ik hem. Hij zei dat hij de klusjesman zou bellen.

Toen ik mijn deur van het slot deed en mijn appartement binnenstapte, kwamen er giechelende kinderen uit het huis van de buren, die achter elkaar aan de trap af renden, terwijl *Voice of America Persian* uit

17

de illegale satelliet-tv van andere buren dreunde.

Ik deed mijn lange zwarte chador af, die ik tijdens mijn reisje naar Qom had gedragen om niet op te vallen tussen de conservatief geklede lokale vrouwen. Maar in plaats van hem zoals gebruikelijk was aan de kapstok te hangen, legde ik hem op de piano om die stofvrij te houden.

Terwijl ik mijn avondeten klaarmaakte, floot ik *Silent Night*. Mijn huis was mijn toevluchtsoord; hier voelde ik een bepaalde rust, ook al vermoedde ik dat mijn leven binnen deze muren niet helemaal privé was. Als Iraans-Amerikaanse journaliste wist ik dat mijn telefoon- en e-mailverkeer tenminste af en toe werd gecontroleerd; dat was een onontkoombaar feit voor veel journalisten, buitenlanders en bepaalde anderen in de Islamitische Republiek.

Het was kerstmis, wat in dit overwegend islamitische land maar door heel weinig mensen werd gevierd. Ik was van plan enkele vrienden via een e-mail een prettig kerstfeest te wensen, maar verder wilde ik deze avond doorbrengen zoals de meeste avonden: interviews uitwerken, research doen voor mijn boek en teksten op mijn laptop typen. Tussendoor zou ik misschien even pianospelen, een vriend of vriendin bellen of een bezoek brengen aan mijn oude buurvrouw, een weduwe die me altijd verwelkomde met roddels en met honing gevulde gebakjes. Daarna zou ik mijn ouders in North Dakota e-mailen of videoskypen om hun te laten weten dat het goed met me ging, de viezigheid uit mijn verstopte poriën scrubben en gaan slapen, meestal ver na middernacht.

Eigenlijk verwachtte ik dat ik de komende drie maanden, tot eind maart, op min of meer dezelfde manier zou doorbrengen. Tegen die tijd zou mijn boek af zijn en zou ik het land verlaten, misschien samen met Bahman, om met het volgende hoofdstuk van mijn leven te beginnen.

2

Ik ging met mijn hoofd op de flanellen sloop van mijn hoofdkussen liggen en trok mijn donzen dekbed over mijn oren. Het was de laatste dag van januari en al meer dan vijf weken geleden dat Gholam had beloofd de klusjesman langs te sturen, maar mijn kachel deed het nog steeds niet.

Meestal werd ik 's ochtends gewekt door het geluid van hamers, boren en zagen, want bouwvakkers bouwden in de betere middenklassewijk waar ik woonde het ene na het andere nieuwe flatgebouw. Maar deze zaterdag, de eerste dag van de Iraanse werkweek, was het enige geluid dat ik hoorde het getik van mijn klok.

Ik keek ernaar: 09.00 uur.

Ding-dong.

Ik schrok. De deurbel had me dus gewekt. Ik draaide me weer om en liet mijn zware oogleden dichtvallen. Ik verwachtte helemaal geen bezoek. Misschien had iemand per ongeluk op mijn bel gedrukt in plaats van op die van een van mijn buren, dat gebeurde wel vaker.

Ding-dong.

Als ik opstond om de deur open te doen, zou ik daarna niet meer kunnen slapen. Mijn hersens functioneren niet als ik niet ten minste acht uur slaap.

Ding-dong.

Wie het ook was, hij gaf het dus niet op.

Ik strompelde mijn bed uit en de woonkamer door. De display van mijn videodeurbel was verlicht en op het zwart-witte beeldscherm zag ik een onbekende man van middelbare leeftijd.

'Ja?' vroeg ik in het Farsi.

'Juffrouw Saberi?' vroeg de man met een vriendelijke glimlach.

'En u bent?'

'Ik heb een brief.'

De postbode, realiseerde ik me.

'Wilt u hem alstublieft boven brengen?' Ik was veel te suf om naar beneden te lopen. 'Ik woon op de vijfde verdieping.'

'Natuurlijk.'

Ik drukte op de zoemer om de voordeur van het gebouw open te doen, sleepte mezelf terug naar mijn slaapkamer, deed een witte hoofddoek om en trok een knielange zwarte *roopoosh* over mijn pyjama aan.

Een zacht klopje op de deur. Ik deed de deur een paar centimeter open. Daar stond de postbode met een ondoorgrondelijke glimlach op zijn gezicht en een wit vel papier in zijn hand. Zwijgend overhandigde hij me het door de smalle opening.

Mijn ogen scanden het papier, waarbij ze de meeste woorden oversloegen, terwijl ik probeerde te ontdekken wat erin stond. Mijn beperkte vaardigheid in het lezen van Farsi in combinatie met een toenemend gevoel van onrust, belemmerde mijn begrip van wat er volgens mij stond:

Queruzjiotikenajkfasdf
azntxcjviorgtneafn
24 uur serjiojasfkjzfnty
znernagyrhgbfg Evin-gevangenis ewatngnmdfv.

Evin-gevangenis?

Ik las de laatste regel nog een keer.

Evin-gevangenis.

Mijn hart begon te bonken. Deze gevangenis van Teheran was berucht omdat daar de beroemdste politieke gevangenen van Iran hadden gezeten, onder wie studenten, academici en activisten. Daar was gemarteld, er waren mensen opgehangen en massa-executies uitgevoerd.* In 2003 werd de Iraans-Canadese journaliste Zahra Kazemi in Evin opgesloten en korte tijd later is ze onder verdachte omstandigheden overleden. Niemand is ooit verantwoordelijk gesteld voor haar dood.

---

* De cijfers variëren, maar volgens Amnesty International zijn tussen augustus 1988 en februari 1989 in Iraanse gevangenissen 4500-10.000 politieke gevangenen geëxecuteerd. Het regime heeft deze massa-executies nooit toegegeven.

'Neem me niet kwalijk,' zei ik tegen de man voor mijn deur en ik probeerde mijn groeiende angst te verbergen. 'Mijn Farsi is niet zo goed. Wilt u me een ogenblik excuseren zodat ik dit iets zorgvuldiger kan lezen?'

Ik probeerde de voordeur dicht te doen, maar dat lukte niet. De man had zijn rechtervoet ertussen gezet en keek me met een valse grijns aan. 'Nee,' gromde hij en hij duwde de deur open. Op dat moment stapten drie mannen uit de lift achter hem.

Vol afgrijzen stapte ik achteruit toen ze mijn appartement binnendrongen en de deur zachtjes sloten.

Twee van hen zagen er net zo uit als 'Postbode': van middelbare leeftijd, een warrige baard, zijn overhemd halfopen en een donkere broek. De derde was goed verzorgd en jonger, misschien begin dertig.

Dit waren duidelijk mannen van de Iraanse inlichtingendienst.

Wat konden ze in vredesnaam van mij willen?

'Bent u net wakker geworden?' vroeg een van hen in het Farsi terwijl hij naar de pyjamabroek keek die onder mijn roopoosh uitstak.

Voordat ik antwoord kon geven, zei een van de anderen: 'Ja, ze gaat heel laat naar bed en staat heel laat op.'

Ik draaide me om naar de agent die dit had gezegd, verbijsterd over het feit dat hij mijn slaapgewoonten kende. Hij was de jongste van de drie: een gladgeschoren man die niet in het typische inlichtingendienstprofiel paste. Hij droeg een spijkerbroek, een zwartleren jasje en schoenen met harde zolen, die klikten toen hij over mijn betegelde woonkamervloer liep. Hij leek precies op de jeugd – of *javân* – uit Noord-Teheran, die er vaak westers uitzag. 'Javan' – de agent die me nooit zijn echte naam heeft verteld – keek ongeïnteresseerd mijn woonkamer rond, op de blik vol walging na waarmee hij naar mijn chador keek die op de piano lag.

'Weet u waarom wij hier zijn?' vroeg de langste man. Hij speelde met een set *tasbih* – bidkralen – die hij in zijn rechterhand had.

Ik deed mijn mond open om 'Tasbihi' antwoord te geven, maar er kwam geen geluid uit mijn keel.

'Wij hebben het recht u te ondervragen,' zei hij op vlakke toon zonder op antwoord te wachten. 'En als we niet tevreden zijn met uw antwoorden, kunnen we u vanavond naar de Evin-gevangenis overbrengen.'

Dit was vast een bijzonder nare droom, erger dan alle nachtmerries die ik me kon herinneren.

'Maak u maar geen zorgen,' vervolgde Tasbihi met een griezelige grijns. 'Als u meewerkt, bent u vanavond weer thuis. Doe maar gewoon wat we zeggen en loop niet weg.'

Ik wilde naar mijn telefoon of naar de voordeur rennen, maar ik kon alleen maar knikken. Ik dacht aan wat ik over Zahra Kazemi had gehoord. Ze zou gearresteerd zijn nadat ze vlak bij de Evin-gevangenis foto's van de gezinnen van gevangenen had genomen en vervolgens haar ondervragers uitdagende antwoorden had gegeven. De keiharde autoriteiten hadden in eerste instantie geprobeerd de doodsoorzaak te camoufleren, maar zeiden later dat ze was overleden aan de hoofdwonden die ze tijdens een 'ongeluk' had gekregen. Maar volgens een arts die Kazemi's stoffelijk overschot had onderzocht en Iran was ontvlucht om zijn bevindingen wereldkundig te kunnen maken, was de journaliste verkracht, was haar neus gebroken en had ze een schedelbasisfractuur. Ze had er ongedeerd van af kunnen komen, had een Iraanse functionaris me een keer onder vier ogen verteld, als ze zich niet had verzet.

De vier mannen begonnen mijn bezittingen in de woonkamer te doorzoeken. Postbode pakte mijn laptop en USB-stick. Een andere man stopte een paar van mijn schrijfblokken in een lege vuilniszak die hij in mijn keuken had gevonden.

'Later krijgt u dit allemaal terug,' zei Tasbihi tegen me toen ik stokstijf midden in de woonkamer stond toe te kijken. 'We moeten eerst even een beetje research doen.'

Javan bekeek de boeken op mijn boekenplank. Een paar boeken waren in het Farsi, onder andere twee of drie die geschreven waren door de leider van de Iraanse Islamitische Revolutie, ayatollah Ruhallah Khomeiny. Deze sloeg de agent over, net als mijn favoriete klassiekers in het Engels, zoals *Parallelle levens* van Plutarchus, maar hij wijdde zijn aandacht aan andere teksten die ik uit Amerika had meegenomen. Veel teksten gingen over Iran, het Midden-Oosten en de islam.

'Ik ben onder de indruk, juffrouw Saberi,' zei hij op sarcastische toon. 'U bent een echt studiehoofd. Wat doet u met al deze boeken?'

'Die heb ik in de zes jaar dat ik hier woon verzameld,' hoorde ik mezelf zeggen, 'en nu gebruik ik er een paar van voor de research van een boek over Iran dat ik aan het schrijven ben.'

Alsof hij dat niet al wist. Ik was er altijd van uitgegaan dat de autoriteiten op de hoogte waren van mijn boek – een onafhankelijk project dat ik openlijk had beschreven tegenover de tientallen Iraniërs die ik had geïnterviewd. Dat had ik gedaan om ervoor te zorgen dat het regime zich zou realiseren dat ik niets te verbergen had.

Javan zei niets en bleef mijn kleine bibliotheek bestuderen. Hij hield even geïnteresseerd op toen hij bij twee Engelstalige boeken kwam met daarop foto's van de strenge Iraanse president Mahmoud Ahmadinejad.

'Waar gaan deze over?' vroeg hij.

Het waren gewone boeken over Ahmadinejad en zijn politiek, antwoordde ik.

Hij gooide de boeken in de vuilniszak, die nu half gevuld was met de buit die zijn collega's hadden verzameld. Daarna ontdekte hij mijn mobieltje op de counter van de keuken en stopte dat in zijn zak.

De vier mannen dwongen me mee te lopen naar een andere kamer, waar ze mijn bureau en archiefkast doorzochten. Ze namen verschillende muziek-cd's, oude videobanden en bankafschriften in beslag.

Toen Postbode mijn Amerikaanse en mijn Iraanse paspoort ontdekte, glimlachte hij triomfantelijk. Ik voelde mijn knieën slap worden en moest steun zoeken tegen het bureau. Zonder die documenten zou ik het land niet kunnen verlaten. En omdat er in Iran geen Amerikaanse ambassade was, waren er geen Amerikaanse regeringsambtenaren die me konden helpen.

'Maak u maar geen zorgen,' zei Tasbihi weer. 'Als u meewerkt, krijgt u dit later allemaal terug.'

Maar ik maakte me grote zorgen. Ik was doodsbang, in paniek en woedend: doodsbang bij het vooruitzicht in de Evin-gevangenis terecht te komen, in paniek door de aanwezigheid van deze vier onbekende mannen die mijn woning doorzochten en woedend over deze schending van mijn privacy.

Mijn blik volgde de agenten die een paar schrijfblokken uit mijn studietijd doorbladerden. Soms keek ik er nog even in voor journalistieke tips en achtergronden over internationale betrekkingen. Een van de mannen trok stoffige papieren en mappen uit de kast en niesde. Ik was van plan geweest die waardeloze troep weg te gooien, maar had dat voor me uit geschoven.

Ondertussen haalde Javan twee foto's, een van Bahman en de andere van mijn familie, van de muur. Hij liet ze in een lege vuilniszak vallen. Daarna liepen de mannen naar mijn slaapkamer, waar ik verbijsterd toekeek hoe ze mijn kast en toilettafel doorzochten.

'Trek uw gewone kleren aan,' zei Javan tegen me toen de agenten klaar waren met de huiszoeking. 'We nemen u ergens anders mee naartoe voor verhoor.'

'Waarom?' vroeg ik. 'Wat willen jullie van mij?'

'Werk nou maar mee,' zei hij kortaf.

Meewerken! Ik had geen idee wat deze mensen bedoelden met meewerken.

De mannen lieten me alleen in mijn slaapkamer, met de deur op een kier. Ik keek uit het raam en wenste dat ik op de begane grond woonde. Vanaf deze hoogte zou ik het vast niet overleven als ik uit het raam sprong en ik had niet het lef en ook niet genoeg lakens om naar de veiligheid te springen.

Mijn onuitvoerbare plannetjes vielen in duigen door een klop op de deur. Het was een van de mannen die me zei dat ik moest opschieten. Ik kleedde me om en trok een spijkerbroek en een T-shirt aan en deed mijn horloge om. Daarna trok ik mijn hijab aan.

De vier agenten begeleidden me mijn appartement uit en sleepten hun buit met zich mee. De hal was griezelig stil, net zoals toen ze twee uur eerder waren binnengekomen. Meestal zochten mijn buren en hun kinderen elkaar daar op. Misschien hadden ze de agenten gezien en keken ze vanuit de veiligheid van hun appartement zenuwachtig door het kijkgaatje. Ik overwoog om hulp te gaan schreeuwen, maar ik wist dat niemand zich zou durven bemoeien met deze mannen, die ongetwijfeld gewapend waren.

Ik kreeg de opdracht om achter in de voorste van de twee witte Peykans te gaan zitten. De Postbode ging naast mij zitten en Javan nam plaats naast de chauffeur. Toen we op de snelweg in de richting van het centrum van Teheran reden, staarde ik als verdoofd naar buiten. Wat er gebeurde was heel vertrouwd, maar tegelijkertijd ontzettend onwerkelijk, alsof ik in een gruwelijke fantasie was beland. Had ik een paar uur eerder maar geweten wat me die dag te wachten stond.

Tot ik me die ochtend om vier uur in mijn bed had laten gevallen, had ik me niet gerealiseerd hoe uitgeput ik was.

Mijn vermoeidheid kwam doordat ik die nacht urenlang achter mijn computer had gezeten en door mijn groeiende onzekerheid over de toekomst. De dag van mijn vertrek uit Iran kwam snel dichterbij en de afgelopen weken was ik mijn gebruikelijke optimisme grotendeels kwijtgeraakt doordat ik werd geconfronteerd met vragen die ik steeds had geprobeerd te negeren.

Wat zal er van mijn boek worden? had ik me afgevraagd. Ik had nog niet eens een uitgever gevonden. En wat zal er met mij gebeuren als mijn boek eenmaal af is?

Als journaliste in Iran had ik mijn leven enige zin kunnen geven door mijn berichtgeving vanuit dit land waar maar weinig buitenlandse journalisten konden wonen en werken.

Daarom had ik opeens een leegte gevoeld toen het Iraanse ministerie van Cultuur in 2006 mijn officiële persaccreditatie introk. Ik was niet alleen mijn perskaart kwijt, maar ook een groot deel van mijn identiteit.

Een paar andere journalisten met een dubbele nationaliteit waren al vóór mij gedwongen geweest hun geloofsbrieven in te leveren en de visa van veel buitenlandse journalisten waren ingetrokken of niet verlengd. De situatie was verslechterd nadat Ahmadinejad in 2005 tot president werd verkozen en de hervormingsgezinde regering door hardliners had vervangen. De Iraanse autoriteiten gaven me geen duidelijke verklaring voor hun besluit om mijn perskaart in te trekken, hoewel ze suggereerden dat dit deel uitmaakte van een bredere poging om de westerse media te beperken in hun berichtgeving over het land.

Maar ik was ervan overtuigd dat buitenstaanders meer dan ooit behoefte hadden aan onafhankelijke berichtgeving vanuit Iran en ik voelde me verplicht hieraan mee te werken. Daarom besloot ik door te gaan met mijn berichtgeving, maar op een beperktere manier waarvoor ik volgens de Iraanse wet geen perskaart nodig had. Een paar journalisten in dezelfde situatie hadden dit ook al gedaan.

De Iraanse autoriteiten wisten dat ik doorging met mijn verslaggeving en hadden me nooit gezegd dat ik ermee op moest houden. Ik nam aan dat ze het niet erg vonden dat ik nieuwsberichten en een paar hoofdartikelen over Iran deelde met de buitenwereld.

Korte tijd later begon ik aan mijn boek over Iran. Voor dit project, de research en het schrijven ervan, had ik geen toestemming van de regering nodig en ik hoopte dat ik het leven van gewone Iraniërs beter in een boek kon beschrijven dan in korte reportages.

Sindsdien waren er twee jaar verstreken. Nu mijn boek bijna klaar was, had ik geen idee wat ik daarna zou doen: naar welk land ik zou verhuizen, of Bahman en ik onze relatie in het buitenland zouden voortzetten, of wat ik met mijn leven zou doen.

Maar was iets hiervan echt belangrijk? vroeg ik me af toen ik in bed lag. Nee, in feite was niets belangrijk.

De laatste tijd had ik vaak op God gemopperd, zoals vaak als ik aan mezelf twijfelde en me onzeker voelde. Mijn ouders hadden me verschillende religies laten onderzoeken en daardoor had ik een algemeen beeld van een oneindige en genadige God, een Hogere Macht naar wie alle belangrijke religies op een bepaalde manier naar verwezen. Maar de laatste tijd had ik het gevoel dat God zich niet echt interesseerde voor wat ik deed.

Ik vond dat mijn leven, ondanks al mijn inspanningen, onvoldoende betekenis had en ik had er geen zin meer in om mijn leven betekenis te geven. Uiteindelijk gingen we toch allemaal dood. Het maakte niet eens iets uit of ik nog langer dan mijn eenendertig jaar zou leven. Ik kon me niet herinneren waarom ik me ooit zo vastbesloten had voorgenomen om iets te beduiden in de wereld.

Toch had ik veel om dankbaar voor te zijn, zei ik tegen mezelf toen mijn oogleden zwaar werden: een liefhebbende familie, goede vrienden, mijn gezondheid...

Ik viel in slaap tijdens de oproep voor de ochtendgebeden vanuit de plaatselijke moskee.

'Waar gaan we naartoe?' vroeg ik.

'Naar een plek waar we u een paar vragen kunnen stellen,' zei Javan zonder me aan te kijken. 'Zoals mijn collega u al vertelde, brengen we u naar huis als u vanavond meewerkt. Zo niet, dan brengen we u naar Evin.'

Een mobieltje rinkelde. Het geluid klonk gedempt maar bekend en kwam uit de zak van de agent.

'Wie is Meneer Z?' vroeg hij. Hij las de naam op de display van mijn mobieltje.

Meneer Z was een man die ik een paar maanden eerder voor mijn boek had geïnterviewd in Zahedan, vertelde ik. Zahedan was de hoofdstad van de zuidoostelijke Iraanse provincie Sistan en Baluchistan. Zijn niet-gouvernementele organisatie probeerde daar de armoede en ziekten te verlichten.

'Zet hem op de luidspreker en neem dat gesprek aan,' beval de agent en hij gaf mij de telefoon. 'Gedraag u normaal. Zeg tegen hem dat u in een vergadering zit en hem later terugbelt.'

Toen hij dat zei, dacht ik aan een voorval van een paar jaar geleden. Na afloop van een persconferentie over mensenrechten in Teheran werd ik aangehouden door twee mannen in burger die mijn videoband daarvan in beslag namen. Ik had daartegen geprotesteerd, maar mijn goede vriend Hassan, die toen bij me was, zei dat ik hem maar beter kon afgeven. Later zei hij dat het zinloos én gevaarlijk was om in discussie te gaan met geheim agenten, en dat ik moest doen wat ze zeiden.

'Hallo?' zei ik in de telefoon.

'Juffrouw Saberi?' vroeg de man aan de andere kant van de lijn.

'Sorry, ik zit in een vergadering. Kan ik u later terugbellen?' vroeg ik in één adem.

'Natuurlijk. Het spijt me dat ik u heb gestoord.'

Ik legde mijn mobieltje in Javans uitgestrekte hand en hij stopte het weer in zijn zak.

De beide auto's stopten algauw voor een gebouw bij een park in het centrum van Teheran. Ik was al eens langs dat park gereden, maar dat gebouw had ik nog niet eerder gezien. Het was onopvallend, zoals veel gebouwen van de Iraanse geheime dienst en politie. De agenten namen me mee naar binnen, langs een bewaker en een trap op naar een vertrek zonder ramen. Drie van de vier mannen vertrokken. Alleen Tasbihi bleef achter. Hij ging op een versleten bank zitten en ik op een andere bank, met een tafeltje tussen ons in.

Terwijl Tasbihi met zijn gebedskralen speelde, begon hij me te verhoren.

Waar was ik geboren en opgegroeid? Wat deden mijn ouders? Waar woonden de familieleden van mijn vader in Iran?

Ik ben in New Jersey geboren en opgegroeid in Fargo, North Dakota, antwoordde ik. Mijn moeder, Akikjo, was patholoog en mijn vader, Reza, auteur van boeken over filosofie en vertaler van Perzische gedichten naar het Engels. De meeste van zijn familieleden woonden in het noordwesten van Iran, in zijn geboorteplaats Tabriz, maar ik zag hen zelden.

'Kunt u uw antwoorden in Farsi opschrijven?' vroeg Tasbihi.

'Dat kan ik proberen,' zei ik.

Hij gaf me een pen, maar nadat hij me met de spelling had zien worstelen, pakte hij hem weer terug en zei dat ik mijn antwoorden moest dicteren terwijl hij ze opschreef.

Waarom was ik naar Iran gekomen, wilde hij weten, hoe vaak ging ik terug naar Amerika en waarvoor?

Ik beantwoordde deze vragen en hij stelde er nog meer. Dit was niet zo erg, dacht ik, terwijl de minuten uren werden.

Daarna kwam Javan het vertrek binnen. Hij had een stapel bruine mappen bij zich met allerlei kleuren en formaten papier erin. Hij keek naar de pen in de hand van zijn collega.

'Waarom schrijf jij voor haar?' gromde de jonge agent. 'Ze kan zelf Farsi schrijven!'

Daarna smeet hij de mappen op tafel zodat Tasbihi en ik ons rot schrokken en drukte mij de pen in de hand. Hij bleef staan en las de antwoorden door die Tasbihi tot dan toe van me had gekregen. Af en toe schudde hij zwijgend zijn hoofd.

Terwijl Javan de papieren doornam, kon ik hem voor het eerst goed bekijken. Hij was vrij slank en van gemiddelde lengte. Zijn neus was iets gebogen en zijn terugwijkende haarlijn accentueerde de enigszins oplopende hoek van zijn ogen. Zijn wenkbrauwen leken continu opgetrokken, waardoor hij altijd sceptisch leek te kijken. Ik rilde toen hij de papieren weglegde en zijn donkere, ondoorgrondelijke ogen op mij richtte.

Ten slotte zei Javan op een kalme maar dreigende toon: 'We zijn niet voldoende opgeschoten met u.'

Hij wuifde Tasbihi opzij zodat hij op de bank kon gaan zitten. Kennelijk zou de jongere man het overnemen. 'Juffrouw Saberi,' zei hij terwijl hij een van de bruine mappen opensloeg, 'we weten dat u de afgelopen maanden veel research heeft gedaan en veel interviews heeft gehouden.'

'Ja,' zei ik. 'Zoals ik al heb gezegd, schrijf ik een boek over Iran.'

'Waarom hebt u zo veel mensen geïnterviewd?'

'Ik heb verschillende sectoren van de Iraanse maatschappij bestudeerd, want ik wil dat het boek verschillende zienswijzen reflecteert,' legde ik uit. 'Ik wil niet met maar enkele mensen praten en dan beweren dat zij het hele land vertegenwoordigen. Dat zou voor de Engelstalige mensen in het buitenland een onevenwichtig beeld van Iran schetsen.'

'We weten wie u hebt geïnterviewd,' zei Javan smalend. 'Gelukkig heeft een van hen, meneer M, ons gebeld om te zeggen dat u hem verdachte vragen hebt gesteld.'

Meneer M? Dat was een welvarende koopman die ik voor het economische hoofdstuk van mijn boek over de bazaar van Teheran had geïnterviewd. Ik vertelde mijn ondervrager dat ik meneer M had gevraagd welke rol de bazaar had in de Iraanse economie, politiek en samenleving.

Javan bekeek een paar bladzijden in de map, keek toen op en vroeg: 'En waarom hebt u hervormingsgezinden geïnterviewd? U weet toch dat enkelen van hen heel kritisch staan ten opzichte van het regime?'

De Iraanse hervormingsgezinden hadden genoten van hun politieke macht onder de vorige president, Mohammed Khatami. Met het oog op de presidentsverkiezingen van 2009 probeerden ze nu terug te komen. Veel hervormingsgezinden hadden kritiek geuit op Ahmadinejads maatschappelijke beperkingen, economische politiek en confronterende houding ten opzichte van het betwiste nucleaire programma van Iran. Ze waren ook voorstander van betere betrekkingen met het Westen en van meer democratie binnen de structuur van de Islamitische Republiek.

'Ik heb politici uit het hele politieke spectrum geïnterviewd,' antwoordde ik. 'Ook conservatieve leden van het parlement.'

'We weten dat u dat hebt gedaan,' zei Javan op scherpe toon. 'Evenals een paar leden van de Nationale Commissie voor Veiligheid en Buitenlandse Politiek.'

'Wat is daar verkeerd aan?' vroeg ik. 'Door middel van mijn boek wilden zij hun zienswijze met buitenlanders delen en ik kan de mening van conservatieven toch niet accuraat beschrijven zonder met hen te praten?'

Mijn ondervrager ontweek mijn vraag met een andere vraag.

'Waaróm hebt u al die mensen eigenlijk geïnterviewd?' vroeg Javan. 'Wie heeft u hier opdracht voor gegeven?'

'Niemand,' antwoordde ik verbijsterd. 'Het is mijn eigen beslissing geweest om hen voor mijn boek te interviewen.'

'Heeft iemand een kopie van wat u tot nu toe hebt geschreven?'

'Ja,' zei ik. 'Mijn moeder.'

'Waarom zij?'

Elke paar dagen e-mailde ik een kopie van mijn laatste teksten naar mijn moeder. Ik wist dat de Iraanse inlichtingendienst het huis van bepaalde journalisten en intellectuelen was binnengevallen en ook al had ik niet gedacht dat dit mij ooit zou overkomen, toch voelde ik me zekerder als mijn moeder aan de andere kant van de wereld een kopie van mijn teksten had. Bovendien gaf ze me nuttige feedback.

'Zij leest mijn hoofdstukken en geeft me dan advies,' legde ik uit.

'Verder heeft niemand een kopie?'

'Verder niemand,' antwoordde ik, maar ik begreep niet waarom hij dat vroeg.

Javan knikte langzaam en begon in een andere map te bladeren. 'Laten we teruggaan naar 2003. U hebt een paar televisiereportages gemaakt voor Fox News. Weet u dat Fox een afdeling is van het Pentagon?'

Ik wist dat dit de visie was van bepaalde Iraanse autoriteiten, maar daarover wilde ik niet met die agent in discussie gaan. Daarom vertelde ik alleen maar dat het ministerie van Cultuur me toestemming had gegeven om die reportages naar Fox te sturen. Bovendien, dacht ik, als die verhalen zo'n probleem waren, waarom begon deze man daar dan pas zes jaar later over?

'U hebt voor hen een reportage gemaakt over de Shahab-3,' zei Javan. De Shahab-3 was een Iraanse raket die volgens zeggen Israël en bepaalde Amerikaanse bases in de regio kon bereiken, hoewel Teheran beweerde dat hij alleen voor defensiedoeleinden was bedoeld. Ik dacht diep na en probeerde me te herinneren wat ik in mijn reportage had beweerd.

'Volgens mij bevatte die beelden van de raket van de Iraanse overheidstelevisie,' zei ik. 'En volgens mij ook een verklaring van het Iraanse ministerie van Buitenlandse Zaken over een geslaagde proeflancering.'

'U hebt ook een reportage voor Fox gemaakt over al-Zarqawi,' vervolgde hij.

Ik kon me niet precies herinneren wie al-Zarqawi was, behalve dat op een bepaald moment werd beweerd dat hij in Irak een Al-Qaidaleider was. Ik vertelde mijn ondervrager dat mijn reportage, als ik het me goed herinnerde, betrekking had gehad op het feit dat Teheran de beschuldigingen ontkende dat al-Zarqawi naar Iran was gevlucht.

'In die verslagen hebt u een analyse opgenomen,' zei hij op steeds vijandiger toon.

'Ik heb verslag gedaan van wat waarnemers en de Iraanse ambtenaren zeiden.'

'Maar het was een analyse.'

'Als het al een analyse was, dan was het niet míjn analyse,' zei ik.

'Maar de analyse van ándere mensen.'

'Analyse is precies wat de Si-â van Iran wil,' verklaarde Javan, waarbij hij 'CIA' met een Farsi-accent uitsprak.

Dat kun je niet menen! wilde ik zeggen. Helaas meende hij het waarschijnlijk wel.

Iraanse hardliners beweerden graag dat buitenlandse geheime diensten, vooral de CIA en de Britse MI6, onvermoeibaar op zoek waren naar manieren om hun onvolledige informatie over de Islamitische Republiek aan te vullen. Door over de CIA te beginnen, sleepte Javan me mee naar gevaarlijk terrein. Daarmee gaf hij aan dat ik veel meer gevaar liep dan hij en Tasbihi eerder hadden beweerd.

'Ik betwijfel ten zeerste of de CIA zich voor een analyse op een van mijn reportages zou baseren,' zei ik tegen Javan.

Zonder hierop in te gaan, gaf hij me een vel papier met daarop een onleesbare, met rode inkt handgeschreven tekst.

'Sorry, maar dit kan ik niet lezen,' zei ik. 'Ik kan alleen Farsi lezen als het netjes geprint is, alsof het getypt is.'

Mijn ondervrager pakte het papier terug en las met een licht geïrriteerde stem voor. 'Hier staat: "Welke soorten reportages hebt u voor Fox News gemaakt en wat voor nut had dit voor de CIA?"'

Hij gaf me het papier weer terug. 'Schrijf op dat u voor Fox News een reportage hebt gemaakt over de Shahab-3-raket en over al-Zarqawi, en dat de CIA hier voordeel van had,' beval hij.

Ik schreef het eerste deel van zijn antwoord op, maar veranderde 'en dat de CIA hier voordeel van had' in 'en misschien heeft iemand van de CIA deze reportages bekeken'.

Met een uitdrukkingsloos gezicht las Javan mijn antwoord en gaf me toen een ander vel papier. Weer kon ik zijn handschrift niet lezen.

'Hier staat: "Waarom hebt u meneer A gesproken toen hij naar Iran kwam?"' zei hij en hij sprak elk woord zo duidelijk uit alsof ik een klein kind was.

Ik had mijn Amerikaanse vriend meneer A ontmoet toen hij Iran bezocht om voor zijn Ivy League University een studentenuitwisselingsprogramma op te zetten, vertelde ik.

'Zoals u weet, juffrouw Saberi,' zei de agent, 'maakt Washington gebruik van dit soort uitwisselingsprogramma's om informatie over ons te verzamelen via de jonge Iraniërs die hierdoor naar Amerika worden gestuurd en via de Amerikaanse studenten die hierdoor naar Iran worden gestuurd.'

Hij beval me dat ik moest opschrijven dat ik meneer A in Iran had ontmoet en hem had geholpen met zijn uitwisselingsprogramma, dat tot doel had de Islamitische Republiek te bespioneren.

Ik schreef op dat ik mijn vriend in Iran had ontmoet en hem niet had geholpen met zijn uitwisselingsprogramma dat, voor zover ik wist, alleen maar een uitwisselingsprogramma was.

Javan las mijn antwoord, weer zonder hierop te reageren. Daarna gaf hij me nog een vel papier met een met rode inkt geschreven tekst erop. 'Hier staat: "Wie betaalt u om uw boek te schrijven?"'

'Niemand,' antwoordde ik. 'Dat is een persoonlijk project. Ik heb nog niet eens een uitgever.'

'We weten dat u ook nieuwsreportages maakt,' zei Javan. 'Die bent u blijven sturen nadat uw perskaart in 2006 was ingetrokken.'

Ik wees erop dat ik me ervan bewust was dat de Iraanse autoriteiten dit wisten en dat er voor de beperkte reportages die ik maakte geen perskaart nodig was. Bovendien, voegde ik eraan toe, als zij daar een probleem mee hadden, konden ze me dat zeggen en dan zou ik ermee ophouden.

'Hoeveel verdient u met elke reportage die u vanaf hier verstuurt?' vroeg Javan.

Ik gaf hem een schatting. Het was niet veel, maar hielp me om mijn rekeningen te betalen.

'U hebt niet veel reportages gemaakt,' zei hij. 'Dus hoe kunt u het zich veroorloven om een boek te schrijven?'

'Ik heb de afgelopen jaren waarin ik fulltime als journalist werkte wat geld gespaard,' legde ik uit, 'mijn ouders hebben me wat geld geleend en ik heb niet veel grote uitgaven.' Ik hoefde geen huur te betalen, omdat mijn vader het appartement voor me had gekocht, voegde ik eraan toe.

'Dus wie betaalt u om dat boek te schrijven?' vroeg de agent weer.

'Wie heeft u daar opdracht voor gegeven?'

'Niemand,' herhaalde ik. 'Dat was mijn eigen idee.'

Hij zuchtte, sloeg zijn blik neer en leunde achterover. Daarna wees hij naar de mappen die op tafel lagen. 'Juffrouw Saberi, we hebben verschillende dossiers over u. Dit is maar een klein voorbeeld van alles wat we de afgelopen jaren over u hebben verzameld.'

Ik kromp ineen op de bank. Ik had nooit gedacht dat ik zo goed in de gaten werd gehouden.

'Als u tegen ons liegt,' vervolgde hij, 'dan weten we dat, en volgens ons werkt u niet mee. Dat is niet goed voor u en daarom zullen we u naar Evin moeten brengen.'

'Maar ik lieg niet,' zei ik met een gespannen klank in mijn stem.

Zouden ze me echt naar Evin brengen?

De laatste jaren had het Iraanse ministerie van Veiligheid prominente activisten en academici met een dubbele nationaliteit gevangengezet, vooral Iraans-Amerikanen, maar die hadden zich hoofdzakelijk beziggehouden met het uiten van controversiële politieke meningen of de woordenwisselingen van intellectuelen, schrijvers en burgerrechtenactivisten. Ik had altijd gedacht dat wanneer de autoriteiten vragen hadden over mijn werk, zij me hoogstens zouden ondervragen. Ik kende een paar journalisten die routinematig een paar uur waren verhoord, maar daarna weer waren vrijgelaten. Ik hoopte dat dit ook voor mij zou gelden en dat deze man loze dreigementen uitte.

Javan stond op en zei dat hij me wat tijd zou geven om na te denken over de vraag of ik wilde meewerken. Daarna verliet hij het vertrek. Tasbihi, die zwijgend had zitten luisteren, liep achter hem aan.

Er kwam een andere man binnen. Hij gaf me een bakje van piepschuim en een flesje *doogh*, een Iraans yoghurtdrankje.

Javan stak zijn hoofd om de deur en zei: 'Zorg dat u wat eet, u zult al uw energie nodig hebben.'

Ik maakte het bakje open waar hete damp uit kwam. Ik keek even naar de kipkebab met rijst en deed het deksel snel weer dicht. Ik had geen trek in eten.

Ik wilde dat mijn mobieltje, dat nog steeds in de broekzak van die agent zat, zou rinkelen en dat het Bahman was. Normaal gesproken belde hij 's middags altijd op dit tijdstip. Hij was waarschijnlijk bezig met de montage van zijn laatste film. Als hij belde, kon ik hem misschien duidelijk maken dat ik in de problemen zat.

Even later kwam Javan terug. Deze keer was hij alleen. Hij ging zitten en sloeg een andere map open.

'Waarom hebt u meneer J ontmoet en wat wilde hij van u?' vroeg hij.

Meneer J was een Japanse hoogleraar die ik had gesproken toen hij Iran bezocht. Hij had gevraagd wat ik van de Iraanse samenleving vond, vertelde ik.

'U weet heel goed dat hij voor de Japanse geheime dienst werkt,' verklaarde mijn ondervrager met overtuiging.

Goed, de Japanners waren dus ook verdacht. Ik wist niet wat ik moest zeggen, behalve: 'Als hij echt een geheim agent was, hoe zou ik dat dan moeten weten?'

Javan sneed het volgende onderwerp aan: het Aspen Institute. Aspen was een Amerikaanse ngo die me onlangs had uitgekozen als fellow voor een regionaal jongeren-leiderschapsprogramma, iets wat mijn ondervrager kennelijk had ontdekt door mijn e-mail te controleren. Wist ik dan niet, vroeg hij, dat deze organisatie de 'zachte omverwerping' van het islamitische regime van Iran nastreefde?

Deze manier van denken klonk me griezelig bekend in de oren.

De laatste jaren beweerden Iraanse hardliners dat de Amerikanen, of ze het islamitische regime nu wel of niet met militaire middelen probeerden af te zetten, dit ten val wilden brengen door een zachte of fluwelen revolutie; vergelijkbaar met wat er in 1989 in Tsjecho-Slowakije en later in landen als Georgië en Oekraïne was gebeurd. In die landen hadden massaprotesten de sovjetachtige regeringen verdreven door middel van vreedzame revoluties.

Iraanse hardliners beweerden dat dergelijke bewegingen niet in de landen zelf waren ontstaan, maar door de Verenigde Staten waren uitgedacht. Ze zeiden dat Washington ook in Iran een dergelijke revolutie tot stand wilde brengen, bijvoorbeeld door Iraanse intellectuelen, studenten en opiniemakers te laten uitnodigen door Amerikaanse denktanks en organisaties om aan conferenties, workshops en fellowships deel te nemen. Wat men hiermee wilde bereiken, verklaarden deze hardliners, was dat deze elites daarna gebruik zouden maken van de media en maatschappelijke groeperingen om antiregeringsideeën te verspreiden onder het Iraanse volk, dat zich uiteindelijk tegen het bewind zou moeten keren. Om hun theorie te schragen, wezen deze regeringsambtenaren naar het Iran Democracy Fund van de regering-Bush, dat kennelijk tot doel had het Iraanse regime omver te werpen; een beschuldiging die Washington ontkende.

Ik vertelde Javan dat het Aspen-programma dat mij had geselecteerd, zich richtte op vrijwilligerswerk, zijn fellows niets betaalde en voor zover ik wist geen enkele subsidie van de Amerikaanse regering kreeg. Bovendien, voegde ik eraan toe, was dat fellowship nog niet eens begonnen.

De agent keek me met een nietszeggende blik aan. Ik had geen idee of hij me geloofde of zich zelfs maar interesseerde voor wat ik zei. De volgende uren zou ik steeds met diezelfde kennelijke onverschilligheid worden geconfronteerd als Javan een vraag voorlas en ik antwoord gaf, waarna hij me opdracht gaf mijn antwoord op te schrijven voordat hij de volgende vraag stelde.

We hadden al een dun stapeltje volgeschreven vellen papier geproduceerd toen een bediende het vertrek binnenkwam die ons thee aanbood. Ik weigerde. Javan stopte een suikerklontje tussen zijn tanden en bracht zijn kopje naar zijn lippen.

'Vertel me eens iets meer over die interviews die u hebt gehouden,' zei hij, waarna hij zijn thee opslurpte en zijn benen ontspannen over elkaar sloeg.

'Zoals ik al zei, waren ze voor mijn boek,' vertelde ik hem. 'Ik heb allerlei mensen geïnterviewd: kunstenaars, vrouwelijke taxichauffeurs, veteranen uit de Irak-Iran-oorlog...'

De agent viel me in de rede: 'Het is onmogelijk dat u zo veel interviews hebt kunnen houden alleen voor een boek.' Hij nam een slok thee en zette zijn kopje neer.

'Maar dat is wel zo,' zei ik. Ik vertelde hem iets over de opzet van het boek en de verschillende hoofdstukken.

Weer viel hij me in de rede. 'We wéten dat uw interviews niet alleen voor een boek waren.'

Ik begreep niet waar hij naartoe wilde.

'Iemand heeft u opdracht gegeven die informatie te verzamelen,' vervolgde hij.

'Wat bedoelt u?'

'Dat heeft de Amerikaanse regering u opgedragen.'

'De Amerikaanse regering?' riep ik uit. 'Echt, die interviews waren alleen maar bedoeld voor mijn boek.'

'Niet de Amerikaanse regering in het algemeen,' zei hij, 'maar een bepaald onderdeel van de Amerikaanse regering: de inlichtingendienst, de CIA.'

Mijn hart begon sneller te kloppen en mijn maag draaide zich om.

Nu beschuldigde deze man me niet alleen van het verstrekken van informatie aan de CIA door middel van mijn nieuwsreportages, maar ook van spionage voor de CIA.

Dat was een belachelijk idee, maar ik had moeten weten dat mijn verhoor hiertoe zou leiden. Iraanse hardliners schenen te geloven dat achter elke hoek buitenlandse spionnen loerden. Als bewijs van deze stelling verwezen ze vaak naar de berichtgeving over geheime activiteiten tegen de Islamitische Republiek en naar de rol die de Amerikaanse en Britse inlichtingendiensten in 1953 hadden gespeeld bij de omverwerping van de democratisch gekozen Iraanse president. Het Iraanse regime maakte zich weliswaar terecht zorgen over de veiligheid, maar hardliners misbruikten deze bezorgdheid vaak door buitenlandse 'verborgen handen' de schuld te geven van de binnenlandse problemen en door 'spionage' te roepen om hun steeds steviger greep op de macht te rechtvaardigen. Sommige Iraniërs, ook journalisten, waren van spionage beschuldigd, vooral als ze buitenlandse contacten hadden en openlijk kritiek leverden op het regime. Een groot deel van de Iraanse samenleving was deze beschuldigingen gaan beschouwen als onzin en politiek gemotiveerd.

'Ik ben geen spion,' zei ik resoluut tegen Javan. 'Ik heb helemaal niets te maken met de CIA of met welke inlichtingendienst van welk land dan ook.'

'U hebt dat boek als dekmantel gebruikt,' zei hij op kille toon. 'U hebt dat boek gebruikt als dekmantel om informatie voor de CIA te verzamelen.'

'Een dekmantel?' vroeg ik. 'U hebt mijn USB-stick en mijn laptop in beslag genomen. U kunt zelf de hoofdstukken lezen die ik heb geschreven aan de hand van citaten van degenen die ik heb geïnterviewd.'

'We weten dat u uw boek als dekmantel hebt gebruikt,' herhaalde hij langzaam en nadrukkelijk. 'Dat doen de CIA en buitenlandse regeringen altijd. Zij weten dat journalisten en schrijvers toegang hebben tot hooggeplaatste mensen in andere landen en gebruiken hen om informatie te verzamelen.'

Was deze man echt zo paranoïde? Geloofde hij echt dat iedereen die ik had ontmoet en geïnterviewd verband hield met een poging om informatie over de Islamitische Republiek te verzamelen? Met enige ironie herinnerde ik me de woorden van een buitenlandse journalist die ooit in Iran gestationeerd is geweest: 'De Iraanse autoriteiten denken dat we allemaal spionnen zijn omdat ze hun journalisten zelf als spion gebruiken.'

Op dat moment ging mijn mobieltje. Javan viste het uit een zak van zijn colbert. 'Er staat "Bahman",' zei hij toen de telefoon weer ging. 'Wie is dat?'

Eindelijk belde Bahman me!

Ik herhaalde dat hij mijn vriend was, hoewel ik vrijwel zeker wist dat Javan al op de hoogte was van onze relatie.

'Zet hem op de luidspreker,' beval hij. 'Als u snel naar huis wilt, praat dan heel gewoon. Zeg dat u in vergadering bent en hem later terugbelt. Vergeet niet dat u, als u meewerkt, vanavond vrijkomt.'

Ik wist niet wat ik moest zeggen. Ik wilde dat Bahman en ik een soort code hadden. Als ik hem onmiddellijk zou vertellen dat ik in de problemen zat, zouden ze me niet vrijlaten. Dan zouden ze mijn schedel misschien wel inslaan of mijn vingernagels uittrekken, zoals ze volgens zeggen met Zahra Kazemi hadden gedaan. Maar als ik meewerkte, zouden deze mannen me misschien echt laten gaan.

'Bahman,' zei ik met trillende stem. 'Ik zit in een vergadering.'

'Oké,' zei hij, 'bel me maar terug zodra je kunt.'

'Prima. Maar...' Hoe kon ik hem laten weten dat ik in gevaar was? We zouden die avond uit eten gaan ter ere van zijn verjaardag, en hij wist dat ik zijn verjaardag nooit zou willen missen.

'... sorry, Bahman. Maar misschien kan ik vanavond niet.'

'Oké,' zei hij weer. Hij klonk een beetje afwezig en pikte mijn hint kennelijk niet op. 'Bel me straks als je kunt. *Dust-et dâram.*'

Zonder verder nog iets te zeggen, verbrak hij de verbinding. Ik gaf de telefoon terug aan Javan.

Hij keek me aan, met een strakke, doordringende blik. 'Zoals ik al zei, juffrouw Saberi, weten wij dat u samenwerkt met de CIA.'

'Dat is niet zo.'

'U werkt samen met mensen die bij de CIA zitten of banden hebben met de CIA.'

'Ik weet niet hoe ik het u anders moet vertellen, maar ik heb niets met de CIA te maken,' hield ik vol. 'Als u me niet gelooft, moet u me maar een leugendetectortest afnemen.'

'Daar hebben we geen vertrouwen in,' zei hij. 'Er zijn trainingen waarbij je die leert manipuleren.'

'Maar ik heb helemaal geen training gehad.'

Javan keek me met een minachtende blik aan en ging door met zijn volgende vraag. In de uren daarna bleef hij volhouden dat mijn boek een dekmantel was voor spionageactiviteiten en ik bleef dat ontkennen. Ik wist dat het geen zin had hem te vragen zijn beweringen te bewijzen. In dit land hadden mensen zoals hij niets meer nodig dan hun eigen woorden om iemand voor jaren naar de gevangenis te sturen.

Uiteindelijk deed hij de laatste map dicht en zei: 'We schieten helemaal niets op.' Het was half acht 's avonds en hij wilde ermee ophouden.

'We hadden u niet naar Evin willen brengen,' zei Javan nonchalant, 'maar we hebben u een kans geboden en u hebt niet meegewerkt. Nu hebben we geen keus meer.' Hij begon de talloze mappen te verzamelen.

Ik voelde dat ik lijkbleek werd. 'Maar ik heb u de waarheid verteld. Geloof me, alstublieft!' smeekte ik.

'U hebt niet meegewerkt,' zei hij rustig.

'Wat bedoelt u met "meewerken"?'

'U moet bekennen!'

'Wat moet ik dan bekennen?'

'Dat u uw boek gebruikt als dekmantel om voor de CIA te spioneren.'

'Ik zweer bij God dat ik niets met de CIA te maken heb!' riep ik uit en ik gooide mijn armen in de lucht. 'Ik – ben – geen – spion!'

'U moet het zelf weten,' zei hij terwijl hij opstond.

Toen Javan naar de deur liep, zag ik in gedachten beelden die ik ooit op de Iraanse staatstelevisie had gezien. In 2007 had een programma aandacht besteed aan wat volgens de producers de bekentenissen waren van drie gevangen scholieren met een dubbele nationaliteit: Haleh Esfandiari, Kian Tajbakhsh en Ramin Jahanbegloo. Ik kon me de details van de filmbeelden niet herinneren, alleen dat ze kennelijk toegaven dat hun werk op de een of andere manier tot doel had het Iraanse regime door een zachte revolutie te ondermijnen. Een paar maanden eerder had Iran videobeelden uitgezonden van gevangen Britse zeelieden en mariniers die 'bekenden' dat ze illegaal de Iraanse wateren waren binnengevaren; een aanklacht die Londen betwistte. Niet lang na de uitzending van deze videobeelden waren deze gevangenen vrijgelaten, alsof hun bekentenis op video voorwaarde was geweest voor hun vrijheid.

Critici binnen en buiten Iran hadden deze video's afgedaan als propaganda, en een paar gevangenen hadden hun bekentenis direct na hun vrijlating ingetrokken.

Toch waren gedwongen publieke bekentenissen, waarin gevangenen vaak spijt voor hun acties betuigden, collega's beschuldigden en om vergeving vroegen, een geïnstitutionaliseerd gebruik van de Iraanse inlichtingendiensten. Deze praktijk had grotendeels tot doel dissidenten te onderdrukken, gelijkgestemden te intimideren en de beweringen van het regime dat er subversieve intriges plaatsvonden te ondersteunen.

De gedachte dat ook ik een dergelijke bekentenis zou moeten doen, vervulde me met woede en minachting. 'Dus nu gaan jullie me martelen tot ik op video een misdaad beken die ik niet heb gepleegd,' snauwde ik tegen Javan.

De agent draaide zich met een valse grijns op zijn gezicht om. Mijn plotselinge woede-uitbarsting leek hem te amuseren.

'Nee, nee, helemaal niet,' zei hij rustig en hij nam me mee naar buiten.

Ik strompelde het vertrek uit en de trap af, waar zijn drie collega's op ons wachtten. Het was druk op straat met auto's en voorbijgangers die zich met hun gebruikelijke dingen bezighielden. Weer overwoog ik om hulp te roepen, maar ik betwijfelde of iemand me zou komen redden en als ik een scène schopte, zouden deze mannen alleen maar woedend worden. Bovendien was het mogelijk dat ze me alleen maar bang hadden willen maken zodat ik niet verder zou werken aan mijn boek en wilden ze me nu naar huis brengen.

Ik legde me neer bij het onbekende en stapte de auto in. We reden terug naar het noorden van Teheran. Toen we de afslag naar mijn appartement voorbijreden, zakte de moed me in de schoenen. De chauffeur reed door, rechtstreeks naar de Evin-gevangenis.

3

Ik was al eerder in, of eigenlijk búíten de Evin-gevangenis geweest.
Een Iraanse vriend had erop gestaan samen met mij langs de gevangenis te rijden. Deze stond op een heuvel in een gegoede wijk van Noord-Teheran, vlak bij de Alborz-bergen. Ik had hem gevraagd om niet langzaam te gaan rijden. Alleen al het zien van de hoge muren en het prikkeldraad gaf me een gespannen gevoel en ik vermoedde dat camera's video-opnamen maakten van iedereen die in de buurt kwam.

Toen onze auto voor de gevangenispoort stopte, kon ik niet langer ontkennen wat me overkwam. Nu werd ik pas echt bang, want er zijn mensen hiernaartoe gebracht die nooit weer zijn vertrokken.

'Ik begrijp niet waarom u me hiernaartoe brengt,' zei ik tegen de Postbode, die naast me op de achterbank zat.

'Maakt u zich maar geen zorgen,' zei hij met een valse glimlach. 'Als u uw onschuld bewijst, wordt u vrijgelaten.'

'Waarom zou ik mijn onschuld moeten bewijzen?' vroeg ik. 'Je bent onschuldig tot je schuld is bewezen. Als ik schuldig ben, zijn júllie degenen die dat moeten bewijzen.'

Schouderophalend keek de man een andere kant op.

Een bewaker gebaarde dat we door het blauwmetalen hek mochten rijden. We reden over een kronkelige weg en parkeerden voor een stenen gebouw. Ze zeiden dat ik moest uitstappen. Tasbihi gaf me een vieze witte blinddoek en gaf me opdracht mijn ogen te bedekken. Hij zei dat ik de doek zover omhoog moest trekken dat ik zijn zwarte schoenen voor me kon zien, maar niet verder. Ik liep achter hem aan het gebouw in en zocht houvast aan de muren terwijl ik door de gang strompelde en daarna een trap op. Ik rilde toen ik dacht aan de duizenden gevangenen die hier waren opgesloten, gemarteld en geëxecuteerd sinds deze gevangenis in de jaren zeventig door sjah Mohammed Reza was gebouwd en na de Islamitische Revolutie was vergroot.

Boven aan de trap zei Tasbihi dat ik met mijn gezicht naar de muur moest gaan staan. Ik hoorde dat hij een zoemer indrukte. Daarna hoorde ik dat er een zware deur openging. Een kille hand greep mijn pols en trok me een gang in. Achter me viel de deur met een klap dicht.

'Doe uw blinddoek af,' fluisterde een vrouwenstem.

Ik deed wat me gezegd werd. Voor me stond een ernstig kijkende, zwaargebouwde vrouw met een ronde bril op en een zwarte chador aan; waarschijnlijk een bewaakster. Ze leidde me door een stille, felverlichte gang langs vijf of zes stalen deuren links van ons. We bleven staan voor de laatste deur, die openstond. 'Ga naar binnen,' mompelde ze.

Ik liep een kleine cel in met lindegroene wanden en een dun, versleten bruin vloerkleed. Het vertrek werd verlicht door één zwakke gele gloeilamp.

'Trek uw kleren uit,' zei de vrouw.

Ik deed mijn hoofddoek en mijn roopoosh af, maar daarna stopte ik en keek haar aan. Ik vroeg me af of ze zich zou omdraaien of naar me zou blijven kijken.

'Ga door,' zei ze en ze bleef stokstijf staan met haar ogen wijd open.

Ik kleedde me uit tot op mijn ondergoed.

'Trek dat ook uit,' zei ze.

Toen ik helemaal naakt was, zei de bewaakster dat ik met mijn gezicht naar de muur moest gaan staan en mijn paardenstaart los moest maken. Ze streek met haar vingers door mijn lange haar, kennelijk om te controleren of ik daar iets in had verstopt. Daarna gaf ze me een grote onderbroek, een synthetische beige joggingbroek en een bijpassende trui. Die kleren moest ik aantrekken. Het enige van mezelf dat ik mocht houden, waren mijn sokken. Geen bh, geen horloge, geen schoenen. In plaats daarvan kreeg ik veel te grote witte plastic mannenslippers – van die goedkope die veel Iraniërs binnenshuis dragen. De bewaakster pakte mijn tas, maakte een lijst van de inhoud, liet me die ondertekenen en nam mijn vingerafdrukken.

Als een robot deed ik wat me gezegd werd.

Daarna moest ik mijn haar en nek bedekken met een *maqna'e*, een roopoosh die losjes om mijn slanke lichaam hing en een donkerblauwe chador die naar ongewassen sokken rook. Toen ik aangekleed was, pakte ze me bij de arm en nam me mee de gang op en, nadat ik weer was geblinddoekt, door de deur. Daarvandaan liep ik onhandig naast haar een paar traptreden af en een andere gang door. We liepen een kamer links van ons in waar ze zei dat ik mijn blinddoek af moest doen.

Ik zag dat ik in een kleine dokterspost was die uit één vertrek bestond. Een jonge mannelijke arts zat achter een bureau. Hij stond op en controleerde mijn gewicht, bloeddruk en hartslag, schreef zwijgend de uitkomsten op en vertelde me: 'U bent erg gezond.'

Wat jammer, snikte ik inwendig. Als ik ernstig ziek was, zouden deze mensen me misschien vrijlaten. Of misschien ook niet. Misschien waren ze blij als ik dood was.

'Bent u atlete?' vroeg de dokter.

'Ja,' antwoordde ik.

'Welke sporten beoefent u?'

'Voetbal.'

De dokter las een waslijst met ziekten op. Helaas had ik geen van alle.

'Bent u wel eens depressief geweest?' vroeg hij.

Mijn gijzelnemers zouden een vrouw met zelfmoordneigingen hier toch zeker niet lang vasthouden? dacht ik. Jaren geleden heeft een psycholoog eens tegen me gezegd dat ik leed aan een lichte vorm van depressie...

'Ik ben wel eens depressief,' antwoordde ik.

'Iedereen is wel eens depressief,' zei de dokter.

'En atletes zouden niet depressief moeten zijn,' zei de bewaakster, die naast me stond. Ik keek haar aan.

'Gebruikt u medicijnen?' vroeg de dokter.

Ik vertelde hem dat ik een speciale acnezalf gebruikte die in de tas zat die ik bij me had gehad.

'Uw huid ziet er prima uit,' zei hij. 'Die hebt u niet nodig.' Daarna zei hij tegen de bewaakster dat ze me terug moest brengen naar mijn cel.

De stalen deur viel met een klap achter me dicht en in het slot.

Ik had me nog nooit zo van de buitenwereld afgesloten gevoeld. Ik was nog nooit zo alleen geweest.

Op het haveloze kleed stond een plastic wegwerpbakje met koude gebakken bonen. Ik schoof het bakje met mijn voet opzij en keek om me heen.

De bewaakster had vier gerafelde legerdekens in een hoekje gelegd.

Ze had gezegd dat ik een deken moest oprollen als kussen en op twee andere moest slapen. Ze had me ook een handdoek, een ministukje zeep, een tandenborstel en een reistube tandpasta gegeven.

De cel, die ongeveer twee bij tweeënhalve meter was, was duidelijk bedoeld voor één persoon. Als ik mijn armen strekte, kon ik de beide muren bijna aanraken. Een paar centimeter boven de deur, buiten mijn bereik en vlak bij het plafond, was een gesloten, getralied raam met fijn ijzergaas ervoor. In de deur zat ook een klein raam, maar het luikje zat er aan de buitenkant voor.

Op een van de muren was een bordje gespijkerd met instructies in het Farsi die ik negeerde. Tegen een andere muur stond een roestige ijzeren wasbak. De bewaakster had me gewaarschuwd dat ik dat water niet moest drinken. Ze had me ook gezegd dat het oude toilet naast de wastafel niet meer functioneerde. Als ik naar het toilet op de gang moest, kon ik op de zwarte knop bij de deur drukken. Dan zou er buiten mijn cel een groen lampje gaan branden, waaruit bleek dat ik eruit gelaten moest worden.

Tegen de muur ertegenover hing een radiator met een wit metalen cover. Eerdere gevangenen hadden hierin allerlei teksten gegraveerd. Ik bukte me om ze te bekijken.

'Nationale solidariteit voor de vrijheid van Iran,' luidde een in het Farsi.

'18 Tier 1386,' luidde een andere. Deze datum op de Iraanse kalender markeerde de achtste verjaardag van de vreedzame studentenprotesten van 1999, die verschillende Iraanse steden hadden opgeschrikt tot de autoriteiten ze met geweld hadden onderdrukt. Elk jaar daarna hadden studenten de verjaardag van deze protesten herdacht met nieuwe demonstraties, die altijd met geweld werden neergeslagen.

Ahmed Batebi was een van de studenten die hadden deelgenomen aan de eerste demonstraties. Nadat zijn foto op de voorpagina van *The Economist* had gestaan, waarop hij een shirt liet zien dat onder het bloed van een van de andere demonstranten zat, kreeg hij de doodstraf, die later werd omgezet in een aantal jaren gevangenisstraf in Evin. Ik had gelezen dat Batebi's gijzelnemers hadden geprobeerd hem te laten zeggen wat ze wilden door tegen zijn testikels en benen te slaan en door zijn hoofd in uitwerpselen te stoppen tot hij die inademde. In 2008, toen hij voor een medische behandeling korte tijd uit de gevangenis mocht, ontsnapte hij naar het buurland Irak en hij kreeg later politiek asiel in de Verenigde Staten.

Bovenaan had iemand verschillende parallelle streepjes gezet die kennelijk aangaven hoeveel dagen ze gevangen had gezeten. 'Eén, twee, drie...' telde ik. 'Achttien!' Ik zou het hier zelfs niet één nacht kunnen volhouden.

Ik vroeg me af hoe mijn voorgangsters deze inscripties hadden kunnen maken zonder dat ze een scherp voorwerp tot hun beschikking hadden. Ik probeerde het met de onderkant van mijn tube tandpasta. Die was sterk genoeg om in de verf te krassen.

GOD... SAVE... kraste ik in de radiator. IRAN. Ik moest me beheersen om er niet aan toe te voegen '... voor deze afschuwelijke mensen'. De bewaakster zou misschien later controleren wat ik had geschreven. Wie weet, misschien kon ze wel Engels lezen.

Terwijl ik mijn kunstwerk afmaakte, hoorde ik aan de andere kant van de muur door de perforaties in mijn radiator een jammerend geluid.

Daarna hoorde ik de deur van de cel naast me opengaan.

'U moet iets eten,' hoorde ik de bewaakster zeggen.

Het gejammer hield even op.

'Dat kan ik niet,' zei een vrouw met een stem die amper luider was dan gefluister.

'Oké, zelf weten,' antwoordde de bewaakster. 'Daar hebt u alleen uzelf mee, ons niet.'

De deur ging dicht.

'Weigert ze nog steeds om te eten?' vroeg iemand, waarschijnlijk een andere bewaakster.

'Ja,' luidde het antwoord.

Arme vrouw. Ik vroeg me af waarom ze hier was en wat voor afschuwelijks men haar had aangedaan.

Ik ging op mijn dekens liggen en sloot mijn ogen. De lucht was dik van het stof en mijn cel rook als een schroothandel naar metaal en beton, verstoken van leven en activiteiten. De radiator deed het niet en het was kil in het vertrek. Met de twee dekens onder me en eentje over me heen, lag ik te rillen. Daarom legde ik twee dekens over me heen en ging op een ervan liggen. Dat was iets warmer, maar nu schraapten mijn benen over de kille betonnen vloer.

Zonder horloge of klok had ik geen idee hoe laat het was. Het was waarschijnlijk rond middernacht, maar ik had geen slaap.

Ik werd woedend. Woedend op de mensen die me hier hadden opgesloten. Woedend op de Amerikaanse politiek die mijn gijzelnemers een excuus gaf om mensen zoals ik ervan te beschuldigen dat ze samenspanden tegen het islamitische regime. Woedend op God.

'Waarom straft U mij?' fluisterde ik. Omdat ik me gisteravond tegenover U beklaagde over mijn leven? Het spijt me. Dat meende ik niet. Help me, alstublieft. Waar bent U? Waarom hebt U me verlaten?

Ik was ook woedend op mezelf. Het was ongelooflijk stom van me om te denken dat mijn research niet riskant was, dat ik hooguit zou worden verhoord en niet in de gevangenis zou belanden, dat Iraanse geheim agenten rationeel genoeg zouden zijn om de onschuldige aard van mijn werk in te zien en dat ze me zouden geloven als ik de waarheid vertelde.

Een paar tranen van zelfmedelijden biggelden over mijn wangen terwijl ik voor mijn gevoel urenlang wakker lag. Ik wilde dat ik de klok kon terugdraaien. Dan zou ik nooit aan een boek over Iran zijn begonnen. Dan zou ik het land in 2006 al hebben verlaten.

In de verte hoorde ik een man gekweld jammeren. 'Aaa-eee!'

Wat een afschuwelijke, afschuwelijke plek!

4

Een oproep voor het ochtendgebed galmde door de lucht. Ik schrok wakker.

'*Allaho akbar, Allaho akbar!*' brulde een muezzin door de gevangenisluidsprekers. 'God is groot, God is groot!'

Toen ik mijn ogen opendeed, zag ik hoge muren en voelde ik de kou door mijn lichaam trekken. Dat herinnerde me eraan dat de vorige dag beslist geen droom was geweest.

De bewaakster van de vorige avond opende mijn deur en gaf me een plastic kopje met thee, wat witbrood en een plak kaas. Ik voelde me niet goed. Ik raakte het eten niet aan en ik zat met mijn rug tegen de muur te speculeren over de nieuwe gruwelen die deze dag kon brengen.

Nadat ik ongeveer een uur zo had gezeten, werd de stilte verstoord door een luide zoemer. Daarna hoorde ik iemand snel langs de deur van mijn cel lopen, stilstaan en teruglopen. Iemand stond stil voor mijn deur. Toen de deur deze keer openging, zag ik een slanke bewaakster van halverwege de twintig. Ze zei dat ik mijn roopoosh en chador moest aantrekken en mijn blinddoek moest voordoen. Ze zei dat ik naar mijn bâzju, mijn ondervrager, ging.

We liepen de vrouwenvleugel uit, door de gang en via een met leer beklede deur naar een vertrek waar ik moest gaan zitten. Toen ik mijn hoofd een beetje achterover hield, zag ik een plastic schoolbank met een schrijfplankje die voor een met schuimrubber beklede muur stond. Blindelings schuifelde ik naar voren, waarbij ik probeerde om niet over de uiteinden van mijn chador te struikelen, en ging op het bankje zitten.

'Hallo, juffrouw Saberi, hoe gaat het met u?'

Dat was de kille, afgemeten stem van Javan, de jonge ondervrager die de bewaakster mijn *bâzju* had genoemd.

'Goed,' zei ik.

'We geven u vandaag nog een kans om met ons samen te werken,' zei

47

hij. 'Maar als u dat niet doet, zullen we u naar de rechtbank moeten brengen, waar *tafhim-e ettehâm mishi.*'

Die uitdrukking had ik nooit eerder gehoord. 'Wat betekent dat?' vroeg ik.

'Dat betekent dat u de aanklacht tegen u zult horen.'

Achter me hoorde ik een stoel over de vloer schrapen, gevolgd door het geklik van zolen en wat klonk als een stapel papieren die op mijn bureau werd gesmeten. Daarna klikten de schoenen terug naar waar ze vandaan kwamen.

'Til uw blinddoek iets op zodat u kunt schrijven,' beval Javan.

Ik gehoorzaamde en zag een pen en een stapel lege vellen.

'Schrijf uw naam en nationaliteit op de eerste pagina,' beval hij. 'Ik ben ervan overtuigd dat u weet dat Iran geen dubbele nationaliteit erkent.'

Dat wist ik. Op basis van deze stelling beweerden de Iraanse autoriteiten dat de manier waarop ze mensen met een dubbele nationaliteit behandelden een binnenlandse kwestie was.

'Dus ook al bent u in Amerika geboren en opgegroeid,' vervolgde mijn bâzju, 'u bent volgens onze wet toch een Iraanse. U komt ons land binnen en verlaat ons land als Iraanse. U moet opschrijven dat u Iraanse bent. Hoe dan ook, Amerika kan u hier niet helpen. In feite kan niemand u hier helpen.'

Ik nam aan dat het geen zin had om ertegenin te gaan. Ik deed wat hij me opdroeg, waarna het verhoor opnieuw begon. Net als de vorige dag stelde mijn ondervrager een vraag die ik verbaal beantwoordde. Daarna schreef ik mijn antwoord op, allemaal in het Farsi. Af en toe kwam een andere ondervrager binnen met een opmerking of een vraag. Aan de verschillende stemmen achter me te horen, waren er ten minste vier mannen in het vertrek.

Ik wikkelde mijn chador stevig om me heen. Je hoorde vaak verhalen over seksueel misbruik in Iraanse gevangenissen en ik wist niet of die mannen me zouden aanraken, of ergere dingen met me zouden doen.

Ze stelden me allerlei vragen, kennelijk zonder logische volgorde.

Waarom was ik naar Qom gegaan? Om voor mijn boek verschillende geestelijken te interviewen.

Waarom was ik naar de Franse ambassade in Teheran geweest? Om me in te schrijven voor een cursus om mijn Frans bij te spijkeren.

'Waarom hebt u in Beiroet een hooggeplaatste Hezbollahstrijder geïnterviewd?' vroeg Javan. 'U hebt hem vragen gesteld over de relatie tussen Iran en Hezbollah.'

Iran had begin jaren tachtig meegeholpen met de vorming van de sjiitische moslimmilitie om Israël aan te vallen. Washington had Teheran ervan beschuldigd de Libanese groepering met opleiding en wapens te steunen, maar Teheran zei dat het alleen 'geestelijke' steun had aangeboden.

Ik legde mijn bâzju uit dat ik de hooggeplaatste Hezbollahstrijder over verschillende onderwerpen had geïnterviewd. De relatie tussen Iran en Hezbollah was daar een van.

'U had moeten weten dat we dit van onze vrienden binnen Hezbollah te horen zouden krijgen,' sneerde hij. 'Zij vertellen ons álles.'

Ik kon niet begrijpen waarom Javan dat interview als een misdaad beschouwde. 'Als u zegt dat het illegaal was om die vragen te stellen,' zei ik, 'zou de Amerikaanse regering me dan ook gevangen moeten nemen omdat ik Iraaks-Koerdische autoriteiten heb geïnterviewd over hun banden met Washington?'

'We wéten dat u naar Iraaks-Koerdistan bent geweest,' zei een andere ondervrager. Hij had het over het gebied in Noord-Irak waar etnische Koerden woonden. Er woonden ook miljoenen Koerden in Iran, Syrië en Turkije. Ze werden beschouwd als de grootste etnische groepering zonder eigen land, hoewel de Koerdische Regionale Regering in Noord-Irak onlangs formeel autonomie had verkregen.

Ik beet op mijn lip. Zonder het te willen had ik mijn ondervragers naar de volgende vraag op hun lijstje geleid.

'U hebt verschillende Koerdische autoriteiten in Irak geïnterviewd over de relatie tussen hun regering en Teheran.'

'Ja, dat klopt,' zei ik. 'Hun opmerkingen staan online in het nieuwsartikel dat ik heb geschreven.'

'Wie heeft u geholpen om die interviews te regelen?'

Ik aarzelde. Bahman had me geholpen.

Bahman was een Iraans-Koerdische filmregisseur, had films in Irak gemaakt en had nauwe banden met een paar hooggeplaatste Koerdische autoriteiten. Maar ik wilde zijn naam niet weer ter sprake brengen. Hij had al genoeg problemen met het Iraanse ministerie van Cultuur, dat hij vaak 'het kleine broertje van het ministerie van Veiligheid' noemde.

'We weten dat het Bahman Ghobadi was,' zei Javan zelfvoldaan. 'Net zoals we al die andere dingen over u weten. Als u deze informatie niet zelf verstrekt, weten we dat u niet meewerkt.'

Ik slaakte een gespannen zucht. Op een bepaald moment had ik dat reisje kennelijk zonder erbij na te denken aan de telefoon met Bahman besproken.

'Meneer Bahman heeft u dus geholpen met die interviews,' zei Javan.

'Maar hij heeft niets verkeerds gedaan,' zei ik.

'U hebt ook Koerden in Irán geïnterviewd,' vervolgde de agent geïrriteerd. 'Waarom hebt u zich eigenlijk zo op de Koerden gericht?'

Mijn ondervragers waren kennelijk gespitst op het onderwerp 'etnische minderheden'. Hoewel één gezamenlijke Iraanse identiteit veel inwoners van het land met elkaar verbond, woonden er in Iran allerlei etnische groeperingen met verschillende identiteiten. De helft van de bevolking bestond uit Perzen, de andere helft uit Azeri (of Azerbeidzjanen), Koerden, Baluchi, Arabieren en anderen. De Koerden, van wie de meesten soennieten waren, baarden het sjiitische islamitische regime vooral zorgen. Sommige Koerden hadden meer autonomie geëist, of zelfs afscheiding van Iran, om samen met hun tegenhangers in het nabije Syrië, Turkije en Irak een 'Groot Koerdistan' te kunnen vormen. Maar veel anderen richtten zich liever op het verkrijgen van meer rechten binnen Iran zelf.

'Voor mijn boek heb ik verschillende Koerden geïnterviewd,' antwoordde ik eerlijk, 'en ik heb veel Koerdische vrienden in Irak en Iran.'

Daarna vroeg Javan me, net als de vorige dag, of iemand een kopie had van mijn boek, en weer antwoordde ik dat mijn moeder een kopie had.

Achter me hoorde ik papieren ritselen. De mannen zaten kennelijk in die afschuwelijke dossiers te bladeren.

Mijn bâzju begon over een reis naar Israël die ik had gemaakt. Ik vertelde dat ik daar jaren geleden als freelanceverslaggever op mijn Amerikaanse papoort naartoe was gegaan.*

---

* Het islamitische regime erkent Israël niet en verbiedt houders van een Iraans paspoort naar dat land te reizen. Sommige in Iran wonende Joden zijn via een ander land naar Israël gereisd.

'We weten ook dat u naar Afghanistan bent geweest om uw broer op te zoeken,' zei hij.

Javan wist kennelijk dat mijn broer Jasper in het Amerikaanse leger zat. Die informatie had ik niet zelf verstrekt, maar ik wist dat dit op internet stond.

'Ik heb hem daar niet kúnnen ontmoeten, omdat ik daar in 2004 was als verslaggever en hij daar pas in 2005 is gekomen,' vertelde ik. Ik voegde eraan toe dat ik maar heel weinig over Jaspers werk wist, maar dat het iets te maken had met de strijd tegen de taliban, die volgens Teheran ook een vijand van Iran waren.

Mijn bâzju stelde me nog een paar vragen, maar hield er toen even mee op.

'Juffrouw Saberi,' zei hij op die beheerste, zelfverzekerde manier van hem, 'we houden u al in de gaten sinds u in 2003 voor het eerst voet in Iran zette. We hebben uren en uren videomateriaal van u en we hebben u tijdens een paar uitstapjes en vluchten gevolgd.'

'Ik hoop dat jullie hebben genoten in Parijs,' zei ik zacht, ook al kreeg ik een wee gevoel in mijn maag.

Opeens herinnerde ik me weer dat een vriend, toen we een paar maanden geleden in een park waren, had gezien dat een man en een vrouw ons filmden. Toen mijn vriend naar hen zwaaide en glimlachte, waren ze snel vertrokken. We hadden toen allebei gedacht dat dit iets te maken had met een kennis van ons die op dat moment gevangenzat.

Ik vroeg me af of iets in mijn leven van de laatste zes jaar wel privé was geweest, in Iran en daarbuiten, of dat elk moment was vastgelegd op videoband en in die afschuwelijke bruine dossiers. Uit wat Javan me vertelde, kon ik afleiden dat hij en zijn collega's heel veel tijd, geld en mankracht hadden geïnvesteerd om me te volgen. Ik had nooit gedacht dat ik zo belangrijk was voor het Iraanse inlichtingenapparaat.

'We weten ook dat u uw boek in het buitenland wilde uitgeven,' zei Javan, 'en dat u Iran over een paar maanden wilde verlaten.'

Dat had ik tijdens een paar telefoongesprekken gezegd. 'Ja,' antwoordde ik.

'Waarom wilde u uw boek buiten Iran uitgeven?'

'Omdat het in het Engels is geschreven en ik een uitgever wilde zoeken die het in het Westen zou kunnen promoten.'

'Nee,' snauwde hij. 'Omdat u wist dat u voor het uitgeven van een boek in Iran toestemming van de regering nodig hebt en u dacht dat u die niet zou krijgen.'

Ik antwoordde niet. Ik probeerde de logica van deze kennelijk lukrake vragen te ontdekken. Was mijn misdaad het bezoeken van buitenlandse ambassades in Teheran, het houden van interviews die de autoriteiten liever niet zagen of het schrijven van een boek dat ze niet konden censureren?

Een andere ondervrager zei dat ik moest opstaan. Ik had een telefoontje, zei hij, van de baas van mijn ondervrager op het ministerie van Veiligheid, een man die hij *Hâj Âghâ* noemde, een term die vaak werd gebruikt om respect voor een man aan te geven. Met mijn blinddoek weer op zijn plaats, wankelde ik achter mijn ondervrager aan door de gang. Steeds weer botste ik tegen een bureau of een stoel aan, of ik kon maar net de schoenen ontwijken van een paar zittende mannen van wie ik aannam dat het gevangenismedewerkers waren.

Toen we eindelijk aan het einde van de gang waren, gaf mijn ondervrager me een telefoon.

'Juffrouw Saberi,' zei een barse stem die toch het zangerige accent van Midden-Iran had, 'als u vandaag meewerkt, zult u dit gesprek met mijn collega's morgenavond voortzetten in het comfortabele Esteghlal Hotel en niet in de Evin-gevangenis.'

Het Esteghlal Hotel stond onder aan de heuvel, vlak bij de gevangenis. Andere journalisten hadden me verteld dat grote hotels zoals het Esteghlal geliefd waren bij Iraanse geheim agenten en dat ze in de restaurants, lobby's en kamers van dat hotel opnameapparatuur hadden verstopt. Toch zou ik hoe dan ook de voorkeur geven aan het Esteghlal boven Evin.

'Oké,' was het enige wat ik kon uitbrengen.

'Maar als u niet meewerkt,' zei Hâj Âghâ, 'is het mogelijk dat u heel, heel lang in de gevangenis moet blijven. Dat zou erg jammer zijn.'

'Oké,' antwoordde ik met gesmoorde stem.

'Alleen wij kunnen u hier helpen, verder niemand. Als u meewerkt, helpen we u. Dat is de enige manier. Begrijpt u dat?'

'Maar Hâj Âghâ,' piepte ik, 'ik wérk mee! Ik vertel de waarheid.'

Hij hing op en ik werd teruggebracht naar de verhoorkamer, waar mijn gijzelnemers verdergingen met mijn verhoor.

Waarom wilde een Amerikaanse kennis van me in Iran vitamines verkopen, waarom was ik in Teheran koffie gaan drinken met een Amerikaanse journalist, waarom had ik een paar maanden eerder geprobeerd mijn gevangenzittende Iraanse kennis te helpen?

Ik antwoordde eerlijk en klampte me wanhopig vast aan de hoop, een flintertje inmiddels, dat ik mijn ondervragers ervan kon overtuigen dat hun verdenkingen over mij ongefundeerd waren. Toch verdraaiden ze mijn antwoorden elke keer weer, waardoor het klonk alsof ik schuldig was aan spionageactiviteiten. Ze gaven me opdracht hun antwoorden op te schrijven, die ik koppig in mijn eigen antwoorden probeerde te veranderen.

De uren verstreken en mijn frustratie en vermoeidheid groeiden. Ik moest mijn uiterste best doen mijn aandacht er goed bij te houden. Soms vuurden de mannen de vragen zo snel na elkaar op me af dat ik amper tijd had over mijn antwoorden na te denken. Soms sprongen ze van het ene onderwerp naar het andere, zodat ik de draad kwijtraakte. Ook herhaalden ze bepaalde vragen steeds weer, maar in andere bewoordingen, alsof ze wilden controleren of mijn antwoorden gelijk bleven. Dat was vooral het geval met vragen over mijn boek, dat kennelijk hun grootste belangstelling had.

'De interviews die u hebt gehouden,' zei een van mijn ondervragers, 'waarom vertelt u ons niet gewoon voor wie en waarvoor die écht waren?'

Ik moest mijn best doen om rechtop in mijn stoel te blijven zitten. 'De interviews in Iran waar u me vragen over hebt gesteld, waren écht voor mijn boek,' hield ik vol, 'en de interviews buiten Iran waren écht voor nieuwsreportages of voor mijn boek.'

'Het is ónmogelijk dat u alleen voor een boek zo veel interviews hebt gehouden!'

'Ik doe altijd heel veel research zodat ik een bepaald onderwerp goed doorgrond,' legde ik uit. Nu vervloekte ik mezelf hierom.

Iemand achter me ademde langzaam en zwaar uit.

'Juffrouw Saberi, we wachten,' hoorde ik Javans stem uit diezelfde richting komen. 'We wachten tot u ons vertelt wie u opdracht heeft gegeven om uw boek te gebruiken als dekmantel voor spionage voor Amerika. Welke informatie hebt u verzameld en hoe hebt u die aan hen gegeven? Wat moest u nog meer voor hen doen? In ruil waarvoor?'

'Ik weet niet waar u het over hebt!' Ik was inmiddels wanhopig en schreeuwde bijna. 'De hoofdstukken van mijn boek staan op de USB-stick, lees die dan, dan kunt u zelf zien dat ik geen spion ben!'

'Juffrouw Saberi,' zei Javan weer, nog steeds op die kalme, ingehouden toon van hem, 'ik ben allergisch voor het woord "boek". Als u hier weg wilt komen, kunt u dat woord maar beter niet meer gebruiken.'

'Maar het is de waarheid, wat moet ik anders zeggen?' Ik balde mijn vuisten.

'Tja,' zei de agent en ik hoorde hem opstaan, 'we hebben u nog een kans gegeven, maar u hebt alweer niet meegewerkt. Nu zullen we u helaas naar de rechtbank moeten brengen om de openbaar aanklager te zien.'

Toen ik daarna in de auto werd gezet, deed een bewaker me handboeien om. Dat was me nog nooit overkomen. Toen ik zag dat hij de sleutel in het slotje omdraaide, had ik het gevoel dat ik naar de polsen van iemand anders keek.

Ik herkende de chauffeur niet, net zomin als de man die naast hem zat en die een grote, zwarte zak op schoot had; groot genoeg voor een pistool.

Terwijl we naar het centrum van Teheran reden, scande ik koortsachtig de straten in de hoop dat Bahman langs onze auto zou lopen of rijden en me zou zien; wishful thinking in een stad met acht miljoen inwoners. Hij wist dat het niets voor mij was om zomaar vierentwintig uur onbereikbaar te zijn. Hij had natuurlijk allang geprobeerd contact met me op te nemen toen ik hem de vorige dag niet had teruggebeld. Mijn ouders vroegen zich waarschijnlijk ook al af waarom ik hun niet zoals anders een e-mail had gestuurd. Zij en Bahman vermoedden misschien al dat ik in de problemen zat, maar geen problemen zoals deze. Ik vroeg me angstig af welk effect het nieuws van mijn arrestatie op mijn vader zou hebben. Hij had al last van hoge bloeddruk en een paar jaar eerder had hij een viervoudige bypassoperatie ondergaan. Ik moest zo snel mogelijk Evin uit komen.

We bereikten de middenklassewijk Mo'alem. Ik was al vaker in deze buurt geweest, maar nog nooit in het gebouw waar we nu naartoe reden.

'Wat is dit?' vroeg ik de chauffeur.

'De Revolutionaire Rechtbank van Teheran,' antwoordde hij.

Ik snakte naar adem. Het revolutionaire rechtbanksysteem van Iran functioneerde naast de andere rechtbanken van het land. Het behandelde zaken als misdaden tegen de nationale veiligheid en het belasteren van de Allerhoogste Leider of de islam. Vrouwenrechtenactivisten, studenten, vakbondsleden, journalisten, bloggers, academici, politici en vele anderen waren hier veroordeeld op grond van politieke beschuldigingen, hoewel het regime hen liever 'veiligheidsgevangenen' noemde in plaats van 'politieke gevangenen'.

De op veiligheid gerichte houding van de regering ten opzichte van de samenleving, die onder Khatami iets ontspannener was geworden, was sterker geworden onder president Ahmadinejad, die hardliners had benoemd tot hoofd van verschillende ministeries, waaronder het ministerie van Veiligheid en het ministerie van Cultuur en Islamitische Leiding. Deze ministers en hun ondergeschikten leken te geloven dat het noodzakelijk was de samenleving meer beperkingen op te leggen om het hoofd te bieden aan wat zij noemden 'buitenlandse (voornamelijk Amerikaanse) inspanningen om het islamitische regime te ondermijnen'. De autoriteiten hadden sociale vrijheden teruggedraaid, de studentenbeweging nog meer onderdrukt en politiek, etnisch en maatschappelijk activisme tegengehouden. Boeken, muziek en films kwamen onder strakkere restricties en meer censuur te staan. Lokale journalisten en bloggers werden nog altijd verhoord en tot gevangenisstraffen veroordeeld.

De bewaker maakte mijn handboeien los en bracht me naar de tweede verdieping van het gebouw. We liepen door een vaalbruine gang met aan weerszijden stoelen en langs een paar vrouwen in chador. Daarna liepen we een kleine hal in waar drie kamers op uitkwamen. De bewaker bracht me naar het meest linker vertrek.

Achter een groot bureau zat een man van een jaar of vijfenvijftig met een donkere baard. Ik nam aan dat hij de rechter was. Voor hem stonden een paar rijen stoelen. Hij gebaarde dat ik in een van de stoelen moest gaan zitten terwijl hij in gesprek was met een andere man; zijn assistent, dacht ik.

'Begin maar met een week eenzame opsluiting en één telefoontje,' zei de rechter. Zijn assistent knikte en nam plaats aan een bureau aan de andere kant van het vertrek.

'Waar komt u vandaan?' vroeg de rechter me nonchalant, alsof hij zomaar een praatje met me maakte.

'Ik ben geboren en opgegroeid in Amerika,' zei ik. 'De afgelopen zes jaar heb ik in Iran gewoond.'

'U wordt beschuldigd van daden tegen de nationale veiligheid,' zei hij op diezelfde ontspannen manier.

Mijn lippen bewogen, maar mijn stem deed het niet. Ik wist dat dit een gebruikelijke aanklacht was, een aanklacht die zo vaag was dat de Iraanse autoriteiten hiermee mensen voor allerlei vreedzame activiteiten konden straffen.

'Hebt u samengewerkt met de CIA?'

'Nee,' zei ik slapjes.

Hij hield zijn hoofd schuin en keek naar me, met iets toegeknepen ogen, alsof hij probeerde me te taxeren.

'Wilt u een koekje?' vroeg hij.

Voor het eerst sinds mijn arrestatie voelde ik mijn maag rammelen.

'Ja, graag,' fluisterde ik.

'Wat zei u?'

'Ja, graag,' herhaalde ik, iets luider nu.

In zijn rechterhand had hij een doos suikerkoekjes die hij me voorhield. Aan zijn ringvinger en pink droeg hij ringen met grote halfedelstenen.

Ik pakte een koekje, nam een hap en legde het neer.

Daarna gaf de rechter me een pen en een stuk papier en zei: 'Schrijf uw verweer op.'

Met een trillende hand schreef ik zoiets als: 'Ik protesteer tegen mijn gevangenschap en maak bezwaar tegen de beschuldigingen tegen mij. Ik ben geen spion en als ik ooit contact met een buitenlandse geheime dienst heb gehad, dan was ik me daarvan niet bewust. Ik was gewoon een boek aan het schrijven om voor Engelstalige lezers in het buitenland een uitgebreid beeld van de Iraanse samenleving te schetsen.'

De rechter pakte het papier aan, herinnerde me eraan dat ik ondanks mijn Amerikaanse nationaliteit als Iraanse staatsburger zou worden behandeld en zei tegen de bewaker dat hij me weg moest brengen.

Was dat alles? Hij had me niet eens op mijn juridische rechten gewezen. Ik wilde dat ik Iraans recht had gestudeerd, hoewel ik het gevoel had dat mijn gevangenbewaarders dat, ongeacht mijn rechten, naar believen konden interpreteren of negeren.

'Neem me niet kwalijk,' zei ik. 'Mag ik een advocaat?'

'Nadat uw verhoor is afgerond,' antwoordde de rechter. Alsof ik daar iets aan had. Ik had nú een advocaat nodig.

'Hoe lang gaat mijn verhoor nog duren?' vroeg ik.

Hij haalde zijn schouders op. 'Misschien een week, misschien een maand, misschien langer. Dat hangt ervan af of uw ondervragers tevreden zijn met uw antwoorden.'

Een maand of langer?

'Hoe lang gaat mijn eenzame opsluiting duren?' Ik vroeg me af of de rechter me dezelfde straf zou geven als die andere gevangene.

'Misschien een week, misschien een maand, misschien langer,' herhaalde hij. 'Dat hangt van uw ondervragers af.'

Mijn bewaker gebaarde dat ik naar boven moest.

'Maar mag ik dan ten minste een telefoontje plegen?' smeekte ik.

'Ja,' antwoordde de rechter. Daarna zei hij terwijl hij naar de bewaker keek: 'Ze mag vandaag vanuit de gevangenis één telefoontje plegen.'

Toen we wegliepen, keek ik achterom zodat ik het bordje op de deur van het vertrek dat we verlieten kon lezen. AFDELING VEILIGHEID VAN HET KANTOOR VAN DE OPENBAAR AANKLAGER VAN TEHE-RAN, las ik. In gedachten herhaalde ik die term heel vaak. Dat wilde ik Bahman vertellen zodra ik dat telefoontje mocht plegen.

De bewaker zette me weer in de auto en deed me weer handboeien om.

Onderweg naar Evin staarde ik met vochtige ogen door het raam. Gekleurde lampjes versierden de straten ter ere van de Tien Dagen van de Dageraad, ter herinnering aan de periode tussen Khomeiny's terugkeer na zijn verbanning naar Iran op 1 februari 1979 en de zege van de Islamitische Revolutie negen dagen later. Ik verlangde ernaar vrijelijk over die drukke straten te kunnen lopen, net als de studenten met hun rugzak en de huisvrouwen die over de prijs van fruit onderhandelden, net als ikzelf twee dagen eerder.

Maar deze rit naar de rechter had elke hoop op vrijlating die ik nog had gehad weggevaagd. In gedachten sprong ik de auto uit, liet de beide mannen met hun dikke buik voor in de auto achter en rende over de drukke trottoirs van Teheran. Ik zou mijn chador afdoen en weggooien, en een hoofddoek van het hoofd van een willekeurige vrouw rukken en die om mijn eigen hoofd wikkelen zodat ik niet meer zou opvallen in de menigte. Daarna zou ik in een afvalcontainer klimmen, als een vluchteling in een film, tussen de ratten, terwijl de beide agenten, zich niet bewust van mijn aanwezigheid, langs me heen renden.

Wie zat ik hier nu eigenlijk voor de gek te houden? Ik kon het portier niet eens opendoen. De chauffeur had het kinderslot ingeschakeld.

Het zal laat in de middag zijn geweest toen ik weer naar de verhoorkamer werd gebracht, weer met een blinddoek voor, en ik mijn ondervragers vertelde dat de rechter had gezegd dat ik één telefoontje mocht plegen.

'Wie wilt u bellen?' vroeg Javan.

'Bahman.'

'Waarom wilt u hem bellen? Zoals ik u al heb verteld, kan niemand u hier helpen. Bahman niet, uw ouders niet, niemand.'

'Toch wil ik hem bellen.'

'Wacht tot later,' zei hij.

Ik hoorde iemand naar me toe lopen die me opdracht gaf mijn blinddoek een beetje op te tillen. Ik gehoorzaamde en zag dat Javan een vel papier voor mijn neus heen en weer zwaaide.

'Dit hebben we in uw huis gevonden,' zei hij. Het was een research-artikel dat zijn collega de vorige dag uit mijn kast moest hebben gehaald. Dat had ik al heel lang niet meer gezien.

'Is daar iets mee aan de hand?' vroeg ik.

'In uw appartement hebben we hier verschillende van gevonden,' antwoordde hij. 'Waar hebt u die vandaan?'

Ik legde uit dat ik heel veel van die artikelen had gekregen van het Center for Strategic Research, waar ik conferenties had bijgewoond en op verzoek van een vriend de Engelse grammatica van een paar artikelen had gecorrigeerd. Ik had gehoopt dat dit het begrip voor Iran in het buitenland zou vergroten.

Javan moet al op de hoogte zijn geweest van mijn contacten met dat centrum, een regeringsdenktank in Noord-Teheran die boeken, verslagen en artikelen publiceerde over binnen- en buitenlandse kwesties. Er werkten veel gematigde analisten, hoogleraren en ex-diplomaten. Sommigen hadden een nauwe band met voormalig president Khatami en zijn voorganger Akbar Hashemi Radsanjani, een leidende centralist en de belangrijkste rivaal van president Ahmadinejad.

Ik vertelde de agent dat medewerkers van dit centrum wisten dat ik me voor allerlei onderwerpen interesseerde en dat ze me vaak artikelen gaven om te lezen. Ook had ik er een paar gekocht die gewoon te koop waren, vertelde ik.

'En hoeveel had u er?'

'Dat kan ik me niet precies herinneren,' zei ik. 'Misschien tien, vijftien.'

Weer hield Javan een papier omhoog en zei op harde toon: 'Dit is een gehéím document.'

Hij loog natuurlijk. 'Nee, echt niet,' zei ik zeker van mijn zaak. 'Dat is openbare informatie.'

'Het is geheim.'

'Als het geheim is, waarom staat er dan geen stempel op?' Ik had gehoord dat geheime documenten in Iran voorzien waren van een stempel.

Geen antwoord. In plaats daarvan stelden mijn ondervragers me nieuwe vragen en gaf ik nieuwe antwoorden.

'Waarom hebt u in Teheran een boek geleend met de bibliotheekpas van uw vriend?'

'Die van mij was verlopen, en ik moest een paar weken wachten tot de bibliotheek hem had vernieuwd.'

'Waarom hebt u een paar interviews vertaald voor een Iraanse journalist, die ze later in zijn gematigde krant heeft gepubliceerd?'

'Omdat hij geen Engels kende.'

'Hoeveel heeft hij u betaald?'

'Niets. Dat heb ik gratis gedaan.'

'We geloven u niet.'

'Het is waar. Hij was mijn vriend en ik wilde hem gewoon helpen.'

'Wie waren Meneer B, mevrouw C, meneer D...?' vroeg Javan, die alweer op een ander onderwerp overstapte nadat ik een in zijn ogen wederom onbevredigend antwoord had opgeschreven, 'en wat wilden ze van u?'

Dit waren een paar Amerikaanse vrienden, kennissen of geïnterviewden met wie ik in de afgelopen zes jaar wel eens contact had gehad. Niemand van hen wilde iets van me, vertelde ik mijn ondervragers. Een van hen was een bevriende journalist die me een paar weken eerder vanuit Amerika een e-mail had gestuurd.

'We weten dat hij voor de *Seattle Post-Intelligencer* werkt,' zei een van de agenten.

'Ja,' zei ik. 'Hij is een van de fotografen daar.'

'Die krant is een tak van de CIA,' zei hij.

'Hoe bedoelt u?'

'Hij heeft het woord "Intelligence" in zijn naam.'

Ongelooflijk gewoon! 'Voor zover ik weet, is die krant op geen enkele manier verbonden met de CIA,' zei ik. 'Ik ken echt niemand bij de CIA.'

'Wat wilden al die mensen van u?' vroeg Javan weer.

'Niets.'

'Onzin!' brulde hij. 'We weten dat een van die Amerikanen uw interviews en uw research voor uw boek wilde gebruiken als dekmantel om informatie in te winnen voor de Amerikaanse regering. Vertel ons wie dat is! Hoeveel geld hebt u daarvoor gekregen? Welke informatie hebt u verstrekt?'

'Ik was voor niemand informatie aan het inwinnen,' zei ik met stemverheffing. 'Zoals ik u vertelde, is het boek dat ik schrijf een persoonlijk project en dus niet voor een organisatie of regering.'

'Zoals ik u al vertelde, ben ik allergisch voor het woord "boek",' zei Javan vinnig.

'Maar het is de waarheid,' hield ik vol.

'U liegt, u liegt,' zei hij, waarbij hij de woorden uitsprak alsof hij ze proefde voordat ze zijn mond verlieten.

'Ik lieg niet!' brulde ik. Ik kon niet stil blijven zitten terwijl deze mannen mijn integriteit bezoedelden. 'Laat me dan een leugendetectortest doen,' smeekte ik net als de vorige dag, 'dan zult u zien dat ik de waarheid vertel!'

'Doe uw hijab goed!' brulde een andere ondervrager tegen me. 'Denkt u soms dat u in Amerika bent?'

Tijdens mijn uitbarsting was mijn hijab naar achteren gegleden zodat een paar strengen haar zichtbaar waren.

'Sorry,' fluisterde ik. Ik trok de doek naar voren en maakte me klein.

Er schraapte een stoel over de betonnen vloer. Een van de mannen achter me stond op en begon langzaam heen en weer te lopen. Ik draaide mijn hoofd van de ene naar de andere kant, in een poging zijn bewegingen te volgen.

Heen en weer.

Heen en weer.

'Juffrouw Saberi,' kwam de stem van mijn bâzju, donker en intens, 'als u niet meewerkt, zullen we u moeten veroordelen tot tien jaar gevangenisstraf. Dat kan met nog eens tien jaar worden verlengd.'

Hij zweeg even zodat zijn woorden tot me konden doordringen. Ze stroomden mijn oren in en verdronken me. Tien jaar? Twintig jaar achter de tralies?

'Stel u eens voor hoe u eruit zult zien na twintig jaar in de gevangenis. Tegen de tijd dat u wordt vrijgelaten, bent u een oude vrouw.'

Hoe graag ik dat wrede vooruitzicht ook wilde negeren, ik zag in gedachten een grijsharige vrouw van eenenvijftig, gebroken, uitgeteerd, idioot, nutteloos. Javan leek dit dreigement echt te menen. Ik kroop nog dieper in mijn stoel, alsof mijn schoolbank me tegen de striemende woorden van de agent kon beschermen.

'U zult er zeker niet meer uitzien zoals nu,' vervolgde mijn bâzju. 'U kunt niet altijd jong blijven.'

Het heen en weer lopen hield op.

'Had u ooit gedacht dat u in de gevangenis terecht zou komen?' vroeg hij.

'Nee,' zei ik met schorre stem, 'nooit. En ik weet nog steeds niet waarom ik hier ben.'

'Ja hoor, dat weet u wel.'

'Nee, echt niet,' zei ik. 'Ik dacht dat u als u vragen had me misschien zou verhoren en dan weer zou vrijlaten. Niet dat u me in de gevangenis zou stoppen.'

'Tja,' zei hij en hij grinnikte vals, 'we wilden afwachten en kijken of u uw gedrag uit uzelf zou veranderen. Toen we zagen dat u dat niet deed, moesten we u wel gevangennemen.'

Zijn woorden brachten me in verwarring. Ik begreep niet waarom het hem iets uitmaakte of ik 'mijn gedrag zou veranderen, als hij wist dat ik het land binnenkort zou verlaten. Als ik echt zo'n bedreiging was voor de nationale veiligheid, was het niet logisch dat ze me pas vlak voor mijn vertrek arresteerden. Ze hadden me al maanden geleden op het vliegveld van Teheran kunnen arresteren toen ik een van mijn frequente vluchten maakte, zoals ze soms deden bij academici en activisten die het land binnenkwamen of verlieten.

De mannen achter me fluisterden met elkaar. Ik probeerde het te verstaan, maar ik kon niet horen wat ze zeiden. Het was warm geworden in het vertrek en de lucht was bedompt. Ik steunde met mijn kin op mijn rechterhand en depte met mijn chador het zweet van mijn bovenlip. Ik had al twee dagen vrijwel niets gegeten en ik voelde nu dat mijn lichaam en geest begonnen weg te kwijnen.

Toen zei Javan, met een lage stem: 'Juffrouw Saberi, uw misdaad is bijzonder ernstig. Spionage kan ook leiden tot de doodstraf.'

De moed zakte me in de schoenen en mijn mond werd kurkdroog. Iran stond wereldwijd op de tweede plaats, na China, qua aantal executies dat er werd voltrokken. Mensenrechtenorganisaties beweerden dat veel executies plaatsvonden na een schertsrechtszaak of na helemaal geen rechtszaak. Groepsophangingen haalden vaak de kranten, veel slachtoffers waren beschuldigd van handel in drugs en gewapende overvallen, hoewel mensenrechtenactivisten dachten dat sommige slachtoffers politieke gevangenen waren. Soms werden jongeren geëxecuteerd en soms werden gevangenen schuldig bevonden aan veiligheidsgerelateerde misdaden, onder wie een Iraanse verkoper van telecommunicatie die was veroordeeld wegens spionage en in 2008 was opgehangen.

Deze ophangingen, waarvan sommige in Evin hadden plaatsgevonden, werden vaak in het geheim uitgevoerd. Als ik geëxecuteerd zou worden, was het mogelijk dat niemand dat ooit te weten kwam. De binnenlandse kranten zouden me gewoon R.S. noemen, die, samen met een aantal andere initialen, 'vrijdagochtend om vijf uur was opgehangen'.

'Mag ik Bahman nu alstublieft bellen?' vroeg ik timide.

'Wat wilt u hem vertellen?'

'Ik wil hem vertellen waar ik ben,' antwoordde ik. Ik hoopte dat Bahman veel ophef over mijn arrestatie kon veroorzaken in de media en onder zijn vele fans en Koerdische relaties.

'Ik wil dat u zich dit goed realiseert,' zei de jonge ondervrager somber. 'Als u meewerkt, zult u morgen worden vrijgelaten of in het uiterste geval de dag daarna. Maar als u hem vertelt waar u bent, zal dit niet meer mogelijk zijn.'

'Maar,' zei ik met een beverig stemmetje, 'ik begrijp het niet. Wat wilt u precies van me?'

Even zweeg Javan, maar toen zei hij: 'Misschien kunnen we een soort deal sluiten.'

Een deal?

'Ten eerste, beken dat u informatie hebt verzameld voor de CIA,' zei hij.

'Maar ik was niet...'

'Ten tweede,' vervolgde hij, 'kunnen we wel wat hulp gebruiken van mensen zoals u.'

Dat vond ik niet prettig om te horen. 'Wat bedoelt u daarmee?'

'U weet wel, ons hélpen,' antwoordde hij. 'Nuttige informatie voor ons verzamelen.'

'Waarover?'

'Over wie.'

'Over wie?'

'Buitenlandse diplomaten, andere journalisten...'

'U bedoelt...' stamelde ik, 'dat u wilt dat ik voor u ga spioneren?'

'Dat hoeven we geen "spioneren" te noemen,' zei hij. 'Noem het "samenwerking".'

5

'Er zijn veel mensen die voor ons werken,' zei Javan. 'Zij komen uit allerlei lagen van de samenleving: studenten, atleten, kunstenaars, journalisten zoals u...'

Vanaf het moment dat ik naar Iran was verhuisd, hadden verschillende Iraanse vrienden me al gewaarschuwd dat ik voorzichtig moest zijn met wat ik zei, waar en tegen wie. Je weet nooit of de vriend of onbekende met wie je praat een informant van het regime is, zeiden ze tegen me. Daardoor had ik in de afgelopen jaren geleerd om alleen met mijn beste vrienden over mijn leven te praten.

Nu, na wat Javan me had verteld, leek het erop dat die vermoedens op waarheid berustten. Hoewel veel van de informatie die mijn ondervragers me vertelden niet juist of onvolledig was, waren ze op de hoogte van bepaalde aspecten van mijn leven die ik nooit in een e-mail of tijdens een telefoongesprek had besproken, informatie waar alleen een paar kennissen en vrienden van op de hoogte waren. Misschien werkten er een paar voor het Iraanse ministerie van Veiligheid. Als dat zo was, vroeg ik me af wie dat waren. Hassan, de vriend die me had geadviseerd om nooit met mensen van de veiligheidspolitie in discussie te gaan? Hij was de enige die bepaalde dingen wist die mijn ondervragers hadden genoemd. En ik vond dat hij zich een paar keer verdacht had gedragen.

'We vragen niet veel van onze collaborateurs,' vervolgde mijn bâzju. 'Ze helpen ons alleen maar bij het verzamelen van een beetje informatie over wie wat doet, wie wat zegt, wie waarnaartoe gaat, met wie... Er zijn ook arrestanten die zich bereid hebben verklaard om in ruil voor hun vrijheid met ons samen te werken.'

Ik voelde me ontzettend hulpeloos, heel erg machteloos. Ik wilde gewoon met Bahman praten. Maar als ik niet ten minste deed alsof ik deze deal overwoog, zou ik misschien mijn enige kans verspelen om een telefoontje te mogen plegen.

'Misschien kan ik dat wel doen,' zei ik, 'maar mag ik nu alstublieft Bahman bellen?' Ik gruwde van de zielige, smekende toon van mijn stem, maar ik kon er niets aan doen.

Javan slaakte een diepe zucht. 'Oké, maar denk erom, als u hem vertelt waar u bent, wordt u zeker niet binnenkort vrijgelaten. Als u met ons gaat samenwerken, mag niemand weten dat u hier bent geweest.' Hij zweeg even. 'Zeg maar tegen hem dat u in Zahedan bent.'

Zahedan? Dat kon hij alleen maar hebben bedacht doordat meneer Z de vorige dag vanuit Zahedan had gebeld.

'Maar Bahman weet dat ik nooit de stad uit zou gaan zonder hem dat eerst te vertellen,' zei ik in een poging Javan ervan te overtuigen dat dit geen goed idee was. 'Hij gelooft me nooit.' Eigenlijk wilde ik niets zeggen wat het hem moeilijker maakte om me te lokaliseren.

'Zeg maar gewoon dat u een lastminutereisje heeft gemaakt om wat research voor uw boek te doen, dat uw mobieltje slecht bereik had en dat u nu op het platteland bent waar geen andere telefoons zijn,' zei hij. De leugens rolden gewoon zijn mond uit. 'Als u dat doet, beloven we u dat u morgen of uiterlijk de volgende ochtend weer bij meneer Ghobadi bent. Als u dat niet doet, zullen we ervoor zorgen dat u hier blijft. Vertel hem dus maar dat u overmorgen terug bent uit Zahedan.'

'Eh...' Als ik hiermee niet akkoord zou gaan, zou Javan me niet laten bellen. 'Oké.'

Tasbihi's zwarte schoenen verschenen weer naast me om me naar de hal beneden te brengen waar mijn mobieltje ontvangst had.

'Vergeet niet wat uw bâzju u heeft aangeraden,' zei hij. Toen zei hij dat ik mijn blinddoek omhoog moest schuiven, die ik naar beneden had moeten doen toen ik opstond om de verhoorkamer te verlaten. Daarna gaf hij me mijn mobiele telefoon. Hij was uitgeschakeld.

Zodra ik de simkaart deblokkeerde, ging de telefoon. Bahman! Mijn hart sloeg op hol. Hij had me waarschijnlijk al sinds de vorige avond onophoudelijk geprobeerd te bereiken.

'Hallo?' zei ik.

'Waar heb je in vredesnaam gezeten?' riep hij. 'Ik was doodongerust!'

'Praat gewoon!' fluisterde Tasbihi in mijn oor.

'*Azizam*, mijn schat,' begon ik en ik probeerde rustig te praten, 'maak je alsjeblieft geen zorgen.'

'Natuurlijk maak ik me zorgen,' riep Bahman, heel erg opgewonden. 'Waarom stond je telefoon uit?'

Ik zou hem op de een of andere manier duidelijk moeten maken dat ik gevangenzat, zonder mijn ondervragers boos te maken. De enige manier die ik kon verzinnen was door hem te zeggen dat het me speet dat ik de vorige avond niet op zijn verjaardagsfeestje had kunnen komen en dat ik hoopte dat zijn andere gasten niet verbaasd waren geweest. Misschien zou hij daardoor begrijpen dat ik in gevaar verkeerde, omdat we immers met z'n tweetjes hadden zullen dineren.

'Waar ben je?' vroeg hij. 'Thuis nam je je telefoon ook niet op.'

Tasbihi hield zijn hoofd vlak bij dat van mij om ons telefoongesprek te kunnen volgen, zo dichtbij dat ik zijn warme, naar uien ruikende adem op mijn wang voelde.

'*Azizam,*' zei ik weer, nog steeds proberend mijn stem in bedwang te houden. 'Het spijt me, maar ik moest op het laatste moment een reisje naar Zahedan maken, maar overmorgen ben ik weer terug. Het spijt me dat ik niet naar je verjaardagsfees...'

'Wat? Zahedan?' riep hij. 'Waarom heb je me dat niet verteld vóórdat je vertrok? Bel me nooit weer!'

Klik.

'Bahman? Bahman?' riep ik in de telefoon, maar ik hoorde alleen het bloed door mijn oren ruisen. In het verleden hadden we ook wel eens ruzie gemaakt over dat ik alleen op reis ging omdat hij zich verantwoordelijk voelde voor mijn veiligheid en kennelijk dacht hij nu dat ik zonder het tegen iemand te zeggen naar Zahedan was gegaan. Bahmans eigen problemen met het ministerie van Veiligheid, dat hem af en toe had verhoord en kortgeleden had geopperd dat hij 'voor zijn eigen bestwil' naar het buitenland verhuisde, hadden er alleen maar voor gezorgd dat hij er nóg meer op aandrong dat ik mijn plannen van tevoren met hem besprak. Het verbaasde me niet dat zijn ongerustheid om mij in woede was omgeslagen, maar zijn timing had niet slechter kunnen zijn.

'Wat is er gebeurd?' vroeg Tasbihi.

'De verbinding werd verbroken,' stamelde ik. 'Er is hier geen ontvangst. Ik moet hem vertellen dat hij zich niet ongerust hoeft te maken als hij een paar dagen niets van me hoort.'

'Oké,' zei de agent. Hij nam me mee verder de gang in, een paar traptreden op en naar een ommuurde binnenplaats. 'Hier zou de ontvangst beter moeten zijn.'

Ik drukte op de *redial*-knop, maar Bahman nam niet op. Ik belde zijn nummer nog een keer. Nu was zijn mobieltje uitgeschakeld. Ik belde hem thuis. Hij nam niet op. Ik belde hem nog een keer. Nu was de lijn afgesloten. Ik belde hem weer. En weer. Tevergeefs. Terwijl ik probeerde niet te laten merken dat ik in paniek was, typte ik een sms'je en gebruikte mijn chador om de tekst voor de agent te verbergen.

Sorry dat ik gisteravond niet naar je feestje kon komen. Vertel je gasten alsjeblieft dat het me spijt.

Ik drukte op VERZENDEN, maar het bericht werd niet verzonden. Ik drukte weer op Verzenden, en nog eens en nog eens, maar het had geen zin. Bahman had zijn mobiele telefoon nog steeds uitgeschakeld.

'Geef mij die telefoon,' zei Tasbihi en hij stak zijn hand uit.

Snel wiste ik het bericht en gaf hem de telefoon.

Mijn handen trilden ontzettend. Nu had ik mijn enige kans verspeeld om iemand in de buitenwereld te vertellen dat ik gevangenzat. Als er nu iets met me gebeurde, zou niemand het weten. Als ik zou sterven, net als Zahra Kazemi, zou iemand daar dan ooit achter komen?

En van alle steden waaruit Javan had kunnen kiezen, was Zahedan de slechtste keus. Het was volgens zeggen de meest wetteloze en onveilige provincie van Iran, waar soennitische moslimmilitanten en gewapende bandieten burgers en ambtenaren hadden gekidnapt en vermoord. Als Bahman hoorde dat ik was verdwenen, zou hij rebellen of bandieten verdenken, niet het regime, dat net zou doen alsof ze geen idee hadden waar ik was, zelfs als mijn ondervragers me zouden vermoorden en mijn lichaam in een sloot zouden dumpen.

Tasbihi leidde me geblinddoekt langs de open deur van een ander vertrek, van waaruit ik een man hoorde huilen en iemand smeken te geloven dat hij onschuldig was. Alleen iemand die was gemarteld kon zo klinken. Ik was bang dat ik er algauw net zo aan toe zou zijn.

Terug in mijn verhoorkamer kroop ik in mijn stoel in elkaar, met mijn ogen bedekt en mijn oren gespitst, terwijl ik wachtte op wat er ging gebeuren.

'Heeft ze gedaan wat haar is gezegd?' vroeg Javan aan zijn collega.

'Ja,' antwoordde Tasbihi.

'Heel goed.'

Daarna beweerde mijn bâzju weer dat ik allerlei geheime documenten bezat en weer ontkende ik die beschuldiging, hoewel ik niet begreep waarom hij deze leugen bleef herhalen en bovendien met zo veel overtuiging.

'Juffrouw Saberi,' zei hij, mijn reactie negerend, 'met al deze bewijzen tegen u zult u hier zonder hulp nooit uit komen. Beken dat u voor de Verenigde Staten hebt gespioneerd. Vertel ons wie van de Amerikanen over wie we hebben gesproken uw boek als dekmantel wilde gebruiken. We zullen dat nooit tegen iemand zeggen omdat we willen dat u met ons samenwerkt en we daarmee uw dekmantel zouden opblazen. Bovendien zullen we ervoor zorgen dat de rechter die u vandaag in het gerechtsgebouw hebt gezien u zal vrijlaten.'

Ik kon niets zeggen.

'Toon berouw over uw fouten en we zullen ze u vergeven,' zei hij. Daarna voegde hij er op ijskoude toon aan toe: 'Zoals we al zeiden, als u dat niet doet, zou u hier nog wel eens heel lang kunnen zijn... of erger, veel erger.'

Ik kreeg een licht gevoel in mijn hoofd. De geur van verse verf vlakbij vermengd met al die lichaamsgeuren drong mijn neus binnen en vertroebelde mijn toch al wazige geest. Het zweet droop onder mijn oksels vandaan en ik had het gevoel dat de muren van het toch al kleine vertrek op me afkwamen.

'U moet ook weten,' zei een andere ondervrager, 'dat we overal ter wereld agenten hebben, zelfs in Amerika. We kunnen uw familie dan ook gemakkelijk vinden.'

Ik verstijfde. Mijn familie? Zouden deze mensen echt iemand op mijn ouders en broer afsturen? Ik had gehoord dat dreigen met lichamelijk geweld tegen familieleden van gevangenen een van de marteltechnieken was die in de Islamitische Republiek werden gebruikt. De Iraanse overheid moest wel meer manieren hebben om mensen onder druk te zetten, maar het leek mijn ondervragers niet te interesseren of ik in leven was of niet, dus waarom zouden ze meer meegevoel hebben voor de rest van de familie Saberi?

Mijn ondervragers waarschuwden me voor wat mijn familie en mij kon overkomen als ik niet 'spijt betoonde over mijn misdaad', hun vertrouwen zou verdienen en ermee akkoord zou gaan om voor hen te spioneren.

In de loop van de dag begon het me te duizelen en probeerde ik wanhopig manieren te verzinnen om hier weg te komen.

Als ik net deed alsof ik voor deze mensen ging spioneren, dan zouden ze me vrijlaten en zou ik op de een of andere manier uit dit land kunnen ontsnappen.

Maar om vrijgelaten te worden, zou ik ook moeten 'bekennen'; zoals de bekentenissen die ik op tv had gezien. Die bekentenissen hadden toch ook afgedwongen en niet overtuigend geleken?

En als al die andere mensen hadden moeten bekennen in ruil voor hun vrijheid, wie was ik dan om me te verzetten tegen de verwrongen manier waarop het er hier aan toeging? In de Islamitische Republiek was ik een Iraans staatsburger die eenzaam kon worden opgesloten, afgesneden van de buitenwereld, ten onrechte veroordeeld en daarna geëxecuteerd.

Mijn ondervragers dreigden me hiermee. In deze gevangenis hadden deze fanatieke hardliners alle macht in handen en volgens hun denkwijze kon ik onmogelijk onschuldig zijn.

Ik vroeg me wanhopig af wat ik zou kunnen bekennen. Hoe kon ik iets toegeven waar ik niets over wist en hoe kon ik een verhaal verzinnen dat ze zouden geloven zodat ze me vrijlieten? Daarna begreep ik dat deze mannen me eigenlijk al een soort verhaal hadden gegeven. Ik hoefde alleen de hiaten nog maar in te vullen.

Ik had de behoefte mijn handen voor mijn gezicht te slaan. Ik kon gewoon niet geloven wat ik overwoog te gaan doen: ik had me die zeldzame keren dat ik vrienden een leugentje om bestwil had moeten vertellen al schuldig gevoeld!

Op dat moment realiseerde ik me iets afschuwelijks: de waarheid had hier geen enkele betekenis. Alleen met leugens kon ik mijn familie en mezelf redden. Mijn enige manier om hiervandaan te komen was een misdaad bekennen die ik niet had begaan en om vergeving vragen. Ik zou een zondeboek moeten selecteren, maar die persoon zou hier ver vandaan moeten zijn, zodat hem niets kon overkomen. Zodra ik was vrijgelaten kon ik mijn leugens nog altijd herroepen.

'Goed dan!' riep ik uit. 'Zeg maar wat ik volgens jullie moet zeggen!'

Het was opeens doodstil in het vertrek. Geen geritsel van papieren, geen getik van pennen, geen geschuif in stoelen. Pas een minuut of twee later, leek het wel, hoorde ik twee stoelen naar me toe schuiven.

'U mag uw blinddoek nu afdoen,' hoorde ik Javan zeggen. Zijn stem klonk bijna verzoenend.

Ik trok de doek tot onder mijn kin en zag dat hij rechts van me zat, met zijn knieën bijna tegen de mijne. Ik trok mijn benen in, met een hopelijk natuurlijke beweging.

De agent droeg hetzelfde zwartleren jasje en dezelfde spijkerbroek als de vorige dag. Hij had zijn wenkbrauwen nog steeds wantrouwend opgetrokken, maar zijn blik was iets zachter. Naast hem zat een man van middelbare leeftijd die ik niet herkende.

'Vertel ons wie van de Amerikanen over wie we u vragen hebben gesteld wilde dat u voor hem spioneerde,' zei Javan zacht.

Mijn ingewanden trokken samen. Ik wilde dat ik gewoon een denkbeeldig iemand kon verzinnen die ik kon beschuldigen, maar ik wist dat mijn ondervragers dat nooit zouden pikken.

'Het is goed, hoor,' zei hij kalmerend. 'Doe maar rustig aan.'

Een paar seconden verstreken. Ik kon geen enkele leugen verzinnen.

'Vertel ons maar gewoon,' zei hij weer, 'wie van hen u heeft verteld dat u uw boek als dekmantel moest gebruiken om voor de Amerikaanse regering informatie over Iran te verzamelen.'

Ik staarde zonder iets te zien naar mijn handen, die levenloos in mijn schoot lagen.

'We hebben de Amerikanen die u kent al besproken,' zei de andere man.

Javan somde hun namen op, terwijl mijn blik op mijn handen gericht bleef. 'Maakt u zich geen zorgen,' zei hij. 'Alles wat u zegt, blijft onder ons.'

Ik sloot mijn ogen en bleef zwijgen, verstijfd van angst. Ik wist dat ik deze mensen niet moest vertrouwen, maar ik wist ook dat ik geen keus had. Mijn leven lag in hun handen.

In gedachten zag ik het gezicht van de mensen die Javan had opgesomd terwijl ik zonder iets te zien voor me uit staarde, me niet bewust van het feit dat ik een willekeurige keuze moest maken tussen meneer A, meneer B, mevrouw C, meneer D...

Meneer D was een kennis die ik al jaren niet meer had gezien. Hij had geen familie in Iran en ik betwijfelde ten zeerste of hij hier ooit zou komen. In het verleden was hij heel aardig en behulpzaam voor me geweest. Natuurlijk zou hij willen dat ik alles deed wat nodig was om in leven te blijven.

Het spijt me, meneer D! Ik zal u als mijn zondebok moeten kiezen. Vergeef me alstublieft. U zit veilig in Amerika, terwijl ik gevaar loop in Iran. Heb er alstublieft begrip voor dat ik een verhaal over u moet verzinnen om mijn leven te redden...

'Het was...' zei ik, met piepende stem, 'meneer D.'

'Wie?' vroeg mijn bâzju.

'Meneer D,' herhaalde ik en ik keek gespannen op.

Met een valse grijns vroeg hij: 'Meneer D wilde dus dat u uw boek gebruikte als dekmantel om informatie over Iran in te winnen. En hij wilde dat u een aantal mensen interviewde om deze informatie te verkrijgen.'

'Eh...' Ik moest volhouden, mijn leven hing ervan af! 'Ja.'

'Hij heeft u dus opdracht gegeven hem kopieën te geven van de interviews die u voor uw boek hebt gehouden.'

Er ging een rilling door mijn lichaam. Als ik loog en dit toegaf, zou ik misschien nog meer valse verklaringen moeten afleggen en misschien nog meer onschuldige mensen erbij moeten betrekken. Ik wilde standhouden en doen wat goed was, maar mijn principes werden overschaduwd door mijn angst. 'J-ja,' zei ik. 'Hij wilde... er kopieën van.'

'Heeft hij u een geheime code gegeven zodat u hem kon e-mailen als u ooit in de problemen kwam, bijvoorbeeld als uw dekmantel opgeblazen zou zijn, zoals nu?'

Ik nam aan dat spionnen altijd geheime codes hadden. 'Ja.'

'Wat was die code?'

Ik wist niet wat ik moest zeggen. 'Eh, sorry,' begon ik. 'Eigenlijk was er geen code.'

'Waarom zei u dan zojuist dat die er wel was?' vroeg Javan met een frons op zijn voorhoofd.

'Ik... ik was zenuwachtig,' stotterde ik. 'U maakt me... allemaal bang.'

Met een vage glimlach probeerde hij me op mijn gemak te stellen. 'Wees maar niet bang,' spinde hij. 'Het is een lange dag geweest en u zult wel moe zijn. Waarom gaat u niet terug naar uw kamer voor de nacht zodat we morgen verder kunnen gaan?'

'Ja, graag,' zei ik beverig.

'Denk gewoon eens na over de volgende vragen: Hoeveel geld heeft meneer D u voor uw werk gegeven? Om welke informatie heeft hij gevraagd? Wat voor soort mensen wilde hij u laten interviewen? Welke informatie hebt u hem gegeven, wanneer, waar en hoe?'

Mijn hoofd tolde toen ik me realiseerde hoeveel afschuwelijke leugens ik nu zou moeten vertellen. Maar ik moest me concentreren. Ik moest deze vragen onthouden zodat ik voor de volgende dag een verhaal kon verzinnen... als ik niet wilde dat ze me zouden martelen en me jarenlang zouden opsluiten, of me vermoorden.

Een bewaakster bracht me terug naar mijn cel.

'Executeren ze hier wel eens mensen?' vroeg ik haar fluisterend.

'Meestal niet,' mompelde ze. 'Vertrouw op God,' voegde ze eraan toe terwijl ze naar het plafond keek en de zware celdeur dichtduwde.

Ik liet me op mijn dekens vallen. Ik dacht dat het bijna middernacht was, maar ik had geen tijd om te slapen. Ik had maar een paar uur om een beter verhaal te verzinnen dan ik ooit had gedaan.

Vreemd, dacht ik. Twee avonden eerder beweerde ik nog dat ik niet langer hoefde te leven en nu ben ik bereid bijna alles te doen om de dood te voorkomen.

Ik probeerde me uitspraken te herinneren die me hadden geïnspireerd toen ik nog vrij was. De Griekse geschiedkundige Plutarchus had iets geschreven als 'Moed is de eerste stap naar de overwinning'. En wat had Gandhi ook alweer gezegd over angst? 'Ik geloof dat ik alleen op zoek ben naar Gods waarheid en al mijn angst voor de mens ben kwijtgeraakt.'

Maar geen van deze uitspraken is hier van toepassing, gromde ik inwendig. In de Evin-gevangenis is het onmogelijk om Gandhi te zijn.

God, ik heb U om hulp gevraagd, maar U hebt me niet gered. En als U me niet redt, wie zal dat dan wel doen? Ik kan niets anders meer doen dan liegen voor mijn leven.

6

'Laten we doorgaan met waar we gisteravond waren gebleven,' zei Javan de volgende ochtend tegen me. 'En denk maar niet dat u hier weg kunt zonder dat u alles hebt bekend.'

Vandaag had hij me toestemming gegeven om mijn stoel om te draaien, mijn blinddoek af te nemen en hem aan te kijken. Hij zat achter een groot metalen bureau, met een kalme en vastbesloten blik. Wij waren de enige mensen in de verhoorkamer.

Ik voelde me ongemakkelijk toen ik hem aankeek. Ik walgde van die man en ik was bang voor hem, maar ik moest zijn vertrouwen winnen en zijn goedkeuring verkrijgen om te worden vrijgelaten.

'U zei dat meneer D u had gevraagd voor hem te spioneren,' zei Javan, 'en dat hij wilde dat u informatie voor hem inwon over Iran, waarbij u uw boek als dekmantel moest gebruiken.'

Ik haalde diep adem. Nu moest ik net doen alsof ik iemand was die ik niet was: een berouwvolle spion. Ik zei tegen mezelf dat dit iets tijdelijks was. Mijn familie en vrienden zouden begrijpen dat ik dit moest doen om dit te overleven. Zodra ik was vrijgelaten, zou ik alles proberen goed te maken. De vorige avond had ik bedacht wat ik wilde zeggen, gebaseerd op de vragen die me waarschijnlijk zouden worden gesteld. Nu hoefde ik alleen nog maar deze walgelijke rol te spelen.

'Klopt,' zei ik onzeker.

'En meneer D vroeg u allerlei mensen te interviewen,' concludeerde Javan. 'Hoge ambtenaren? Leden van de Revolutionaire Garde? Mensen in beleidsbepalende instellingen?'

De agent schreef het verhaal zo ongeveer voor me uit.

'Ja?' zei ik, in de hoop dat dit het antwoord was dat hij wilde horen.

'En hij vroeg u ook om een kopie van de uitwerking van enkele interviews.'

'Klopt,' antwoordde ik, net zoals de avond tevoren.

'Op welke manier?' vroeg hij. 'Op een cd of via e-mail?'

Ik ging ervan uit dat echte spionnen waarschijnlijk geen informatie via internet zouden versturen. 'Op een cd,' antwoordde ik.

'En heeft meneer D u verteld dat hij bij de CIA zat of daar connecties had?' vroeg Javan en hij boog zich naar voren.

Ik aarzelde. Ik wist wat mijn bâzju wilde dat ik zei, maar ik wilde het niet zeggen.

'Nee,' zei ik.

'Het moet het een of het ander zijn geweest,' zei mijn ondervrager met een scherpe klank in zijn stem. 'Vertel het me, juffrouw Saberi.'

Ik slikte moeizaam. Elk woord dat ik uitsprak, was een kwelling.

'Goed,' zei ik, 'het laatste.' Van de beide opties was die laatste de minst schadelijke.

Javan knikte goedkeurend en vroeg: 'Hoeveel geld heeft meneer D u van tevoren betaald?'

Ik zou moeten raden wat een redelijk bedrag was. 'Vijfduizend dollar?'

'Niet meer?' vroeg de agent, verbaasd.

O-o... Kennelijk was vijfduizend dollar niet veel bij dat soort werk.

'Maar hij zei dat hij me later meer zou geven,' voegde ik er snel aan toe om mijn fout te herstellen, 'als ik hem die cd zou brengen.'

'En wanneer hebt u dat gedaan?'

Ik vertelde Javan dat ik dat nog niet had gedaan, maar toen hij steeds weer weigerde dat antwoord te accepteren, gaf ik me over.

'Wanneer hebt u meneer D die cd dus gegeven?' vroeg hij weer.

'Eh, toen ik naar Amerika ging... vorige herfst.'

'En hoeveel betaalde hij u toen u hem die cd overhandigde?'

Ik zweeg even. 'Tienduizend dollar.'

'Niet meer?' vroeg Javan nog eens.

Nog eens o-o... Was vijftienduizend dollar geen prima betaling als je iemand zogenaamd een kopie van een paar interviews gaf?

'Ja,' antwoordde ik, 'maar hij beloofde me meer als... ik hem de volgende keer meer interviews zou geven.'

'Hoeveel meer?'

Ik had geen idee wat volgens mijn bâzju een toepasselijk bedrag zou zijn.

'Dat eh... zei hij niet, hij zei dat het de moeite waard zou zijn,' stamelde ik en ik vroeg me af of mijn ondervrager mijn steeds absurdere verhaal zou slikken.

'Hoe betaalde hij u?'

Als ik zei 'per check' of 'telegrafisch' zou hij een bankafschrift of zo willen zien. 'Cash,' antwoordde ik.

· 'Staat dat geld hier op een bankrekening?'

'Nee,' zei ik. Ik gebruikte mijn Iraanse bankrekening al heel lang niet meer. Ik had er de pest aan om uren in de rij te moeten staan en de toenemende sancties op Iran hadden het steeds moeilijker gemaakt om geld vanuit het buitenland over te maken. Om die problemen te voorkomen, had ik elke keer dat ik uit Amerika kwam contant geld meegenomen. Dat bewaarde ik in mijn bureau thuis en ik wisselde af en toe kleine bedragen om in tomans.

'Waar is het en hoeveel is er nog van over?' vroeg de agent.

Snel probeerde ik me te herinneren hoeveel dollars ik nog overhad van de laatste keer dat ik de Verenigde Staten had bezocht. 'Ik heb het meeste uitgegeven. Maar ik denk dat ik nog een paar duizend in mijn appartement heb.'

'U hebt meneer D dus geheime documenten gegeven.'

Ik rilde. Javan wilde mijn leugens nog erger maken dan ze al waren. 'Nee, dat heb ik niet gedaan,' antwoordde ik.

'We weten dat u dat hebt gedaan.'

'Dat heb ik niet gedaan.'

'Maar u had geheime documenten,' zei hij.

'Die heb ik nooit gehad,' zei ik.

Zonder te knipperen keek hij me met een harde blik aan. 'Als u op korte termijn vrijgelaten wilt worden, moet u niet vergeten dat u moet meewerken. We weten dat u geheime documenten had van het Centrum voor Strategisch Onderzoek, zoals het document dat we u gisteren lieten zien. Die hebben we in uw appartement gevonden.'

'De documenten die ik in mijn bezit heb waren niet geheim,' hield ik vol, verbijsterd omdat hij me bleef ondervragen over dingen die ik niet bezat.

'Juffrouw Saberi, wilt u soms in deze gevangenis wegrotten?' schreeuwde hij. 'Beken dat u geheime documenten in uw bezit had. We weten al welke het waren, maar dat moet u nog wel bekennen!'

Ik sloeg mijn blik neer, maar ik voelde dat hij nog steeds naar me keek. Hij zou me dus niet laten gaan, tenzij hij tevreden was met mijn bekentenis. Ik zou dus moeten toegeven dat ik deze verzonnen overtreding ook had begaan.

'Ik had dat papier waarvan u me gisteren vertelde dat het geheim was,' zei ik en ik keek hem met tegenzin aan.

'Wat nog meer?'

Ik had gehoopt dat één vel papier voldoende was.

'Vertel het me, juffrouw Saberi,' zei hij met een steeds dreigender blik.

Ik groef in mijn geheugen om me te herinneren welke papieren zijn collega's uit mijn kast hadden kunnen halen. Eentje met een titel die Javans dorst kon lessen: 'En een ander artikel... over de Amerikaanse oorlog in Irak?'

'Hoe bent u daar aangekomen?' vroeg hij.

'Ik heb het gekopieerd.'

'Gekopieerd?'

'Ja.'

Mijn ondervrager trok een wenkbrauw op, hoger dan zijn normale positie en knikte langzaam.

Mijn maag verkrampte. Medewerkers van het centrum hadden me vaak toestemming gegeven om artikelen te kopiëren. Was het mogelijk dat ik iets had gekopieerd wat geheim was? Maar ik wist zeker dat ik nog nooit iets had gezien waar 'geheim' op stond.

De uren daarna stelde mijn ondervrager nog meer belangrijke vragen, waarop ik nog meer onjuiste antwoorden gaf om aan zijn niet-aflatende eisen tegemoet te komen. In plaats van me precies te vertellen wat ik moest zeggen, stelde hij me vaak meerkeuzevragen en als het door mij gekozen antwoord hem niet beviel, liet hij zijn afkeuring duidelijk blijken. Hij bleef maar herhalen dat ik in de gevangenis zou wegrotten als ik niet meewerkte.

Ik kon niet helder nadenken. Ik had al drie dagen amper geslapen en nauwelijks iets gegeten, en het enige waardoor ik me liet leiden, was angst.

Toen Javan bleef dreigen, begon ik op bijna alles wat hij me vroeg ja te zeggen.

Heeft meneer D u gezegd dat u dit stil moest houden? Ja, zodat niemand anders er iets van zou weten. Heeft hij u opdracht gegeven andere

Iraniërs te werven om met u samen te werken? Ja, maar tot nu toe heb ik niemand gevonden. Wilde hij dat u na Iran ergens anders voor hem zou werken? Ja, maar daar had ik geen belangstelling voor. Als Javan me had gezegd dat ik een kidnapper of een drugshandelaar was, zou ik ook ja hebben gezegd als hij daardoor zou denken dat ik 'meewerkte', zodat hij me geen pijn zou doen en me zou vrijlaten.

Toen Javan tevreden was, leunde hij achterover in zijn stoel en vouwde hij zijn handen achter zijn hoofd. Zijn ogen hadden een gemene glans waar ik beroerd van werd. Ook al had hij mijn onjuiste bekentenissen bijna letterlijk gedicteerd, toch leek hij er bijzonder tevreden mee te zijn.

Hij was blij dat ik uiteindelijk had meegewerkt, zei hij, en nu moest ik mijn hele verhaal opnieuw vertellen, aan zijn baas, Hâj Âghâ.

Hâj Âghâ was een breedgeschouderde man van middelbare leeftijd met een grijze baard en wit haar. Toen hij het vertrek binnenkwam, sprong Javan op, boog lichtjes en trok een extra stoel bij. Toen hij zat, vouwde Hâj Âghâ zijn handen op het bureau en keek me even met diepliggende, gevoelloze ogen aan.

Met dezelfde ruwe stem die ik de vorige dag via de telefoon had gehoord, stelde hij zich voor als de intermediair tussen mijn ondervragers en de rechter. Hij zei dat de rechter elk voorstel dat hij over mij zou doen, zou overnemen. Daarna zei hij dat ik mijn bekentenis nog eens moest herhalen. Struikelend over mijn woorden dwong ik mezelf om hetzelfde afschuwelijke verhaal te herhalen dat Javan uit me had geperst. Toen ik klaar was, glimlachte Hâj Âghâ opgetogen.

'Weet u, juffrouw Saberi, dat wat meneer D van u wilde precies is wat de CIA ontbeert in Iran: analyse!' zei Hâj Âghâ. Dit was bijna een exacte herhaling van wat Javan een paar dagen eerder had gezegd. 'Ze kunnen gemakkelijk heel veel informatie krijgen, maar ze vinden het moeilijk een analyse te krijgen.'

Ik knikte, alsof ik het opeens snapte.

'Mijn collega heeft me verteld dat u ermee instemt om voor ons te werken,' zei hij.

Weer knikte ik.

'We willen dat u een half jaar voor ons werkt in Iran,' zei Hâj Âghâ. 'In deze periode zult u informatie verzamelen over buitenlandse diplomaten en journalisten hier. U zult als journalist blijven werken om uw dekmantel te behouden. Weet u, wíj hebben ervoor gezorgd dat uw perskaart is ingetrokken, maar ik zal ervoor zorgen dat ze hem u teruggeven.'

Op dat moment kon het me geen zier schelen of ik een perskaart had of niet, maar ik deed net alsof ik blij was. 'Voor welk nieuwsagentschap ga ik werken?' vroeg ik beleefd.

'Welk u maar wilt,' zei hij.

'*Che âli*,' antwoordde ik, terwijl ik mijn best deed ernstig te klinken. 'Geweldig.'

Hâj Âghâ keek me stoïcijns aan. Ik had geen idee of hij wist of ik het meende.

'Na een half jaar laten we u naar het buitenland gaan, waar u voor ons blijft werken,' zei hij.

'Aan wat voor werk denkt u dan precies?' vroeg ik.

'Bijvoorbeeld informatie inwinnen over Amerikaanse hoge ambtenaren en activiteiten in het buitenland,' vertelde Hâj Âghâ. 'U kunt uw eigen leven in Amerika voortzetten, maar af en toe zullen we een ontmoeting met u regelen in een ander land. Dat doen we ook met heel veel andere agenten van ons. We betalen niet zo veel als u graag zou willen, maar we geven u zo veel we kunnen. En maakt u zich geen zorgen, als u ooit denkt dat uw dekmantel is opgeblazen, waardoor uw leven in gevaar komt, zult u niet meer voor ons hoeven werken.'

Wat is dat áárdig van u, wilde ik schamper opmerken. Mijn verontwaardiging stond in scherp contrast met mijn hulpeloosheid, wist ik, maar het zou ontzettend stom zijn als ik dat liet merken.

'Ik zal mijn best doen u hier binnen een dag of twee uit te krijgen,' zei Hâj Âghâ. Daarna boog hij zich naar voren in zijn stoel. Zijn gezicht betrok en hij kreeg een onverzoenlijke blik in zijn ogen. 'Maar als u deze plek verlaat,' zei hij met een lage stem, 'en praat over wat hier is gebeurd, zullen we u opsporen en vinden, waar ter wereld u ook bent. U kunt ervan op aan dat ik persóónlijk uw doodvonnis zal ondertekenen.'

Elke spier in mijn lichaam spande zich en mijn hart sloeg op hol. In het verleden hadden medewerkers van het ministerie van Veiligheid wel eens laten doorschemeren dat er zowel binnen als buiten Iran sluipmoorden werden gepleegd.

'Daar heb ik geen enkele moeite mee,' voegde Hâj Âghâ eraan toe.

Ik kon hem niet meer aankijken en ik moest mijn hoofd buigen. Ik hoorde dat hij opstond en het vertrek uit liep, zodat ik alleen met mijn ondervrager achterbleef.

Javan liet me de rest van de lange dag en een groot deel van de avond mijn valse bekentenissen opschrijven. Ik schreef langzaam omdat het allemaal in het Farsi moest en ik hem moest vragen hoe je bepaalde woorden moest spellen. Ten slotte gaf hij me opdracht het volgende op te schrijven: 'Toen ik deze verklaringen aflegde, werd ik op geen enkele manier psychisch of fysiek onder druk gezet.' In plaats daarvan schreef ik: 'Ik ben fysiek niet onder druk gezet, hoewel ik wel een beetje gestrest ben.'

Alles bij elkaar bleek mijn bekentenis ongeveer twintig bladzijden te beslaan. Twintig bladzijden vol leugens die me de rest van mijn leven zouden achtervolgen, wist ik. Ik kon alleen maar hopen dat ze me de vrijheid zouden verschaffen die ik nodig had om ze terug te nemen, voordat mijn ondervragers ze konden gebruiken om me door middel van chantage te laten doen wat ze wilden.

Het bord op de muur van mijn cel, dat ik twee avonden tevoren had genegeerd, citeerde ayatollah Khomeiny: 'Gevangenissen moeten universiteiten zijn voor menselijke vooruitgang.'

'Ja hoor, echt wel,' mompelde ik.

Onder het citaat van Khomeiny stonden nog een paar andere teksten. Een paar regels over dat het streng verboden was op de muren te schrijven en hoe vaak de gevangenen mochten douchen en naar het toilet mochten. Ik had geen zin om de rest van de tekst te lezen en ging daarom liggen. Ik was niet van plan hier zo lang te blijven dat het nodig was die regels te kennen.

Vanuit de cel achter die van mij hoorde ik gejammer, net zoals ik op mijn eerste nacht in Evin had gehoord. Het geluid begon en hield op. Begon en hield op. Het geluid werkte me op mijn toch al gespannen zenuwen.

Ik had altijd gedacht dat ik sterker zou worden als ik onder druk kwam te staan. Ik kon niet geloven dat ik aan de bedreigingen had toegegeven en zulke afschuwelijke leugens had verzonnen.

Maar ik maakte mezelf wijs dat het 'doelmatige leugens' waren, *durughe maslehati*, zoals Iraniërs ze noemen.

Net als alle andere mensen op de wereld, zagen Iraniërs zich vaak gedwongen leugens te vertellen om aan gevaar te ontsnappen. Sommigen geloofden dat deze gewoonte is ontstaan door eeuwenlange buitenlandse invasies en verschillende autoritaire regimes, waardoor Iraniërs hadden geleerd om hun ware gedachten en gevoelens te verbergen, vooral voor mensen met macht. Anderen beweerden cynisch dat ze het recht hadden verhaaltjes te verzinnen omdat de machthebbers van hun land daar zelf zo bedreven in waren.

Dat idee werd bevestigd in de sjiitische islam in een concept dat *taqiyya* of 'huichelarij' heet. Dit geeft sjiieten toestemming en moedigt hen zelfs aan om hun geloof geheim te houden om hun bezittingen of zichzelf te beschermen.

Bovendien is er het principe van *ta'ârof* – een ingewikkeld systeem van geformaliseerde beleefdheid – dat sociale interacties vaak onoprecht doet lijken, bijvoorbeeld wanneer een winkelier betaling weigert hoewel hij die in werkelijkheid wel verwacht. Maar Iraniërs beschouwden ta'ârof als een blijk van goede manieren en velen vonden dat dit de voorkeur verdiende boven rechtdoorzee zijn of de hele waarheid vertellen.

Ik heb natuurlijk ook wel Iraniërs leren kennen die de voorkeur gaven aan eerlijkheid, maar heel veel anderen vonden de 'doelmatige leugen' verantwoord in een land waar alles wat je in je privéleven deed en dacht door het regime vaak als illegaal of onacceptabel werd beschouwd. Een niet-gelovige bijvoorbeeld die in Iran een overheidsbaan wilde krijgen of op de universiteit wilde worden toegelaten, moest zijn persoonlijke overtuigingen voor zich houden om voor het verplichte ideologische examen te kunnen slagen. Of een moeder die thuis niet bad en daarom tegen haar zoon zei dat hij, als ze hem daar op school naar vroegen, moest zeggen dat ze dat wel deed.

In feite, zoals een vriend me eens had verteld, was liegen in de Islamitische Republiek niet alleen opportuun, maar vaak zelfs noodzakelijk om te overleven.

En mijn leugens vandaag waren noodzakelijk, toch? Mijn gijzelnemers hadden mijn leven en het leven van mijn familie bedreigd. Ik had geen andere keus gehad, toch?

Mijn lichaam werd slap. De afschuwelijke waarheid was dat ik mijn geloof in de waarheid als een fundamenteel principe van mijn werk, mijn leven en de menselijkheid had verloochend.

En arme meneer D! Als wat ik over hem had gezegd ooit bekend zou worden, zou zijn reputatie geruïneerd zijn, tenzij ik hem eerst kon spreken en hem kon vertellen welke afschuwelijke leugens ik gedwongen was geweest te vertellen. Ik bezwoer mezelf dat ik hem zou opzoeken zodra ik was vrijgelaten.

Het gejammer in de cel naast me ging door. Ik wilde ook huilen, maar ik had het gevoel dat ik geen zelfmedelijden had verdiend.

7

'Mag ik iets zeggen?' vroeg ik Javan, nadat ik op dinsdagochtend aan mijn bureau in de verhoorkamer was gaan zitten, weer geblinddoekt en met mijn gezicht naar de muur.

'Natuurlijk,' hoorde ik hem beleefd antwoorden. Hij was waarschijnlijk tevreden over de verklaringen die hij de vorige dag uit me had gekregen.

'Op het bord in mijn cel staat een citaat van ayatollah Khomeiny: "Gevangenissen moeten de universiteiten zijn voor..."'

'... menselijke vooruitgang,' maakte hij de zin voor me af.

'Inderdaad,' zei ik.

'En?'

'Eh... ik wilde u vertellen dat ik weet dat ik bepaalde fouten heb gemaakt,' zei ik, denkend aan mijn leugens van de vorige dag, 'en dat ik hoop dat God me zal vergeven.'

Er biggelden een paar tranen over mijn wangen. Ik wist niet waarom ik mijn spijt toonde aan een man die me nota bene zelf had gedwongen die leugens te vertellen, maar ik had een wanhopige behoefte mijn wanhoop te delen met een ander menselijk wezen, en hij was de enige die beschikbaar was.

'Tja, wij zijn echt blij dat we een medium voor God kunnen zijn,' zei hij.

Ik bedoelde jóú niet, rotzak die je bent, brieste ik inwendig en ik veegde mijn gezicht droog met de mouw van mijn gevangenis-roopoosh.

'Voordat we u vrijlaten,' hoorde ik de stem van een andere man achter me zeggen, 'moeten we u nog een paar vragen stellen.'

Ik voelde dat er een knoop in mijn maag kwam. Ik werd onzeker omdat ik nóg meer vragen moest beantwoorden.

'We willen dat u ons iets vertelt over een paar mensen die u kent,' zei dezelfde stem.

De knoop begon te kloppen. 'Het voelt niet goed om dat te doen.'

'We weten al heel veel over deze mensen, maar we willen dat u bevestigt wat we al weten,' zei Javan streng. 'En denk erom, als u hier snel uit wilt komen, moet u meewerken.'

'Maar u zei dat ik uiterlijk vandaag zou worden vrijgelaten,' protesteerde ik.

'Ik zei dat u misschíén vandaag zou worden vrijgelaten.'

Had hij dat écht zo gezegd?

'Wanneer denkt u dan dat ik zal worden vrijgelaten?' vroeg ik.

'Tegen het einde van de week,' antwoordde hij. 'We moeten nog een paar onduidelijkheden oplossen en daarna kunt u gaan.'

'Bepaalde mensen zullen zich gaan afvragen waar ik ben.'

'Het zal niemand opvallen dat u er niet bent,' was zijn reactie.

Hij zweeg even en zei daarna ernstig: 'Maar vergeet niet wat Hâj Âghâ gisteren tegen u zei. Als u hierover praat nadat u hier bent vertrokken, zullen we u weten te vinden. Volgens mij hebt u inmiddels wel begrepen waar onze agenten allemaal toe in staat zijn. Als u bijvoorbeeld naar Afghanistan gaat om een reportage te maken, kunnen we u gemakkelijk elimineren en het op een ongeluk laten lijken.'

Daarna smeet Javan een stapel papieren op mijn bureau en zei dat ik mijn blinddoek een klein beetje omhoog moest duwen om ze te kunnen lezen. Boven aan elke bladzijde stond de naam van iemand die ik kende, sommigen heel goed, anderen nauwelijks. Sommigen woonden in Iran, anderen in het buitenland. Mijn ondervragers hadden de meeste namen waarschijnlijk uit mijn e-mails, telefoongesprekken en de contactpersonen in mijn mobiele telefoon gehaald.

Het was algemeen bekend dat de Iraanse inlichtingendienst zich op een obsessieve manier bezighield met het verzamelen van zelfs de triviaalste informatie over vrijwel iedereen, in veel gevallen om geen enkele duidelijke reden, en dat dit voor veel gevangenen een gebruikelijk onderdeel vormde van het verhoor.

Ik klauwde met mijn nagels in mijn schoot. Ik wilde dat ik iets kon verzinnen om hieronderuit te komen, maar ik realiseerde me heel goed dat ik geen enkele onderhandelingsmacht bezat.

Mijn ondervragers wilden weten hoe ik die-en-die kende, waar we elkaar hadden leren kennen en wat het beroep van die persoon was. Ze noemden steeds een naam en dan moest ik een mondelinge en daarna een schriftelijke beschrijving van die persoon geven.

Omdat ik geen enkel alternatief kon bedenken, beschreef ik iedere persoon zo algemeen en oppervlakkig mogelijk, waarbij ik probeerde geen vertrouwelijke informatie te verstrekken of vrijwillig bepaalde informatie te geven. Ik schreef bijvoorbeeld: 'Die-en-die kende ik via mijn cursus Farsi. Ze heeft hier één zomer gewoond tot ze weer terugging naar Amerika. Ik weet niets over haar familie.'

Maar soms begonnen mijn ondervragers, die inmiddels weer met z'n vieren waren, over een e-mail of een sms die iemand me had gestuurd en dan verweten ze me dat ik niet had verteld dat ik juffrouw P een keer geld had geleend of voor meneer Q een aanbevelingsbrief had geschreven voor een buitenlandse universiteit. Ik had geen idee hoe ze bepaalde dingen wisten, bijvoorbeeld dat ik naar het verjaardagsfeestje van juffrouw R was geweest, waar kalkoensandwiches waren geserveerd. Ik begreep ook niet waarom iets daarvan belangrijk was.

'Zoals ik u al vertelde, weten we al hoe uw antwoorden moeten luiden,' zei Javan. 'We willen gewoon dat u dit bevestigt. Wanneer u ons geen informatie verstrekt, weten we dat u niet meewerkt. En vergeet niet welke nadelen het voor u heeft als u niet meewerkt.'

Toch hield ik mijn beschrijvingen zo oninteressant mogelijk. Ook schreef ik ze in een langzaam tempo, omdat ik dacht dat hoe langer ik erover deed, hoe minder bladzijden ik hoefde vol te schrijven.

Terwijl ik aan het schrijven was, hoorde ik vanuit de hal het hoge gejammer van een vrouw. Mijn knokkels van de hand waarmee ik mijn pen vasthield, werden wit. De vrouw probeerde iets te zeggen, maar door haar luide gesnik waren haar woorden onverstaanbaar. Een man, waarschijnlijk de man die haar verhoorde, schreeuwde tegen haar.

Iemand in onze kamer stond op en deed de deur dicht. Ondanks de leren bekleding was die deur niet bepaald geluiddicht.

'Ze stelt zich gewoon aan,' zei Javan.

'Wat is er aan de hand?' waagde ik te vragen.

'Ze wil haar misdaad niet bekennen.'

'O,' zei ik en ik vroeg me af wat ze volgens haar ondervragers had gedaan.

'Zij is hier om dezelfde reden als u,' zei Javan.

Nog iemand die ze van spionage beschuldigden? Als deze mensen zeiden dat ze een spion was, was ze zeer waarschijnlijk onschuldig.

84

Ik hoopte dat ze zou begrijpen dat haar weg naar de vrijheid niet lag in nutteloze tranen, maar in een bekentenis, of die nu waar was of niet.

Ik sloeg weer een bladzijde om en zag twee woorden waarvan ik had gehoopt dat ze me bespaard zouden blijven: Bahman Ghobadi.

Ik wilde dat ik niets van hem wist.

'Moet ik iets over Bahman opschrijven?' vroeg ik zacht.

'Ja, u moet iets over hem opschrijven,' zei Javan. 'Vertel me hoe jullie elkaar hebben ontmoet.'

Ik zei niets en ik deed mijn ogen dicht.

Die avond in juni 2007 kon ik me nog heel goed herinneren. Het was al laat toen ik onverwacht werd opgebeld door een Japanse vriendin die ik een paar jaar eerder tijdens een cursus Farsi had leren kennen. Ze was weer in Iran op bezoek en wilde me voorstellen aan Bahman Ghobadi.

Ik had nog nooit van hem gehoord, maar voordat ik naar zijn appartement ging googelde ik zijn naam en ontdekte dat hij regisseur was. In 2000 had hij de allereerste Koerdisch gesproken speelfilm gemaakt en hoewel zijn films verschillende belangrijke internationale prijzen hadden gekregen, hadden de Iraanse autoriteiten zelden toestemming gegeven om ze in de Iraanse bioscopen te vertonen.

Tijdens het etentje die avond vertelde Bahman mijn vriendin en mij dat hij over een paar maanden met zijn vierde film wilde beginnen. Het enige probleem was dat de regering, die op het grootste deel van de Iraanse filmindustrie toezicht hield, nog geen toestemming had gegeven voor de opnamen. Sommige hardliners beschuldigden hem ervan dat hij in zijn films de Koerdische afscheiding had gepromoot. Hij ontkende dat en zei dat hij alleen maar zijn Koerdische cultuur aan het publiek wilde laten zien.

Bahman zei dat veel onafhankelijke filmmakers zoals hij door het regime als 'buitenstaanders' werden behandeld in plaats van als 'insiders' die samenwerkten met de autoriteiten en vaak films maakten die de islam, de revolutie en de Irak-Iran-oorlog ophemelden. Hoewel het outsider-insider-onderscheid verre van scherpomlijnd was, had ik gemerkt dat het regime daar wel van uitging.

Al tijdens die eerste ontmoeting was ik in de ban geraakt van Bahmans passie voor zijn werk, zijn warmte en de kuiltjes die bij zijn mondhoeken ontstonden als hij glimlachte. Niet lang daarna begonnen we te daten. We waren vrijwel altijd samen: we aten samen, trainden samen en gingen samen naar het buitenland. Hij was gul en begaan met anderen, deed zo veel mogelijk voor zijn zes jongere zussen en broers en hun gezinnen, en hij ondersteunde veel arme Koerdische kinderen, onder wie enkele die in zijn films hadden meegespeeld.

Na enkele maanden besloot Bahman het ministerie van Cultuur van Ahmadinejad te trotseren en nam hij in het geheim zijn recentste film op, over de ondergrondse muziekscene van Iran. Achter de schermen hielp ik hem, terwijl ik doorwerkte aan mijn boek. Nu zou ik er alles voor overhebben om niet gedwongen te zijn om zelfs maar de meest alledaagse informatie over hem te verstrekken.

'Juffrouw Saberi,' zei Javan, waardoor ik opschrok uit mijn overpeinzingen, 'ik wacht nog steeds op uw antwoord.'

'Sorry,' zei ik. 'Wat was uw vraag?'

'Ik zei: "Vertel me hoe jullie elkaar hebben ontmoet,"' snauwde hij, waarbij elk woord voelde als een dolksteek.

'Via een gemeenschappelijke Japanse kennis,' vertelde ik.

'En hoe heeft meneer Ghobadi u met uw werk geholpen?'

Ik vertelde dat hij me had voorgesteld aan een paar culturele mensen en een paar anderen die ik voor mijn boek zou kunnen interviewen. Maar nu ze me hadden gedwongen om toe te geven dat ik mijn boek had gebruikt als dekmantel voor spionage, voegde ik er onhandig aan toe: 'Maar hij... niemand trouwens... was niet op de hoogte van mijn spionageactiviteiten.'

'Wat voor relatie had u met elkaar?'

Op dat moment twijfelde ik er niet aan dat mijn bâzju wist dat Bahman en ik een relatie hadden. Maar zoals veel stellen in Iran hadden we nooit uit voorzorg een *sigheh*, een tijdelijk huwelijk, geregeld waardoor onze relatie in de Islamitische Republiek toelaatbaar zou zijn geworden. Als ik dit nu zou bekennen, zouden Bahman en ik gegeseld kunnen worden.

'We wilden... misschien gaan trouwen,' stamelde ik.

'Maar jullie hadden onlangs toch relatieproblemen?'

Wat heb jíj daarmee te maken, wilde ik snauwen. Ik kon niet geloven dat hij zo persoonlijk werd.

'Zijn jullie niet een paar maanden uit elkaar geweest?' vroeg Javan honend, zonder op mijn antwoord te wachten.

'Ja,' zei ik, 'maar later zijn we weer gaan samenwonen.'

'Hij wil alleen maar bij u zijn om uw Amerikaanse paspoort,' zei mijn ondervrager kortaf.

'Hij heeft al een verblijfsvergunning,' zei ik. 'Zijn zus is Amerikaans staatsburger en woont in Los Angeles.'

'Maar,' vervolgde Javan, onaangedaan, 'u denkt dat hij toch van u houdt? Hij houdt meer van zijn werk. Trouwens, we kennen hem goed en een kunstenaar zoals hij zal nooit genoeg hebben aan één vrouw.'

Ik zei niets. Ik wist dat Javan probeerde me nog meer te breken, dat hij wilde bereiken dat ik me nog kwetsbaarder en alleen zou voelen. Maar ik weigerde hem te geloven.

'Schrijf uw antwoorden op,' beval hij. 'Schrijf op wat voor soort relatie jullie hadden en hoe hij u met uw werk heeft geholpen.'

Ik schreef een paar zinnen op, maar ik kreeg tranen in mijn ogen toen ik me afvroeg wanneer ik Bahman ooit terug zou zien.

Ik trok mijn chador over mijn wangen. Ik wil niet dat deze wrede mannen me weer zien huilen, dacht ik. Er viel een traan op mijn papier, zodat de blauwe inkt vlekte.

'Waarom duurt het zo lang, juffrouw Saberi?' vroeg Javan.

'Sorry,' snotterde ik.

'Húílt u?' vroeg hij spottend.

'Nee.' Ik droogde het papier met een puntje van mijn chador en begon weer te schrijven: ... *en ook al hadden Bahman en ik wel eens problemen, ik ben bereid voor hem te sterven.* Mijn gijzelnemers zouden deze zin niet kunnen waarderen, maar dat kon me niets schelen.

Een andere ondervrager wilde weten welke ambassades ik in Teheran had bezocht en welke buitenlandse diplomaten ik kende.

'Ik ken er niet veel,' antwoordde ik. 'De meesten die ik kende, zijn alweer weg.'

'Als u met ons samenwerkt, zult u meer moeten weten.'

'Hoe zit het met de buitenlandse journalisten in Iran?' vroeg Javan. 'Wie van hen zijn spion?'

'Ik ken helemaal geen spionnen,' zei ik. Ik kon me niet beheersen en voegde eraan toe: 'Hoe dan ook, er zijn niet zo veel buitenlandse journalisten meer in Iran. Jullie hebben ze bijna allemaal het land uit gezet.'

'Zoals?'

Ik somde de namen op van de buitenlandse journalisten en de journalisten met een dubbel paspoort die ik kende en van wie de geloofsbrieven de laatste jaren waren ingetrokken of die opdracht hadden gekregen het land te verlaten.

'Goed, goed,' viel Javan me in de rede. 'Wie van de overgebleven journalisten zijn spion?'

'Ik ken helemaal geen spionnen,' herhaalde ik.

De agenten begonnen over een paar buitenlanders over wie ze me in eerdere verhoren vragen hadden gesteld.

Ze vroegen ook naar Iraniërs met wie ik in mijn hele leven nog geen tien minuten had gepraat. Javan en zijn collega's leken zich te concentreren op hervormingsgezinde en gematigde personen, alsof ze verklaringen wilden horen waarmee ze hen in diskrediet konden brengen. De agenten stelden me vragen over interviews waarvan ze wisten dat ik die had gehouden. Ik antwoordde met een paar alledaagse verklaringen die de geïnterviewden me officieel hadden gegeven.

Een paar uur later begon ik te twijfelen. Wat wisten mijn gijzelnemers nu echt? Hadden ze afluisterapparatuur in mijn flat aangebracht? Waren ze in staat geweest mijn gesprekken en interviews af te luisteren via mijn mobieltje, zelfs als ik dat uit voorzorg had uitgezet? Misschien werden een paar mensen die ik kende geschaduwd of hadden ze iets over me verteld. Ik begon te wensen dat ik in de afgelopen zes jaar met niemand had gepraat en niemand had geïnterviewd.

Mijn ondervragers begonnen vragen te stellen over de mannen met wie ik vóór Bahman een relatie had gehad, maar ook over andere mannen die ik amper kende.

'We weten dat u seks hebt gehad met meneer X,' zei een agent; hij had het over een hervormingsgezinde man.

Mijn wangen brandden. 'Nee, we waren gewoon kennissen,' zei ik, maar ik kon mijn afschuw voor mijn ondervragers verbergen.

'We geloven u niet,' was het antwoord.

Deden ze dit met alle gevangenen? Seks was een gevoelig onderwerp in de Islamitische Republiek en het verbaasde me dat deze mannen, die allemaal een conservatieve religieuze achtergrond hadden, dit onderwerp ter sprake brachten.

'Hoe zit het met meneer Y?' vroeg een andere man, zonder ook maar enige gêne te laten blijken. 'We weten dat jullie op een bepaald moment samen uitgingen. Hebt u seks met hem gehad?'

'We gingen samen uit, maar we hebben nooit seks gehad,' antwoordde ik.

'Dat is onmogelijk.'

Dat is wél mogelijk, stelletje zieke klojo's! wilde ik gillen. Ze leken er plezier in te hebben over bepaalde aspecten van mijn leven uit te weiden die ik normaal gesproken niet eens met mijn beste vrienden besprak.

'Hoe is het mogelijk dat u uitging met iemand zonder seks met hem te hebben?' vroeg Javan, pesterig. 'Wat deden jullie dán samen?'

Ik schrok.

Mijn ondervragers bleven maar doorvragen en steeds als ik even aarzelde met mijn antwoord, begonnen ze te dreigen en zeiden dat ik nooit vrij zou worden gelaten tenzij ik zei wat zij wilden horen. Ze bleven me onder druk zetten en beweerden dat ik seks had gehad met vrijwel iedere man die ik kende, getrouwd of single, vriend of kennis. Ik kon wel janken, zo vernederd voelde ik me.

Terwijl de vragen over deze en gene doorgingen, probeerde ik ze te vermijden door bladzijde na bladzijde te vullen zonder iets zinnigs te verklaren. Ik schreef mijn antwoorden in heel grote letters en herhaalde dezelfde zinnen op verschillende manieren. In een poging niet al te veel informatie te verstrekken, bleef ik volhouden dat ik het me allemaal niet zo goed kon herinneren.

Soms beweerden ze dat ik bepaalde mensen kende van wie ik nog nooit had gehoord. Ene 'Silva' bijvoorbeeld, of 'een Canadese journalist die binnenkort naar Teheran wilde komen'. Nadat ik herhaaldelijk had verklaard dat ik deze mensen niet kende, lieten de agenten dat onderwerp rusten. Later die dag begonnen ze over Hassan, terloops bijna. Ik vertelde dat we weliswaar altijd goede vrienden waren geweest, maar dat we nu geen contact meer met elkaar hadden.

Mijn ondervragers zeiden op een bepaald moment dat ze moe waren en de avond thuis wilden doorbrengen. Ik had geen idee hoe lang we daar hadden gezeten. Acht uur? Tien uur? Mijn lichaam was stijf geworden en ik had kramp in mijn hand.

Terwijl hij het vertrek verliet, gaf Javan me een half A4'tje met een paar zinnen in zijn onleesbare handschrift erop. 'Bestudeer deze onderwerpen vanavond en denk erover na hoe u deze vragen morgen voor de camera zult beantwoorden.'

Dit had ik al verwacht. Het was onvermijdelijk dat ik werd gefilmd als ik vrijgelaten wilde worden, net als veel van de politieke gevangenen vóór me die dezelfde kwellingen hadden ondergaan.

Javan stond over me heen gebogen en las de vragen voor. Het was een lange en intimiderende lijst.

Een van de agenten bracht me terug naar de vrouwenvleugel. Ik liep met gebogen hoofd met hem mee. Ook al had ik die dag geprobeerd om alleen maar onschadelijke antwoorden te geven, toch was ik in een paar gevallen onder de druk van hun dreigementen bezweken en had ik hun verteld wat ze wilden horen. Vol afschuw vroeg ik me af wat ze met mijn verklaringen zouden doen. Ik had kunnen, ik had móéten weigeren om ook maar één woord te zeggen, zelfs als dat mijn dood had betekend.

Een bewaakster liet me achter in mijn cel met een zware plastic tas. Toen ik erin keek, ontdekte ik bananen, sinaasappels en pakjes jus d'orange.

Ik smeet het cadeautje in de afvalbak en liet me op de grond vallen.

Ik werd overmand door schuldgevoelens en schaamte en de tranen stroomden over mijn wangen. Mijn leven lang had ik het goede willen doen. Waarom had ik zo veel slechts gedaan?

Ik schaamde me ontzettend voor wat ik in deze gevangenis had gedaan. Mijn angst had ervoor gezorgd dat ik mijn ethische en morele waarden had verloochend. Ik was ontzettend zwak geweest.

Vergeef me alstublieft, God. Laat alstublieft niemand lijden door mijn gedrag. Bescherm alstublieft alle mensen van wie ik hou. Alstublieft, God, alstublieft. Alstublieft, God, alstublieft. Alstublieft, God, alstublieft. Laat me alleen lang genoeg leven om de afschuwelijke dingen die ik heb gedaan bekend te maken voordat ze anderen schade kunnen berokkenen.

Ik keek even naar de lijst van wat ik de volgende dag voor de camera zou moeten vertellen, maar ik was zo kapot dat ik me niet kon concentreren. Uitgeput trok ik mijn knieën op tegen mijn borst en viel in slaap.

8

Als voorbereiding op mijn cameraoptreden de volgende ochtend droeg Javan me op een paar aantekeningen te maken. Toen ik ze overlas, besloot hij me wat nieuws uit de krant van die dag voor te lezen. Voor zover ik wist nu ik met mijn gezicht naar de muur zat, was hij de enige die op dat moment bij mij in de verhoorkamer zat.

'De regering-Obama dreigt met nieuwe sancties tegen Iran,' las Javan voor, die achter me zat.

Ik hoorde dat hij de krant neerlegde. 'Wanneer zullen de Amerikanen eindelijk begrijpen dat het ons niet interesseert of ze voor of tegen ons zijn?' vroeg hij.

Hij refereerde aan de politiek om Iran stimulerende maatregelen te beloven als het met de gevoeligste nucleaire activiteiten staakte, maar om te dreigen met nieuwe sancties of andere maatregelen als het land dit weigerde. Iran had al verschillende sancties van de vs en de vn opgelegd gekregen vanwege zijn omstreden nucleaire programma, hoewel Teheran beweerde dat dit zuiver vreedzame doeleinden diende.

'Sancties hebben ons alleen maar sterker en zelfvoorzienender gemaakt,' verklaarde Javan, waarna hij de bladzijde omsloeg.

Hij citeerde Teherans officiële visie, waar sommige Iraniërs het mee eens waren. Maar vele anderen, ook mensen die van mening waren dat het land het recht had kernenergie op te wekken, waren het er niet mee eens. Zij klaagden dat deze sancties hun inkomen schaadden en bijdroegen aan de isolatie van Iran. Ik dacht dat het niet verstandig zou zijn om deze kwesties te berde te brengen. 'Ik snap wat u bedoelt,' zei ik alleen maar.

De bladzijden van de krant ritselden.

'Dít verhaal is het perfecte voorbeeld van het feit dat sancties Irans technologische ontwikkeling op geen enkele manier hebben belemmerd,' zei Javan.

Teheran had de vorige dag de lancering bekendgemaakt van zijn eerste zelfgebouwde satelliet, *Omid* (Hoop), las hij voor. Iran zei dat deze bedoeld was voor research en telecommunicatie. Ik dacht dat Washington zich zorgen maakte over de mogelijkheid dat deze satelliet gekoppeld zou worden aan een Iraans raketprogramma, maar daarover zei Javan niets.

'Ziet u,' zei hij, 'Iran heeft dit technologische niveau zonder de hulp van wie dan ook bereikt.'

Hij vouwde de krant op en legde hem weg. Maar hij bleef praten, alsof hij het leuk vond om politieke kwesties met mij te bespreken.

'En nu is Obama president geworden en heeft "verandering" beloofd,' zei hij. 'Maar hij zal geen enkele verandering aanbrengen in het Amerikaanse beleid ten aanzien van Iran.'

Barack Obama, die op 20 januari president was geworden – slechts elf dagen voor mijn arrestatie – had ervoor gepleit de Amerikaanse diplomatieke betrekkingen met Iran te intensiveren, hoewel hij ook had gezegd dat Washington geen enkele optie, ook geen militaire, zou moeten uitsluiten.

'In feite,' vertelde mijn ondervrager me, 'zijn de Amerikaanse Democraten gevaarlijker voor ons dan de Republikeinen.' Hij voerde aan dat, hoewel de Republikeinen openlijk toegaven dat ze in Iran een ander regime wilden, de Democraten net deden alsof ze de voorkeur gaven aan diplomatie, terwijl ze toch hetzelfde doel nastreefden. Zelfs indien de dreiging van een militaire aanval op Iran door de vs onder president Obama kleiner leek te zijn geworden, zei Javan, zou Washington zijn 'zachte oorlogvoering' intensiveren om de Islamitische Republiek en haar islamitische ideologie te ondermijnen.

Javans woorden weerspiegelden de overtuiging van veel hardliners onder de Iraanse leiders dat Washington niet oprecht geïnteresseerd was om serieus met Teheran om de tafel te gaan zitten, omdat het in feite het islamitische regime omver wilde werpen. Maar veel andere Iraanse elites waren minder zeker van Washingtons bedoelingen en waren wel bereid een overeenkomst een kans te geven, vooral na Obama's inauguratie.

'En de Amerikanen zeggen dat we hier geen democratie hebben,' vervolgde mijn bâzju, 'maar de macht van onze Allerhoogste Leider wordt beperkt door de Vergadering van Deskundigen.' Hij verwees naar een raad van zesentachtig geestelijken die de Allerhoogste Leider kozen en hem in theorie konden afzetten. Maar Javan vergat erbij te vertellen dat de leden van deze raad waren gescreend door juristen die direct of indirect door de Allerhoogste Leider zelf waren uitgekozen. 'Onze president kan dus niet worden benoemd zonder de goedkeuring van onze Allerhoogste Leider.'

Nadat ik zes jaar in Iran had gewoond, was ik me bewust geworden van de tekortkomingen van de democratie in de Islamitische Republiek, maar ook hierover wilde ik niet in discussie gaan.

Javan stond op en verklaarde dat er nu video-opnamen van me gemaakt zouden worden. In gedachten had ik mijn valse verklaringen steeds herhaald, zodat ik ze voor de camera op dezelfde manier kon herhalen als ik ze twee dagen eerder aan mijn ondervragers had verteld. Ik kwam tot de ontdekking dat leugens veel moeilijker te onthouden zijn dan de waarheid. Zoals een Iraanse spreuk luidt: *Durugh-gu kam hâfezeh ast*, de leugenaar heeft een slecht geheugen.

'Oké, ik ben er klaar voor.' Ik wilde het achter de rug hebben zodat ik naar een veilige plek kon gaan. Dan kon ik bedenken wat ik moest doen.

Javan had me al beloofd dat ze, omdat ik erin had toegestemd om met hem en zijn collega's samen te werken, deze video nooit zouden uitzenden, tenzij ik 'problemen maakte' als ik uit de gevangenis was.

Zelfs als deze video wel werd uitgezonden voordat ik mijn uitspraken publiekelijk kon herroepen, hoopte ik dat de mensen die bekend waren met de methoden van de Islamitische Republiek en andere politiestaten zouden weten dat hij geënsceneerd was, net als de videobekentenissen van vele andere gevangenen. Maar om ervoor te zorgen dat mijn leugens voor de gewone kijker niet geloofwaardig zouden klinken, besloot ik niet in de camera te kijken en aarzelend en houterig te praten; tekenen dat iemand zich niet op zijn gemak voelt, zoals iedere journalist weet.

Mijn bâzju bracht me naar een andere kamer en gaf me opdracht mijn blinddoek af te doen en plaats te nemen aan een witte formicatafel waarop een glas water en een vaasje met een plastic bloem stonden.

Kennelijk was het de bedoeling dat het leek alsof ik me op mijn gemak en op mijn plek voelde in deze setting. Ik droeg mijn eigen roopoosh en een witte hoofddoek. Een bewaakster had me die ochtend opdracht gegeven ze aan te trekken, net zoals de andere gevangenen die ik op de Iraanse tv had gezien hun eigen kleren hadden gedragen.

Ik verschoof mijn hoofddoek zodat er geen losse haren zichtbaar waren.

'Laat maar,' zei Javan met een afwijzend gebaar van zijn hand.

Wat vreemd. Dus nu was het geen probleem als er een paar haren te zien waren, terwijl zijn collega me de vorige dag had berispt omdat dit wel het geval was. Mijn ondervragers wilden kennelijk dat het op de video leek alsof ik in Teheran op straat wandelde.

Javan verdween achter een groen gordijn dat voor me hing. Door een gaatje in het doek zag ik de lens van een camera.

'We draaien,' zei een andere man, kennelijk de cameraman.

'Haal eerst diep adem,' riep Javan. 'Zeg *Bismellâh Al-rahmân Al-rahim* en werk dan de lijst af.'

'In de naam van Allah, de Heiligste, de Genadigste,' zei ik.

Vergeef me alstublieft wat ik nu ga doen, voegde ik er in gedachten aan toe.

Ik begon de video-opname door te vertellen over mijn familie en mijn leven in Amerika en waarom ik naar Iran was gekomen, zoals Javan me de vorige avond had opgedragen. Daarna verstrekte ik de valse verklaringen waar mijn ondervragers me toe hadden gedwongen, waaronder mijn bekentenis over meneer D.

Tijdens het praten keek ik meestal naar mijn aantekeningen en probeerde zo weinig mogelijk in de camera te kijken. Ik praatte zacht en zei opzettelijk heel vaak 'eh...' en laste zo veel mogelijk andere onnatuurlijke pauzes in.

Javan liet de camera regelmatig stilzetten en gaf me opdracht zinnen te herformuleren of nieuwe toe te voegen die hem beter bevielen. Op een bepaald moment zei hij dat ik iets over de Israëlische regering moest zeggen en met opzet verwees ik daarnaar met de term 'zionistisch regime', net als de Iraanse autoriteiten meestal deden. Ik hoopte dat de kijkers zich zouden realiseren dat ik die term normaal gesproken nooit zou gebruiken en zich zouden realiseren dat ik dit alles onder dwang zei.

Ten slotte moest ik een verklaring voorlezen die mijn ondervrager had opgeschreven: 'Ik bied mijn verontschuldigingen aan voor mijn slechte gedrag en ik vraag om uw genade en vergeving. Ik word niet onder druk gezet en ik heb alles uit vrije wil gezegd. Ik ben bereid om in de toekomst met u samen te werken.'

Voor mijn optreden waren drie videobanden van een half uur nodig geweest.

Javan kwam achter het gordijn vandaan met de videobanden in zijn hand en feliciteerde me: 'Goed gedaan, juffrouw Saberi.'

Ik had de neiging hem stijf te vloeken, de videobanden van hem af te pakken en ze op zijn hoofd kapot te slaan. In plaats daarvan zei ik beleefd: 'Dank u.'

'Donderdag en vrijdag is het weekend, zoals u weet,' vertelde hij terwijl hij me, alweer geblinddoekt, naar de vrouwenvleugel terugbracht.

'Ik zal uw video aan Hâj Âghâ laten zien, die, omdat u hebt meegewerkt, van plan is u zaterdag vrij te laten. Ik stel voor dat u deze tijd in eenzame opsluiting gebruikt om na te denken over de verschrikkelijke dingen die u hebt gedaan.'

Mijn ondervrager had gelijk: ik had verschrikkelijke dingen gedaan, maar niet de dingen waar hij op doelde. In plaats daarvan schaamde ik me voor het feit dat ik onder druk was bezweken.

Ik boog mijn voorhoofd naar de vloer van mijn cel.

Als ik hier snel uit kwam, zwoer ik, zou ik ophouden met de journalistiek en met schrijven, en nooit meer iemand interviewen. Ik zou les kunnen gaan geven in Fargo, waar ik voor mijn ouders zou gaan zorgen als ze oud waren geworden. Of ik kon al mijn bezittingen weggeven en arme mensen helpen.

Ik vouwde mijn handen en fluisterde: 'Als ik zaterdag echt word vrijgelaten, beloof ik dat ik de rest van mijn leven de mensheid zal helpen. Geef me alstublieft nog één kans om goed te maken wat ik heb gedaan.'

De twee dagen daarna kon ik met niemand anders praten dan met God, en mezelf. Ik had nooit eerder zo veel uren met alleen mijn eigen gedachten in een kleine, afgesloten ruimte gezeten.

'Ik zou nooit naar Iran zijn verhuisd als ik had geweten dat dit me op een dag te wachten stond,' mompelde ik terwijl ik heen en weer liep in mijn cel, een paar stappen de ene kant en een paar stappen de andere kant op. Ik had in de Verenigde Staten kunnen blijven of in plaats daarvan naar het geboorteland van mijn moeder kunnen gaan. Ik was een paar keer in Japan geweest, had daar Engelse les gegeven en een beetje Japans geleerd. Maar hoewel ik dol was op de familie van mijn moeder en gefascineerd was door de geschiedenis en de cultuur van dat land, was ik van mening geweest dat ik meer invloed zou hebben als journaliste in Iran dan in Japan.

Eigenlijk leek het alsof Iran deel uitmaakte van mijn lotsbestemming, net zoals de lotsbestemming van mijn moeder vele jaren geleden op de een of andere manier met Iran verbonden was geweest.

Als kind heb ik met grote ogen naar mijn moeder geluisterd toen ze me vertelde hoe ze mijn vader had ontmoet. Ze had me dat verhaal maar een of twee keer verteld, afstandelijk, alsof de gebeurtenissen die tot hun huwelijk hadden geleid helemaal niet bijzonder waren.

'Toen je vader nog jong was,' zei mijn moeder, 'wilde hij leren en reizen. Zijn familie was heel arm, maar hij kon zijn vader overhalen om hem de school te laten afmaken in plaats van hem in hun meubelwinkel op de bazaar van Tabriz te laten werken. Een paar jaar nadat hij een graad in de Engelse literatuur had behaald, besloot Reza de wereld rond te vliegen. Hij kwam in Japan terecht, waar hij als vrijwilliger Engelse les gaf. Zo heeft hij mij ontmoet, toen ik op een dag bij hem in de klas kwam. We wilden elkaar beter leren kennen, maar er stond een groot obstakel tussen ons in: mijn ouders. Ze keurden Reza af, vooral omdat een relatie met een buitenlander bij de traditionele Japanners een taboe was. Desondanks gingen we twee keer met elkaar uit. Toen mijn ouders dat ontdekten, sloten ze me wekenlang in huis op. Om mijn berouw te tonen en vergiffenis te krijgen, moest ik mijn hoofd kaalscheren.

'Omdat Reza me niet kon zien, ging hij terug naar Iran. In de maanden daarna bleef hij contact met me houden door brieven die hij naar een gemeenschappelijke vriend stuurde. In een van die brieven zat een ticket voor een enkele reis naar Iran. Korte tijd later ben ik stiekem naar Teheran gevlogen. Daar zijn we in 1971 met elkaar getrouwd. Je vader kreeg te horen dat hij de tiende Iraanse man ter wereld was die met een Japanse vrouw trouwde. Twee jaar later verhuisden we naar de Verenigde Staten. Uiteindelijk kreeg ik in Fargo een baan als patholoog aangeboden, terwijl je vader parttime lesgaf en een roman schreef. Je broer was toen vier en jij twee.'

Dat goeie ouwe, véilige Fargo, dacht ik, toen ik deur van mijn cel hoorde opengaan.

Een van de bewaaksters bracht zwarte thee, een favoriete drank van de meeste Iraniërs, maar ik dronk zelden cafeïne. Ik wilde het niet, maar ze stond erop.

Toen ik jong was, woonden er maar een paar Iraanse gezinnen in Fargo, dacht ik toen ik de thee in de gootsteen weggooide en weer begon te ijsberen. Via hen en mijn vader maakte ik voor het eerst kennis met de Iraanse cultuur. Maar in die tijd had ik weinig belangstelling voor mijn roots, ik vond het belangrijker om niet op te vallen tussen mijn klasgenoten met hun blonde haar en blauwe ogen.

Toen ik ouder werd, kreeg ik het gevoel dat er iets ontbrak in mijn leven. Ik ging op zoek naar manieren om mijn leven inhoud te geven en op de universiteit koos ik voor journalistiek omdat ik buitenlandcorrespondent wilde worden. Ik dacht dat die baan me de kans zou bieden om andere mensen deelgenoot te maken van alles wat ik te weten kwam over andere volken en internationale onderwerpen. Tegelijkertijd raakte ik steeds meer geïnteresseerd in zowel mijn eigen erfgoed als andere culturen.

In mijn laatste studiejaar leek het erop dat mijn plannen tijdelijk een omweg maakten, toen een vriendin die de Miss Fargo Verkiezingen 1997 organiseerde me overhaalde om mee te doen. Ik had nog nooit aan zoiets meegedaan, kon amper op hoge hakken lopen en zag er ontzettend tegen op om in badpak op een podium te verschijnen. Maar de talentenwedstrijd en de kans om een beurs te winnen intrigeerden me wel. Om de een of andere reden won ik, werd vervolgens gekroond tot Miss North Dakota en belandde in de top 10 van de Miss America Verkiezingen. Het jaar daarop reisde ik door de staat als Miss North Dakota en hield ik lezingen over 'Culturele Waardering'. Ik verdiende genoeg beursgeld voor een master in de journalistiek. Later kreeg ik een tweede master in internationale betrekkingen en werkte ik als journalist in Houston toen ik het aanbod kreeg vanuit Iran verslag te doen. Ik wilde die kans grijpen, maar mijn ouders stonden er sceptisch tegenover.

Zij beschouwden het islamitische regime van Iran als te onvoorspelbaar, vooral voor een jonge vrouw alleen die maar weinig Farsi sprak en het land nog niet eerder had bezocht. Bovendien bereidden de Verenigde Staten een mogelijke oorlog voor tegen Saddam Hoessein en er werd gespeculeerd dat Iran misschien het volgende doelwit van Washington zou worden. Nog maar een jaar eerder, begin 2002, had president Bush Iran, Irak en Noord-Korea bestempeld als deel van een 'As van het Kwaad'.

Uiteindelijk gaven mijn ouders me hun zegen, omdat ze wisten dat ik mijn hart volgde, net zoals zij jaren daarvoor.

Wat ik ook heel graag wilde, was een boek schrijven. 'Khâk bar saram,' vervloekte ik mezelf in het Farsi, 'vuil op mijn hoofd'. Misschien, als ik niet zo veel van Iran had gehouden en als ik geen boek had willen schrijven om anderen te helpen het land te begrijpen, zou ik nu niet in deze ellendige cel opgesloten zitten.

Waarom had ik niet beter op de tekenen gelet die me hadden kunnen waarschuwen voor mijn arrestatie?

De man en de vrouw die mij en mijn vriend in het park hadden gefilmd, bijvoorbeeld. En kortgeleden had mijn buurvrouw me verteld dat een man in burger ons flatgebouw had bezocht. Zij had gedacht dat het een routinebezoek was en ik had haar geloofd, maar misschien was dat niet het geval geweest.

Dan was er Hassan. Onze vriendschap was al vanaf het begin vreemd geweest, omdat Amerikaanse vrouwen en *basiji*-mannen meestal niet met elkaar omgingen.

Hassan was geen actief lid van de basiji, maar als tiener was hij wel lid geweest van deze paramilitaire vrijwilligersorganisatie die in november 1979 was opgericht bij decreet van ayatollah Khomeiny. Het doel van dit 'Leger van Twintig Miljoen' was het beschermen van de Islamitische Republiek tegen binnenlandse en buitenlandse dreigingen. Deze militie werd voor het eerst echt getest toen Iraakse troepen onder Saddam Hoessein in 1980 Iran binnenvielen, waardoor de buurlanden in een verwoestende achtjarige oorlog belandden. Hassan vertelde me vaak dat hij wilde dat hij de kogels, bommen en mijnenvelden niet had overleefd, zodat hij een martelaar had kunnen worden en een sleutel naar de hemel had verdiend.*

* Veel voormalige en huidige leden van de basiji zijn minder ideologisch gedreven dan Hassan en keuren de prominente rol af die de militie speelt bij het onderdrukken van burgeropstanden en het optreden tegen wat hardliners 'on-islamitisch gedrag' noemen.

Nadat we elkaar hadden ontmoet tijdens een gebeurtenis die ik versloeg, waren we bevriend geraakt. Maar na verloop van tijd was ik zijn gedrag vreemd gaan vinden. Hij werd ontzettend nieuwsgierig, wilde altijd weten waar ik naartoe ging, wanneer en met wie. Nadat hij me een keer in mijn appartement had opgezocht, ontdekte ik dat er een paar videobanden met ruwe nieuwsbeelden waren verdwenen. En toen ik een paar dreigende telefoontjes kreeg die volgens mij van agenten van de geheime dienst waren, had Hassan me gewaarschuwd dat ik dat aan niemand moest vertellen en gezegd dat zolang hij in mijn leven was ik me nergens zorgen over hoefde te maken.

Ten slotte had ik Hassan in 2006 verteld dat ik onze vriendschap wilde beëindigen omdat ik hem niet meer kon vertrouwen. 'Daar zul je spijt van krijgen,' waarschuwde hij me met een felle blik.

Twee dagen later kreeg ik een telefoontje van het ministerie van Cultuur. De ambtenaar die me belde vertelde me dat het ministerie opdracht had gekregen mijn perskaart in te trekken.

Mijn ondervragers hadden me vragen gesteld over beelden op deze ontbrekende videobanden, realiseerde ik me toen ik op mijn dekens ging zitten. Dat was een van de vele dingen waar ze het over hadden gehad die alleen Hassan had geweten.

Misschien had het ministerie van Veiligheid hem gestuurd om mij in de gaten te houden en hadden de autoriteiten hem niet vervangen toen ik afscheid van hem had genomen. Ze konden me niet opzadelen met een tolk of oppasser. Ik was een Iraans-Amerikaanse die probleemloos in mijn eentje door het land kon reizen en zelf in het Farsi met de Iraanse mensen kon praten.

Hoe dan ook, ik had me moeten realiseren dat ik hier terecht zou komen nadat ik had gesignaleerd dat er steeds meer mensen met een dubbele nationaliteit, schrijvers en journalisten gevangen waren gezet. Het was ook dom van me geweest om van de Iraanse hardliners gerechtigheid en rationaliteit te verwachten.

Sommige Iraniërs worden alleen maar lid van de basiji, omdat hun militaire dienstplicht hierdoor met een paar maanden wordt verkort of omdat ze daardoor eerder in aanmerking komen voor een veilige overheidsbaan. Anderen zijn hun ideologische hartstocht kwijtgeraakt toen ze ouder werden of uit de basiji zijn gestapt.

En nu was ik in de macht van het ministerie van Veiligheid, waar ik zo veel gruwelijke verhalen over had gehoord.

Dit ministerie, maar ook de politie, de basiji en de Revolutionaire Garde, waren gezamenlijk verantwoordelijk voor de binnenlandse veiligheid van Iran. Het was de opvolger van de prerevolutionaire geheime politie, SAVAK, de meest gevreesde instantie van de sjah die veel van de mensen die na de revolutie aan de macht waren gekomen had vervolgd.

In 1984 riep het nieuwe regime het ministerie van Veiligheid in het leven, dat op zoek moest gaan naar spionage, samenzweringen, sabotage en plannen voor een staatsgreep, maar dat ook plannen voor een volksopstand moest achterhalen. Hiervoor stelde het ministerie vaak agenten aan, veelal oud-leden van de basiji of de Revolutionaire Garde, op plaatsen als universiteiten, ambassades en ministeries, zowel in Iran als in het buitenland.

Het ministerie werd berucht wegens intimidatie, opsluiting, marteling en periodieke executies en sluipmoorden, en hoefde zelden verantwoording af te leggen. Maar in 1999 gaf het ministerie toe dat enkele medewerkers verantwoordelijk waren voor een mysterieuze serie moorden op Iraanse politiek activisten en intellectuelen, hoewel het de schuld gaf aan een criminele operatie. De slachtoffers waren op verschillende manieren vermoord, zoals door auto-ongelukken, steek- en schietpartijen.

Aan het einde van het presidentschap van Khatami in 2005 werd het ministerie min of meer gezuiverd van radicale hardliners, hoewel men vermoedde dat velen van hen hun werk voortzetten in parallelle veiligheidsdiensten van de overheid, zoals bij de rechterlijke macht. Verschillende hardliners keerden terug naar het ministerie nadat Ahmadinejad het roer had overgenomen. Hij ontsloeg ambtenaren die niet loyaal genoeg waren en benoemde Gholam Hossein Mohseni-Ezhei tot nieuwe minister. Mohseni-Ezhei beweerde dat talloze gewone Iraniërs, maar ook enkele gewone voormalige ambtenaren, werkzaam waren als infiltrant en als vijfde colonne van de vijand. Hij was ook de voornaamste verdediger van het idee dat Washington een zachte revolutie tegen het regime beraamde. De op veiligheid gerichte benadering van zijn ministerie bevorderde een atmosfeer van angst in de hele Iraanse samenleving.

Nu werd ik door ditzelfde ministerie ingelijfd. Ik móést een manier vinden om niet voor deze mensen te hoeven spioneren.

Ik dacht eraan dat ik zaterdag vrij zou komen en dan zo snel mogelijk naar Bahman zou gaan. Hij zou me het land helpen ontvluchten. Misschien midden in de nacht in de kofferbak van een auto. Of misschien zou hij mijn haar afknippen, me vermommen als een Koerdische man met een pak en een valse snor van een van zijn films en me op een ezel door de bergen naar Irak of Turkije sturen.

Ik dacht dat ik gek werd. Maar hoe kon het ook anders? Ik zat in mijn eentje in een cel in de Evin-gevangenis. Hadden ze me maar een boek of een krant gegeven; lezen zou mijn gedachten van mijn eigen problemen hebben afgeleid. Ik had een koran gevraagd, maar de enige beschikbare koran was in het Farsi en in dichtvorm, zodat die te moeilijk voor me was.

Bovendien had ik geen pen of papier en geen menselijk contact, alleen met de bewaaksters. Zij maakten de deur van mijn cel om de paar uur open en brachten me thee of een dienblad met eten, dat ik nauwelijks aanraakte, waarna ze de deur weer op slot deden. Omdat ik geen klok of horloge had, had ik alleen maar een idee van de tijd door deze korte interrupties, de verschuivende bleke stralen zonlicht door de smerige ramen en de drie dagelijkse oproepen tot gebed in de ochtend, in de middag en in de avond.

Ik had tijd altijd als iets kostbaars beschouwd. Ik haastte me vaak om een taak af te ronden en met de volgende te beginnen. Dat was al zo toen ik vijf was en erop stond de kleuterschool over te slaan zodat ik samen met mijn oudere broer naar de eerste klas kon, en dat bleef zo tijdens mijn universitaire studie, die ik in drie jaar tijd afrondde. Er was zo veel te leren en te onderzoeken dat ik nooit ook maar een moment had willen verspillen.

Maar nu leken een paar minuten wel een uur en een paar uren leken wel een hele dag. Om mezelf bezig te houden, luisterde ik naar mijn hartslag, maar daar hield ik mee op toen ik mijn leven hoorde wegtikken. Langzaam erodeerde het gedwongen nietsdoen mijn geest, lichaam en ziel.

Eenzaamheid. Afzondering zoals ik nooit eerder had ervaren. Hoewel ik wel eens twee of drie dagen in mijn appartement had zitten schrijven zonder naar buiten te gaan, zorgde de wetenschap dat ik geen voet buiten mijn cel kon zetten ervoor dat de muren op me afkwamen.

Ik zou nog liever op een eiland zijn achtergelaten zoals in de Amerikaanse tv-serie *Lost* dan dat ik hier in mijn eentje in deze kleine cel moest zitten.

Toen ik aan *Lost* dacht, dacht ik dat ik ook wel graag een tv had willen hebben.

De bewaaksters hadden een televisie in hun kamer vlak om de hoek. Het continue gedreun van deze tv herinnerde me er in elk geval aan dat ergens vlakbij nog ander leven was. Dat gold ook voor het periodieke gejammer van de gevangene naast me. Door de gaten in de verwarming die tegen mijn muur hing, fluisterde ik tegen haar dat ze zich geen zorgen hoefde te maken, dat alles goed zou komen. Maar ze scheen me niet te horen en ik durfde niet harder te praten uit angst dat de bewaaksters het zouden merken.

Twee of drie keer hoorde ik iemand pijnlijk slijm ophoesten en uitspugen. Later hoorde ik vanuit dezelfde richting een oude vrouw schateren, zo luid dat het pijn deed aan mijn oren. Ik vroeg me af of deze beide geluiden van dezelfde persoon afkomstig waren en of zij ook een gevangene was. Hoe konden deze mensen een oude, zieke vrouw gevangenzetten? Misschien was een betere vraag: hoe kon iemand lachen in zo'n godverlaten plaats? Zat ik in een gekkenhuis? Als ik hier te lang bleef, zou ik hier echt thuishoren.

Twee dagen later, op vrijdagmiddag, ging de deur van mijn cel open en zag ik een mollige bewaakster van middelbare leeftijd. Ze glimlachte. Ze was de eerste persoon in Evin die vriendelijk tegen me deed.

'Wilt u naar *havâ-khori?*' vroeg ze.

Deze Farsi-term kende ik niet. Letterlijk betekende het 'de lucht eten'. Was dat een andere manier om 'vrijheid' te zeggen?

'Havâ-khori?' herhaalde ik.

'Ja,' antwoordde ze met een knipoog. 'Kleed u aan, dan neem ik u mee naar buiten.'

Ik deed wat ze had gezegd, waarna ze me meenam door de gang links, langs een telefoon aan de muur en door een deur naar een kale, ommuurde stenen binnenplaats. Het duurde een paar seconden voordat mijn ogen zich aan het felle zonlicht hadden aangepast en voordat ik me realiseerde dat dit de plek was waar ik vijf dagen tevoren had geprobeerd Bahman te bellen.

Dus dit was havâ-khori. Het was geen vrijheid, maar het waren twintig minuten waarin ik mijn benen kon strekken en een rechthoek kon lopen, steeds maar weer. De binnenplaats was ongeveer dertien bij dertien stappen. Zonder gras, bloemen of bomen leek het meer op een kooi dan op een tuin.

De schaduw van een vogel gleed over de stenen vloer. Ik keek omhoog, maar zag alleen maar tralies en wolken. Ik zou graag alleen maar de schaduw van die spreeuw zijn geweest. Ik zou ver, ver weg zweven.

Mijn arme ouders, dacht ik terwijl ik over de bestrating liep. Ze hadden al bijna een week niets van me gehoord, waren nu waarschijnlijk buiten zichzelf en hadden vast al contact opgenomen met alle Iraniërs van wie ze wisten dat ik ze kende: mijn beste vrienden, mijn buurvrouw en Bahman. Hopelijk was hij inmiddels met zijn eigen sleutels mijn appartement binnengegaan. Dan zou hij hebben gezien dat mijn bezittingen waren doorzocht en zich hebben gerealiseerd dat ik nooit op reis zou zijn gegaan zonder de afvalbak met het restje tonijn te legen, en zou hij argwanend zijn geworden. Of, als hij niet naar mijn appartement was geweest, zou hij mijn ouders hebben verteld dat ik in Zahedan was verdwenen.

Hoe dan ook, mijn vaders bloeddruk zou inmiddels torenhoog zijn en mijn moeders huid zou onder de galbulten zitten, net als toen ik haar over Hassan had verteld. Gelukkig zou ik algauw uit deze hel weg zijn, troostte ik mezelf, en dan hoefden mijn ouders zich niet langer zorgen om mij te maken.

Die avond at ik wat, een beetje brood en gestoofde kip uit blik. Het was te eten. Javan had opgeschept dat de gevangenismedewerkers hetzelfde voedsel aten als de gevangenen. Ik nam aan dat ze niet wilden dat de gevangenen na hun vrijlating over nóg meer dingen konden klagen.

Het was de eerste keer sinds mijn arrestatie dat ik meer at dan een paar hapjes. Niet dat ik veel trek had, maar ik moest op krachten komen zodat ik, als ik de volgende dag vrijkwam, uit de klauwen van het ministerie van Veiligheid zou kunnen ontsnappen.

9

Ergens buiten mijn cel hoorde ik gekletter. Het luikje voor het getraliede raampje in de celdeur ging piepend open en ik zag de mooie ogen van de slanke, jonge bewaakster van mijn eerste ochtend in de gevangenis. De vrouw, die ik Skinny had genoemd, draaide zich weer om en begon tegen iemand te kletsen.

Dit was niet het goede nieuws waarop ik die zaterdagochtend had gewacht, maar het was in elk geval één klein stapje naar de buitenwereld. Ik stond op en keek voor het eerst sinds ik een week eerder alleen in een cel was gestopt door het raampje in mijn celdeur. Het enige wat ik kon zien, waren een paar decimeter van de gang. Op de muur tegenover mijn cel hing een poster met ayatollah Khomeiny's ernstige gezicht zwevend tussen luchtige, witte wolken. Onder deze hemelse afbeelding stond zoiets als: 'Iedereen die denkt dat religie niets met politiek te maken heeft is dom.'

Ik vroeg me af of deze poster voor de bewaaksters was bedoeld of voor onhandelbare gevangenen zoals ik die nergens anders naar konden kijken.

Na de Islamitische Revolutie was de sjiitische islam de officiële godsdienst van het land geworden en was de islam uitgeroepen tot de wet van het land.* Er werd een islamitische regering gevormd waarvan het brandpunt van macht was gebaseerd op ayatollah Khomeiny's idee van de *velâyat-e faqih*, vonnis van de islamitische rechter. Dit concept hield in dat de terugkeer van de sjiitische Twaalfde Imam, die volgens zeggen in de negende eeuw was 'verdwenen' (waarmee werd bedoeld dat hij

---

* De sjiitische islam was ook de officiële religie van het land onder de Safawiden Dynastie, die het Perzische Rijk regeerde van 1501 tot 1722. Sjiitische geestelijken waren sindsdien een belangrijke machtsfactor maar bezaten tot de Islamitische Revolutie geen echte politieke macht.

niet dood was, maar op de een of andere manier verborgen), betekende dat de islamitische samenleving door een geestelijk rechter moest worden geregeerd. Dit zou de rechter moeten zijn die het best in staat was om Gods wil en de sharia, de islamitische wet, te interpreteren. Dankzij deze leer hadden Khomeiny en zijn opvolger ayatollah Ali Khamenei de Allerhoogste Leider kunnen worden die altijd het laatste woord hadden.

De islamitische regering van Iran had critici onder zowel leken als geestelijken. Sommigen wilden de autoriteit van de Allerhoogste Leider beperken of stonden kritisch ten opzichte van Khameneis leiderschap. Anderen wezen het faqih-concept helemaal af en enkelen eisten zelfs dat de geestelijkheid zich volledig uit de politiek zou terugtrekken.

De prijs voor het verkondigen van dit soort ideeën kon hoog zijn: ontzetting uit het ambt, gevangenschap, zelfs executie. Geestelijken werden gedagvaard door de Speciale Religieuze Rechtbank van het regime, waarvan de huidige minister van Veiligheid ooit voorzitter was geweest, Mohnseni-Ezhei. Misschien hadden uitgesproken critici van het regime wel eens in deze cel gezeten en met een minachtende of ongeïnteresseerde blik naar deze poster gekeken.

Een uur of twee verstreken. De lunch werd gebracht. Nog een paar uur later de thee. Het was misschien al laat in de middag en nog steeds was er niemand gekomen om me vrij te laten. Ik was zo wanhopig dat ik nog liever met mijn bâzju wilde praten dan alleen in mijn cel wilde zitten.

Die wens werd algauw vervuld. Skinny verscheen weer en nam me mee naar de verhoorkamer.

'Hâj Âghâ heeft naar uw video gekeken,' zei Javan nadat ik geblinddoekt en met mijn gezicht naar de muur was gaan zitten. 'Hij wil dat u het opnieuw doet.'

Ik kromp ineen in mijn stoel.

'Deze keer moet u het energieker doen,' zei Javan. 'En minder vaak naar uw aantekeningen kijken. U moet natuurlijker overkomen.'

Maar ik wíl helemaal niet natuurlijk overkomen, mompelde ik inwendig.

'Maak een samenvatting van uw aantekeningen,' beval hij. 'Houd ze beperkt tot een half A4'tje. Hâj Âghâ wil ook dat de video veel korter wordt.'

Ik was al zover over dit betreurenswaardige pad gegaan dat ik dacht dat het geen zin zou hebben nu te protesteren.

Nadat ik mijn eigen kleren weer had aangetrokken en weer aan dezelfde witte tafel in dezelfde kamer met de camera was gaan zitten, begon ik met video nummer twee. Net als tijdens de vorige opnamen, viel Javan me regelmatig in de rede en gaf me opdracht een verklaring op een bepaalde manier te formuleren. Deze keer duurden de opnamen ongeveer een half uur. Hij vond deze video beter dan de vorige en zou hem ter goedkeuring aan Hâj Âghâ laten zien.

Maar Hâj Âghâ was ook niet tevreden over mijn tweede video.

'Probeer af en toe te glimlachen en met uw handen te gebaren,' beval Javan toen we de volgende dag weer in de verhoorkamer zaten. 'Zorg dat het lijkt alsof u zich vermaakt.'

Ik slaakte een zucht.

'Wat is het probleem?' vroeg hij.

'Nou,' zei ik terwijl ik zijn blik ontweek, 'u zei dat ik gisteren zou worden vrijgelaten, maar ik moet steeds weer nieuwe video's maken.'

'Juffrouw Saberi,' zei hij, duidelijk geïrriteerd, 'als u dit goed doet, komt u binnenkort vrij. Zo niet, dan zult u hier nog heel lang moeten blijven.'

Ik sleepte mezelf naar de opnamekamer en begon, voor de derde keer in de afgelopen vijf dagen, met mijn toneelstukje als berouwvolle spion voor de camera.

Op een bepaald moment tijdens de opnamen gaf Javan me opdracht om te zeggen dat ik geheime documenten aan meneer D had gegeven.

'Maar dat is niet waar,' protesteerde ik. 'Ik heb u toch verteld dat ik hem helemaal geen geheime documenten heb gegeven.'

'Dat is niet van belang,' zei hij. 'Zeg het toch maar. Zeg dat u hem het document dat u gekopieerd had hebt gegeven, het document over de Amerikaanse oorlog in Irak.'

'Maar...'

'Juffrouw Saberi,' – hij smeet de woorden naar me toe – 'wilt u hier soms wegrotten? Niet dat we het erg vinden om u hier te gast te hebben.'

En dus zei ik het en probeerde bedeesder en onderdaniger te klinken toen ik deze verachtelijke leugen aan mijn tekst toevoegde.

Na mijn derde optreden zei Javan dat ik het nog een vierde keer moest doen, een ingekorte, kwartier durende monoloog. Maar die kon ik niet afmaken, omdat ik fouten bleef maken. Door alle stress vergat ik mijn tekst steeds weer.

'Wat is er met u aan de hand?' vroeg Javan terwijl hij het groene gordijn ruw opzijschoof. 'Waarom maakt u zo veel fouten en stottert u zo vaak?'

'Het spijt me,' zei ik schor, 'maar hoe vaak moet ik dit nog doen?'

'Hoe vlugger u het goed doet, hoe sneller u vrijkomt,' zei hij onge-duldig. Hij liep terug naar het gordijn en riep over zijn schouder: 'Laat nu wat pit zien en vergeet niet te glimlachen en uw handen te gebrui-ken.'

Ik haalde diep adem en probeerde me te concentreren. Daarna begon ik te praten, met af en toe een nepglimlach hier en een overdreven ge-baar daar.

Javan kwam weer tevoorschijn met een valse grijns op zijn gezicht. 'Nu kan ik zien dat u een ervaren televisiejournalist bent,' zei hij opge-wekt.

Hij wilde me net terugsturen naar mijn cel toen ik vroeg of ik mijn vader mocht bellen om hem te vertellen dat ik nog leefde. Hij had een paar jaar geleden een hartaanval gehad, vertelde ik, en ik maakte me grote zorgen om zijn gezondheid. Ik voegde eraan toe dat ik wist dat mijn ouders inmiddels buiten zichzelf waren omdat ik normaal gespro-ken elke dag even iets van me liet horen.

Javan klikte met zijn balpen terwijl hij hierover nadacht. 'We zullen zien,' zei hij. 'Misschien is het niet nodig, omdat u binnenkort wordt vrijgelaten.'

Morgen, zei hij tegen me voordat hij me overgaf aan een bewaakster, moest ik een computertekening van meneer D maken, met een speciaal softwareprogramma.

Het leek wel alsof er geen einde kwam aan deze ellendige beproeving.

Alle wenkbrauwen leken te dik, te Midden-Oostenachtig.

'Hebt u geen dunnere?' vroeg ik aan de man achter de laptop die tus-sen ons in op het tafeltje stond. Het was maandag en ik was naar een an-dere verhoorkamer gebracht, waar me werd gezegd mijn blinddoek af te doen.

De man klikte op de ene wenkbrauw na de andere in een poging een stijl te vinden die het beste paste bij mijn vage beschrijving van meneer D. Samen hadden we de ogen, neus, mond, kin en wangen van mijn slachtoffer al afgemaakt.

'Hoe zijn deze?' vroeg de compositiefotograaf en hij klikte op nog dunnere wenkbrauwen.

'Prima,' zei ik zonder echt op te letten.

Toen begon hij aan het haar.

Ik koos een westers kapsel.

'Hoe goed lijkt deze foto op meneer D?' vroeg mijn bâzju, die over onze schouders meekeek.

'Misschien dertig procent,' antwoordde ik en ik hoopte stiekem dat we hem niet goed genoeg konden krijgen.

De man achter de computer leek zich te schamen. 'Kom, we gaan hem nog een beetje bijwerken,' zei hij en hij klikte op verschillende neuzen.

'En, hebt u de rechter gisteravond nog gezien?' vroeg Javan.

De vorige avond had de mollige, glimlachende bewaakster – die ik door de andere bewaaksters Haj Khanom had horen noemen – me geblinddoekt en me al kletsend naar de kelder van de gevangenis gebracht. Ze liet me alleen in een kamer die naar sigaretten rook.

Ik hoorde zware voetstappen langs me heen lopen en iemand deed de deur dicht. Mijn borst verkrampte. Als dit nu eens een martelkamer was, begraven in de kelder, waar niemand mijn kreten om hulp zou kunnen horen? Een man met een schorre stem zei dat ik mijn blinddoek moest afdoen. Ik gehoorzaamde en zag twee zwaargebouwde mannen met een baard tegenover me achter een bureau zitten.

Een van hen telde langzaam de resterende dagen van de week af op zijn vingers: dinsdag, woensdag, donderdag, zaterdag.

'Je moet de feestdag niet meetellen,' zei de tweede man tegen hem; doelend op de dinsdag, een nationale feestdag.

De eerste man zwaaide met zijn hand en zei: 'Laat haar maar doorgaan met haar leven.' Daarna ondertekende hij een paar papieren en zei dat ik kon gaan.

Ik had helemaal geen vragen durven stellen. Ik verlangde slechts naar Haj Khanom, die me snel daarna terugbracht naar de veiligheid van mijn cel.

'Was die man een réchter?' vroeg ik Javan.

'Ja,' antwoordde hij, zichtbaar verbaasd door mijn vraag. 'Wist u dat niet?'

'Nee. Ik was veel te bang om hem iets te vragen,' bekende ik.

'Wat heeft hij tegen u gezegd?'

'Niets,' zei ik. 'Hoezo?'

Javan zweeg even. 'Dat vroeg ik me gewoon af,' zei hij.

'Breder of smaller?' vroeg de compositiefotograaf en hij wees met de cursor naar een lange, smalle neus.

'Breder,' zei ik.

Hij bleef klikken. Gelukkig leek de uiteindelijke tekening totaal niet op de persoon die ze moest verbeelden.

Zaterdag gaat er dus echt iets gebeuren, dacht ik. Ik begon weer te hopen toen mijn ondervrager me bij de vrouwenvleugel afleverde zonder ook maar iets over mijn toekomst te zeggen.

10

Het was dinsdag 10 februari, de laatste dag van de Tien Dagen van de Dageraad, en ik dacht dat ik de hele dag alleen in mijn cel zou worden gelaten. Op die dag was het dertig jaar geleden dat een menigte, opgejut door het revolutionaire vuur, de gebouwen van politie en leger bestormde en dat de laatste soldaten van de sjah zich overgaven. Deze revolutie maakte een einde aan het bewind van de pro-Amerikaanse sjah, wiens programma van modernisering en verwesterlijking de samenwerking tussen machtige religieuze en politieke groeperingen had versterkt. Later dat jaar vielen revolutionaire studenten, die boos waren omdat de afgezette sjah voor een kankerbehandeling in de Verenigde Staten was toegelaten, de Amerikaanse ambassade in Teheran binnen en gijzelden het personeel. Kort daarna verbrak Amerika zijn diplomatieke banden met Iran. Sindsdien hadden de beide landen af en toe toenadering tot elkaar gezocht, maar de spanningen en het wantrouwen vierden nog altijd hoogtij.

De voorspellingen dat het nieuwe regime het niet zou redden, waren niet uitgekomen. Het had buitenlandse bedreigingen, zoals de Iraakse invasie van 1980, doorstaan. Het had ook verschillende keren een binnenlandse machtsstrijd en andere uitdagingen overleefd en vaak elke vorm van oppositie onderdrukt. In de ogen van veel Iraanse staatsambtenaren rechtvaardigde de instandhouding van het regime – en, in het verlengde daarvan, de instandhouding van hun eigen machtspositie – vrijwel elk middel.

Maar hoewel het regime zijn machtsbasis had behouden, was er nog steeds sprake van een scheidslijn tussen de leiders van het land en was de kloof tussen de overheid en grote delen van de Iraanse samenleving breder geworden. Door gebrek aan betrouwbare opiniepeilingen was het moeilijk te bepalen wat het volk dacht, maar duidelijk was wel dat – hoewel veel Iraniërs het concept van de Islamitische Republiek nog altijd steunden – velen sterke hervormingen wilden binnen het rege- ringsapparaat en anderen een totaal nieuwe regering wilden.

Als teken van ontevredenheid met het regime noemden veel Iraniërs die ik kende de Daheye Fajr, de Tien Dagen van de Dageraad, al rijmend 'de Daheye Zajr', de Tien Dagen van de Marteling.

Veel andere Iraniërs gingen echter wel naar de bijeenkomsten die elk jaar op deze datum werden gehouden om de revolutie te vieren. Dat zouden mijn ondervragers vandaag ook wel doen, dacht ik terwijl ik op mijn rug op het versleten tapijt lag.

De afgelopen jaren had ik ook verschillende bijeenkomsten bezocht. Daar had ik enkele Iraniërs ontmoet die oprecht in de Islamitische Re- volutie leken te geloven, terwijl anderen toegaven dat ze er alleen maar naartoe gingen omdat hun docenten of ambtenaren een presentielijst bijhielden. Ik had ook verhalen gehoord over Iraniërs die er per bus vanuit het platteland naartoe waren gebracht of geld kregen om ernaar- toe te gaan.

Ik ging op mijn zij op de harde vloer liggen om mijn staartbotje even rust te gunnen.

Vandaag één jaar geleden was ik samen met een zeventienjarige ken- nis, Fatemeh, naar een bijeenkomst in het centrum van Teheran gegaan. Ze had me verteld dat haar familie daar elk jaar naartoe ging 'om te la- ten zien dat we allemaal achter de Islamitische Revolutie en haar princi- pes staan: onafhankelijkheid, vrijheid en de Islamitische Republiek'.

Toen wij op het Plein van de Vrijheid kwamen, liepen er al tiendui- zenden Iraniërs rond. Sommigen hadden een foto van president Bush bij zich en anderen droegen borden met de tekst DOOD AAN AME- RIKA!

Fatemeh dacht dat deze kreet niet tegen het Amerikaanse volk, maar tegen de Amerikaanse regering was gericht. 'Washington had de sjah gesteund,' zei ze, 'zat achter de coup van 1953 die minister-president Mohammed Mossadeq ten val bracht en steunde Saddam Hoessein tij- dens de Irak-Iran-oorlog.'

Die mening had ik al vaker gehoord, soms van gewone Iraniërs en vaak van Iraanse ambtenaren. Vooral de laatsten voegden aan hun lijst met grieven tegen Amerika vaak toe dat de VS sinds 1979 Iraanse tegoe- den op Amerikaanse bankrekeningen hadden bevroren, het 'zionisti- sche regime' steunden en sancties uitvoerden. Washington op zijn beurt beschuldigde Iran onder andere van schending van de mensenrechten, steun aan het terrorisme, het dwarsbomen van het vredesproces in het Midden-Oosten en het maken van kernwapens.

Fatemeh en ik bleven nog ongeveer een uur bij die bijeenkomst. Toen we vertrokken, liepen we langs een jongeman die riep: 'Dood aan Australië! Dood aan IJsland!'

Zijn vriend voegde eraan toe: 'Dood aan alle landen in de wereld!' Beide mannen waren keihard aan het lachen.

Vlakbij giechelden een paar tieners in spijkerbroek en zongen een rijmpje waarin de merknaam voorkwam van een wasmiddel waar in die tijd een tekort aan was: 'Geen Tide! Noch Rika! Dood aan Am'rika!' Hun liedje herinnerde me eraan dat veel Iraniërs Teherans verdachtmaking van Washington belachelijk maakten door Amerika spottend de schuld te geven van alles wat verkeerd ging in hun leven, van een auto-ongeluk, via een vertraagde bus tot, in dit geval, een tekort aan alledaagse producten.

Het verbaasde me dat deze jongeren openlijk grapjes maakten over een belangrijk motto van de Islamitische Revolutie, vlak nadat ze de demonstratie hadden bijgewoond. Maar tijdens mijn jaren in Iran had ik wel gemerkt dat niets in dit land zo eenvoudig was als het leek. De jonge Iraniërs die ik zag waren niet oud genoeg om de revolutie te hebben meegemaakt en waren misschien alleen naar de bijeenkomst gegaan omdat dit moest van hun school.

En hoewel Fatemeh haar afschuw over de Amerikaanse regering uitsprak, droomde ze ervan ooit in Amerika te kunnen wonen en studeren. Net als haar oudere broer trouwens, die die dag thuis was gebleven om inschrijvingsformulieren voor Amerikaanse universiteiten in te vullen.

Fatemeh was vandaag waarschijnlijk weer naar die bijeenkomst gegaan. Ik vroeg me af of de 'Dood aan Amerika'-kreten door president Obama's recente verkiezing minder dominerend of in elk geval minder schel zouden klinken dan in voorgaande jaren.

Hij was immers meer verzoeningsgezind tegenover de Islamitische Republiek dan zijn voorganger en Ahmadinejad had Obama per brief met zijn verkiezing gelukgewenst. Het was de eerste keer sinds de Islamitische Revolutie dat een Iraanse president zoiets had gedaan.

Veel Iraanse ambtenaren hadden, in elk geval in hun privéleven, erkend dat hun land zonder een betere band met Washington nooit tot volle bloei kon komen; iets wat de meeste gewone Iraniërs ook leken te willen.* Velen geloofden dat dit eerder mogelijk was met Obama, wiens naam in het Farsi uitgesproken toevallig 'Hij is met ons' betekent en wiens tweede voornaam, 'Hoessein', de naam is van de centrale figuur in de sjiitische islam.

Ik vond het vreemd dat mijn ondervragers me pas vlak na Obama's inauguratie hadden gearresteerd. Misschien hadden ze banden met hardliners die elke poging tot betrokkenheid de kop in wilden drukken, om ideologische redenen of omdat ze daardoor politieke en financiële invloed zouden kwijtraken.

Ik realiseerde me dat speculeren zinloos was en alleen diende om mijn tijd in eenzame opsluiting te vullen. Ik staarde naar de muren van mijn cel en liet mijn gedachten de vrije loop tot ik in slaap viel.

Ik kraste een twaalfde tekstregel in de radiator en hoopte dat ik niet bij de '18' zou gaan behoren die eronder stonden. Het was woensdagochtend en ik had nog steeds niet van mijn ondervrager gehoord of ik die zaterdag inderdaad zou worden vrijgelaten. De tijd verstreek langzaam. Inmiddels had ik het gevoel dat ik in een doodskist zat, dat ik dood was en dat niemand me zou komen halen. Ik zat in mijn eentje in mijn cel en vreesde het ergste.

Stel dat ze me voor de rechter slepen en beweren dat mijn valse bekentenis waar is? Ze zeggen dat ze willen dat ik voor hen ga spioneren, maar stel dat een rechter me ter dood veroordeelt?

Ik werd steeds banger en mijn hartslag versnelde. Mijn cel begon te krimpen en de muren dansten op en neer. Ik kon niet geloven dat ik mijn ondervragers had geloofd toen ze zeiden dat ze me zouden vrijlaten.

Ik verlangde vooral naar één kans om mijn familie te kunnen vertellen dat ik van hen hield en om mijn verontschuldigingen te kunnen aanbieden aan iedereen die ik ooit onrechtvaardig had behandeld.

---

* In 2002 publiceerde een Iraanse krant een opiniepeiling waaruit bleek dat ongeveer driekwart van de respondenten voorstander was van hernieuwde betrekkingen met de Verenigde Staten. Daarna zijn opiniepeiler Abbas Abdi en twee van zijn collega's in de gevangenis gezet.

Mijn longen krompen. Ik moest een paar keer snel ademhalen. Lucht. Ik had lucht nodig. Ik kroop naar de deur, trok mezelf omhoog en verzamelde al mijn krachten om op de zwarte knop te kunnen drukken.

Klik-klak, klik-klak, pauze. De bewaakster deed er langer over dan anders om de gang door te lopen en mijn deur open te doen.

Ik moest hier weg!

Klik-klak, pauze.

Boing.

Eindelijk, mijn deur ging open.

'Mag ik... alstublieft... ooo... naar het toilet?' jammerde ik toen Skinny de deur langzaam openzwaaide.

Ze stapte achteruit en liet me passeren. Ik wankelde door de gang, liep de badkamer binnen en steunde met mijn handen tegen de muur. Mijn hart sloeg als een razende en elke ademtocht werd oppervlakkiger en onregelmatiger. Ik leek niet genoeg zuurstof te krijgen.

Ik vouwde mijn handen achter mijn hoofd en probeerde diep in te ademen.

Rustig worden, Roxana. Je moet rustig worden.

Ik wachtte een minuut of twee, daarna wankelde ik de badkamer weer uit en terug naar mijn cel, terwijl ik steun zocht tegen de muren van de gang. Skinny zat op haar stoel aan het uiteinde van de gang met een afstandelijke blik naar me te kijken. Zodra ik mijn cel had bereikt, stond ze op en deed de deur achter me op slot.

Ik moest een manier vinden om te kalmeren. Misschien lukte dat door aan het gesprek te denken dat ik met mijn vader had gevoerd, een paar dagen voor mijn arrestatie. We hadden meer dan een uur via Skype gekletst over een van zijn favoriete onderwerpen, metafysica.

Met zijn vriendelijke stem had mijn vader me verteld dat de meeste mensen in de materiële realiteit leven. Dat is de fysieke wereld waarin alle dingen vergankelijk zijn en komen en gaan. Maar mensen verlangen naar een hogere wereld dan deze. We kunnen niet bewijzen of die wereld echt bestaat, maar het menselijk verlangen geeft realiteit aan die spirituele wereld, die goddelijke wereld, dat hogere niveau van existentie. Men moet een pad bewandelen, het pad dat mijn vader 'verlichting' noemt, om voorbij de fysieke en mentale niveaus te belanden om in contact te komen met de spirituele of goddelijke wereld.

Ik had mezelf nooit als bijzonder gelovig beschouwd, maar nu had ik behoefte op zoek te gaan naar troost, begrip en leiding in iets wat mijzelf oversteeg. Maar hoe was dat mogelijk?

Ik zat op mijn dekens, kruiste mijn benen en legde mijn handen plat op mijn schoot. Ik sloot mijn ogen en haalde een paar keer diep adem. Mijn lichaam is misschien wel gevangen, maar ik kan boven deze materiële wereld uitstijgen. Mijn lichaam is hier, maar mijn geest is vrij...

Er weerklonk een luide zoemer, die me terugsleurde naar de realiteit. Het was de bel van de vrouwenvleugel. Weer hoorde ik voetstappen, deze keer in de richting van mijn cel. Het was Skinny. Ze kwam me vertellen dat mijn bâzju me ontbood.

'Vandaag mag u uw vader bellen,' zei Javan nadat ik, geblinddoekt, naar hem toe was gebracht.

Ik voelde dat er een zwakke glimlach over mijn gezicht trok. 'Dank u. Heel erg bedankt,' zei ik. Ik kon er niets aan doen dat ik me zo onderdanig gedroeg.

'Als u binnenkort vrijgelaten wilt worden, mogen uw ouders niet weten waar u bent zodat u in de toekomst met ons kunt samenwerken,' zei hij. 'Zeg tegen uw vader dat u gevangen bent genomen omdat u drank hebt gekocht. Zeg hem dat het hoofd van een drankverkoopnetwerk is gearresteerd en dat onder andere uw telefoonnummer in zijn mobiele telefoon stond, zodat de politie naar uw huis is gekomen en u daar heeft gearresteerd.'

Alcohol was illegaal voor moslims in de Islamitische Republiek, maar op de zwarte markt was het niet moeilijk om eraan te komen. Er waren zelfs Iraniërs die thuis drank maakten. De straf voor bezit van alcoholhoudende drank was meestal een boete. Ik betwijfelde of mijn ondervrager echt wilde dat ik dat verhaal zou vertellen.

'Als uw vader u vraagt waar u bent, zeg dan dat u dat niet weet,' zei Javan. 'Zeg hem dat het goed met u gaat en dat het probleem opgelost zal worden.'

Waarom moest ik alweer liegen? dacht ik terwijl de agent me twee trappen op en af leidde. Waarom zou ik hem vertrouwen terwijl hij me steeds had beloofd dat ik zou worden vrijgelaten en dat nooit was gebeurd? Ik zou mijn vader duidelijk moeten maken dat ik in gevaar verkeerde, maar zonder mijn ondervrager boos te maken.

We kwamen bij de binnenplaats, waar Javan me mijn mobieltje overhandigde en me opdracht gaf mijn blinddoek omhoog te trekken. Hij bleef naast me staan, klaar om in te grijpen als ik niet deed wat hij me had opgedragen.

Met een trillende hand toetste ik het telefoonnummer van mijn ouders in. Hij ging een keer over. Twee keer. Toen drie keer.

Op dit tijdstip moesten mijn ouders thuis zijn. In Fargo was het midden in de nacht.

'Hallo?' vroeg mijn vader met een slaperige stem.

'*Dad*?' vroeg ik in het Engels.

'Ja, Roxana?'

'Dad?' Ik zette een stap naar voren, bij Javan vandaan, en deed net alsof ik een beter bereik nodig had.

'Roxana, waar heb je gezeten? Gaat het wel goed met je?'

'Ja hoor, maar gaat het wel goed met júllie?'

'Met je moeder en mij gaat het goed.'

'Dad, ik ben gearresteerd omdat ik drank in huis had,' zei ik, struikelend over mijn woorden. 'Ik ben gearresteerd, omdat een man die het aan me heeft verkocht is opgepakt en mijn telefoonnummer in zijn mobieltje stond.'

Ik zweeg even. 'Zeg tegen Bahman dat de man die gearresteerd is Jaffar was, dezelfde man van wie ik voor mijn verjaardag drank heb gekocht.'

Alsjeblieft, Dad, smeekte ik inwendig, vergeet niet om dit tegen Bahman te zeggen. Bahman wist dat ik nog nooit drank had gekocht voor mijn verjaardag en dat mijn bijnaam voor hem Jaffar was. Maar misschien maakte ik het allemaal wel te ingewikkeld.

'Oké... oké,' zei mijn vader. Hij klonk in de war. Daarna vroeg hij me waar ik was. Ik loog gehoorzaam en zei dat ik dat niet wist, hoewel ik eraan toevoegde dat ik ergens in Teheran was.

'Dad,' zei ik, 'zeg tegen Mom dat het me spijt dat ik *ojiisâns* verjaardag heb gemist. Oké? Niet vergeten dat tegen haar te zeggen, hoor!'

Ojiisân was het Japanse woord voor 'grootvader', maar mijn ojiisân was al een paar jaar geleden overleden.

Mijn moeder pakte de andere telefoon op.

'Roxana!' riep ze. 'We zijn zo ongerust over je geweest!'

'Het spijt me, Mom,' zei ik, 'maar het gaat goed met me.'

'Weet je,' zei ze, 'Bahman heeft er heel veel spijt van dat hij niet opnam toen je hem belde.'

'Hij is zelfs naar Zahedan gegaan om je te zoeken,' voegde mijn vader eraan toe.

'Echt?'

Javan begon te gebaren dat ik moest ophangen.

'Wanneer word je vrijgelaten?' vroeg mijn vader.

'Eh... dat weet ik niet zeker, maar ze hebben me verteld dat het probleem gauw zal worden opgelost,' zei ik snel.

Javan liep naar me toe.

'Dad, vergeet niet om Bahman dat verhaal van die drank te vertellen.'

Ik had nog maar een minuut of twee getelefoneerd, maar nu stak Javan zijn hand uit om mijn mobieltje uit mijn handen te grissen.

'Ik moet ophangen. Ik hou van jullie, mom en dad,' zei ik en ik probeerde niet te huilen. 'En zeg tegen Jasper en Bahman dat ik ook van hen hou.'

'We houden ook van jou, Roxana,' zei mijn moeder.

Javan pakte mijn telefoon af. 'Waarom gebruikte u het woord "verhaal"?' vroeg hij.

Kennelijk kende hij een paar Engelse woorden. Hij had het Engelse woord 'verhaal' kennelijk vertaald in het Farsi woord *dâstân*, dat ook 'sprookje' of 'fabel' kan betekenen.

'Ik bedoelde geen onwaar verhaal,' zei ik, waarbij ik diep in mijn beperkte Farsi woordenschat moest duiken om het uit te leggen. 'In het Engels kan "verhaal" ook "een waar verhaal" betekenen.'

'Om twee uur vanmiddag zal ik weten of u tegen me liegt,' zei Javan met opeengeklemde kaken. 'Ik zal het gesprek dat u met uw ouders hebt gevoerd beluisteren. We hebben álles opgenomen.'

Hij gaf me over aan Tasbihi, die me bij de vrouwenvleugel afleverde met de waarschuwing: 'Als u tegen hem hebt gelogen, zult u daar zwaar voor boeten.'

Terug in mijn cel bad ik dat Javan geen Japans kende en ook niet wist dat mijn grootvader niet meer leefde. Ik hoopte dat ik het nooit over zijn dood had gehad in een e-mail die mijn gijzelnemers hadden gecontroleerd. Ik probeerde mezelf te troosten met de gedachte dat mijn ouders nu in elk geval wisten dat ik ergens in Teheran gevangenzat en dus niet in Zahedan door bandieten of rebellen was gegijzeld.

Het duurde eeuwen tot Tasbihi kwam en me naar de verhoorkamer bracht. Daar zei hij dat ik zoals gebruikelijk moest gaan zitten, met een blinddoek voor en mijn gezicht naar de muur.

'Ik heb naar uw telefoongesprek geluisterd,' hoorde ik Javan zeggen, vriendelijker dan daarvoor. 'Ik heb gemerkt dat u mijn instructies hebt opgevolgd.'

Ik slaakte een opgeluchte zucht.

'Nu wil ik dat u uw ouders weer belt en zegt dat de rechter heeft besloten dat uw arrestatie een vergissing is geweest,' zei Javan. 'Hij is dit weekend weg, maar hij is van plan u zaterdag vrij te laten. Zeg tegen hen dat ze niemand iets mogen vertellen, ook de media niet. Anders laten we u niet vrij en krijgt u grote problemen.'

'Oké, oké,' zei ik ademloos. Misschien was mijn eerste telefoontje een test geweest en nu mijn gijzelnemers tevreden waren, zouden ze me zaterdag echt vrijlaten.

'En voeg er deze keer niets aan toe,' waarschuwde Javan.

Ik knikte.

Hij bracht me weer naar de binnenplaats, waar ik mijn ouders weer belde en het nieuwe bericht aan hen doorgaf. Ze klonken ontzettend opgelucht. Na minder dan een minuut moest ik ophangen van Javan.

Die avond besloot ik oefeningen te gaan doen. Tijdens mijn twaalf dagen eenzame opsluiting had ik het te druk gehad met de mogelijkheid dat ik zou sterven om mijn gebruikelijke oefeningen te doen. Maar nu ik wist dat mijn ouders in orde waren en dat ik over drie dagen zou worden vrijgelaten, voelde ik me getroost en ik wilde hier gezond vertrekken.

Ik begon oefeningen te doen, waarbij ik probeerde niet met mijn zwaaiende armen en benen tegen de muren van mijn cel te slaan. Ik raakte bezweet door een paar sets *jumping jacks*, stoten, sit-ups en push-ups.

Daarna liet een bewaakster me uit mijn cel om te douchen in de badkamer verderop in de gang. Er zat nog zeepschuim van iemand die zich voor mij had gedoucht in het putje in de vieze, witbetegelde vloer.

Ik had geweigerd me te wassen tot ik dat weer gewoon thuis kon doen. Ik keek naar het water dat over mijn hoofd droop, het vuil uit mijn haren spoelde en langs mijn lichaam stroomde. Mijn lichaam, veel magerder dan voor mijn arrestatie, voelde schoon, maar mijn geweten niet.

Het aftellen van de twee volgende dagen tot mijn vrijlating was zenuwslopend en eindeloos. Mijn ondervrager had me in elk geval een krant gegeven om te lezen. Volgens Skinny was dat een teken dat een gevangene binnenkort zou worden vrijgelaten. Nog nooit had ik een krant zo uitgebreid gelezen, en al helemaal niet zo'n saaie krant. *Iran News* was een Engelstalige krant die vooral het regeringsbeleid promootte. Ik bekeek elk artikel een paar keer, zelfs de saaie artikelen vol grammaticale fouten en statistische gegevens over investeringen van Iran in deze provincie of dat olieveld in die provincie. Ik kon alleen overdag lezen, wanneer het vage zonlicht door het dichte gaas voor mijn raam heen schemerde. 's Avonds gaf het gele gloeilampje in mijn cel, dat altijd brandde, veel te zwak licht.

Toen ik geen zin meer had om de krant te lezen, deed ik net alsof ik pianospeelde door zachtjes met mijn vingers tegen de muur van mijn cel te tikken. Eerst speelde ik Chopins *Etude in e-mineur* en neuriede de lieflijke melodie, waarbij ik me voorstelde dat mijn pianodocent van de universiteit rechts van me stond, met zijn ogen dicht naar voor en achter zwaaiend en dirigerend met zijn pen. 'En dan ga je naar híér... en dan naar híér... en dan naar híér...' mompelde hij dan. Hoe dichter ik bij het einde van de eerste passage kwam, hoe zachter hij praatte.

Ik probeerde ook Rachmaninovs *Prelude* in g-mineur te spelen, het stuk dat ik tijdens de Miss America-verkiezingen had gespeeld. Maar dat stuk was te moeilijk om op de muur te spelen en absoluut te ingewikkeld om te neuriën, en daarom besloot ik een van mijn eigen composities te spelen. *Vicky's Song* had ik het genoemd. Ik had dit stuk geschreven voor een vriendin die jaren geleden in North Dakota was overleden. Elke keer dat mijn vingers deze melodie speelden, voelde ik haar aanwezigheid en luisterde ze aandachtig en met een blije glimlach op haar gezicht. Daarna probeerde ik een nieuw stuk te componeren, maar ik kon alleen maar melancholieke muziek verzinnen.

Ik speelde een populair Iraans lied dat mijn vrienden me hadden geleerd. Maar ik werd zo verdrietig van het refrein, '*Kiss me for the last time*' dat ik overstapte op liedjes uit mijn tienerjaren: 'Stand by Me' en 'We Will Rock You', maar daarvan kon ik me maar een paar regels tekst herinneren. Ik probeerde het met kerstliedjes: 'Joy to the World', 'Deck the Halls' en 'Rudolph the Red-Nosed Reindeer', hoewel ik me de namen van de andere acht rendieren niet meer kon herinneren.

Dan had je nog 'The Star-Spangled Banner'. Zoals zo veel andere Iraniërs had ik het postrevolutionaire, ideologische volkslied van Iran nooit geleerd. Maar als schoolmeisje kende ik het Amerikaanse volkslied al van buiten.

Tot dan toe had ik heel zachtjes gezongen, bang dat de bewaaksters me zouden horen en me een standje zouden geven. Nu zong ik zo zachtjes dat ik mezelf amper kon horen:

O say, can you see, by the dawn's early light,
What so proudly we hail'd at the twilight's last gleaming?

O say, does that star-spangled banner yet wave
O'er the land of the free and the home of the brave?

Er prikten tranen in mijn ooghoeken. Deze vertrouwde woorden ontroerden me meer dan ooit.

'Het land van de vrijheid'.

Nu ik van mijn vrijheid was beroofd, was die waardevoller voor me dan ooit. De vrijheid om mensen te interviewen en een boek over hen te schrijven zonder in de gevangenis te worden gesmeten. De vrijheid om mijn ouders te vertellen waar ik was. De vrijheid om naar het toilet te gaan wanneer ik wilde, een boek te lezen, pen en papier te hebben. De vrijheid om zonder blinddoek rond te lopen en 's nachts het licht uit te doen. Vrij te zijn van de dwang om valse bekentenissen af te leggen en om in ruil voor mijn vrijlating te spioneren. Het recht om als onschuldig beschouwd te worden tot mijn schuld was bewezen, om te zwijgen, om een advocaat te hebben.

Ik probeerde me te herinneren welke rechten voor dagvaarding en welke basisvrijheden in de Universele Verklaring van de Rechten van de Mens van de Verenigde Naties waren vastgelegd. Ik realiseerde me dat deze principes in allerlei delen van de wereld werden geschonden, ook in bepaalde westerse landen. En dat regeringen zoals de Iraanse vaak kritiek op hun mensenrechtenbeleid van de hand wezen als zijnde hypocriet en politiek getint. Toch kon niet worden ontkend dat mijn gevangenbewaarders mijn basale rechten hadden geschonden. Hoewel ik wist dat dit talloze anderen in de Islamitische Republiek ook was overkomen, schrok ik er toch van.

'Joseph! Joseph!' schreeuwde een vrouwenstem in het kantoor van de bewaaksters. Kennelijk keken ze naar de serie *Hazrat-e Yusuf, De profeet Jozef*, die elke vrijdagavond op de Iraanse tv werd uitgezonden. Jozef was een gerespecteerd persoon, niet alleen in het christendom maar ook in de islam, die Jozef én Jezus als profeten beschouwt. Het was een populaire serie in Iran. Ik had nooit graag naar de Iraanse staatstelevisie gekeken, maar nu drukte ik mijn oor tegen de deur. Ik keek nog liever naar wat dan ook dan dat ik in mijn eentje in deze cel gevangenzat.

Ik had zelfs niet langer gezelschap van de jammerende vrouw. De laatste dagen was het stil geweest in haar cel. Ze was vast vrijgelaten.

Ik word ook vrijgelaten, morgen, dacht ik toen ik mezelf weer naar mijn dekens sleepte en ging liggen.

Maar wat zal er dan van me worden?

Ik ging rechtop zitten. Ja, echt, wat zou er dan van me worden?

Ik kende het antwoord op deze verontrustende vraag. Mijn lichaam zou vrij zijn, maar mijn geweten zou voor altijd gevangen blijven.

Ik had zo veel ellende veroorzaakt. Zelfs als de meeste mensen aan mijn valse bekentenis zouden twijfelen als die ooit zou worden uitgezonden, zouden er ook altijd mensen zijn die er geloof aan hechtten. Ze zou afschuwelijke consequenties kunnen hebben voor meneer D en voor journalisten met een dubbele nationaliteit en buitenlandse journalisten in Iran. En wie weet, zouden mijn ondervragers mijn verklaringen misbruiken om anderen te schaden. Bovendien kon mijn bekentenis de animositeit tussen Iran en de Verenigde Staten nog eens vergroten.

Ze hadden mijn lichaam niet aangeraakt, maar ik had wel toegelaten dat ze me mijn waardigheid en integriteit afnamen.

Misschien verdiende ik het wel om hier te blijven. Misschien was dat Gods manier om me te straffen.

DEEL II
Engelen in Evin

11

Elke keer als ik die zaterdag de zoemer van de vrouwenvleugel hoorde, hoopte ik dat het de bel naar mijn vrijheid zou zijn. Ondanks wat ik mezelf de vorige avond had wijsgemaakt, was ik er kennelijk niet echt van overtuigd dat ik het verdiende om in de gevangenis te blijven.

Ik lag de hele dag op mijn rug en vroeg me af hoe de krantenkoppen zouden luiden als ik toch in Evin moest blijven en mijn verblijfplaats bekend werd. Misschien: 'Voormalige Miss N.D. gevangen in Iran.' Voor zover ik wist, circuleerden er geen foto's van mij in zwempak op internet. Als journalisten er al eentje vonden, drukten ze die hopelijk niet af. Hardliners zouden die misschien gebruiken om te beweren dat ik een slechte moslima was, wat mijn zaak alleen maar zou verergeren.

Het avondeten kwam en ging. De lucht werd donker.

Eindelijk ging de deur van mijn cel open. Het was Haj Khanom. Zoals gewoonlijk glimlachte ze. 'Pak uw spullen,' zei ze.

Ik ging abrupt rechtop zitten. 'Word ik vrijgelaten?'

'Nee,' zei ze. 'Ik neem u mee om u aan een paar nieuwe vriendinnen voor te stellen.'

Maar ik wilde geen nieuwe vriendinnen. Ik wilde vrijheid!

Traag pakte ik mijn dekens, gevangenisuniform, tandenborstel en tandpasta bij elkaar. Daarna nam Haj Khanom me mee mijn cel uit, de hoek om en een andere gang door. Deze gang zag er net zo uit als de vorige. Ik hoorde geen stemmen, maar ik ging ervan uit dat hier ook vrouwelijke gevangenen zaten, omdat Haj Khanom me niet had opgedragen mijn chador en blinddoek om te doen, die, zoals ik inmiddels had ontdekt, buiten de vrouwenvleugel verplicht waren.

We waren drie of vier stalen deuren voorbijgelopen toen Haj Khanom voor de volgende bleef staan. Ze maakte hem open en ging in de deuropening staan, zodat ik niet naar binnen kon kijken. 'Ik heb een nieuwe vriendin meegebracht,' zei ze op joviale toon tegen iemand. 'Ze is *dorag-eh*.' (Letterlijk: iemand van 'twee aderen' of twee afkomsten.)

'Waar komt ze vandaan?' vroeg een oude vrouw.

'Waarom vraag je haar dat zelf niet?' zei Haj Khanom. Ze stapte opzij en gebaarde dat ik de cel in moest.

Toen ik binnenkwam met mijn stapeltje bezittingen, kwam een lange vrouw met een olijfkleurige huid met licht grijzend haar naar me toe om me te helpen. Met een warme glimlach pakte ze de dekens van me aan en legde ze aan een kant van de cel. Ik hoorde de deur achter me dichtslaan.

'Ik ben Roya,' zei de vrouw en ze stak haar hand uit.

Ik nam hem aan en stelde me voor.

'Dit is mijn moeder, Zohreh,' zei Roya en ze wees naar een andere vrouw, die aan de andere kant van de cel op een stapel dekens lag. Deze cel was twee keer zo groot als mijn vorige. Te oordelen naar de wirwar van rimpels die vanaf haar hals naar haar witte, kroezige haar liepen, was ze een jaar of vijfenzeventig, tachtig. Ze zwaaide naar me en grijnsde, waardoor ik kon zien dat ze meer gaten dan tanden in haar mond had. Op de muur boven haar had iemand de woorden viva la libertà gekrast. Misschien had in deze cel ooit een Italiaanse gevangene gezeten die net zo naar vrijheid verlangde als ik.

De oudere vrouw riep iets tegen me wat ik niet kon verstaan. Ik keek naar Roya.

'Mijn moeder spreekt het lokale dialect,' vertelde ze. 'Ze is nooit naar school geweest en daarom heeft ze niet veel Farsi geleerd. Ze zei dat het haar spijt dat ze niet kan opstaan om je te begroeten. Ze heeft een zere rug.'

'O, dat is oké,' zei ik. Ik liep naar de oude vrouw toe en bukte me om haar een hand te geven. Daarna ging ik op mijn dekens zitten.

'Waar kom je vandaan?' vroeg Roya.

Dat vertelde ik haar, waardoor ik weer aan de klank van mijn stem begon te wennen.

Weer riep de oude vrouw een paar onbegrijpelijke woorden tegen me. Ze was duidelijk hardhorend.

'Mijn moeder wil weten waarom je in de gevangenis zit,' vertaalde Roya.

Ik wist niet goed wat ik moest zeggen. Javan had gezegd dat niemand mocht weten dat ik in Evin was. Als ik deze vrouwen de waarheid vertelde, zouden ze dat tegen hun ondervragers kunnen zeggen of, zodra ze vrij waren, tegen andere mensen. Ik kon maar één leugen verzinnen, de leugen die mijn bâzju had bedacht.

'Drank,' zei ik schaapachtig.

Toen Roya haar moeder vertelde wat ik had gezegd, veranderde de grijns van de oude vrouw in een sombere blik.

Ze gebaarde dat ik bij haar moest komen en ik ging naast haar zitten. Daarna hield ze haar hand voor haar mond en fluisterde keihard in mijn oor iets wat op Farsi leek. Er spatte speeksel op mijn wang toen ze fluisterde: 'Alcohol is erger dan moord!'

Ik draaide me om en zag haar ernstige blik wijken toen ze in lachen uitbarstte.

Ik kon een glimlach niet onderdrukken. Zohreh was me er eentje.

'Waarom zijn jullie hier?' vroeg ik Roya toen ik weer op mijn oude plekje was gaan zitten.

'Een paar weken geleden waren we op het vliegveld en zijn daar gearresteerd, samen met tientallen andere mannen en vrouwen,' zei ze. 'Zij zitten ook hier in Evin. We wilden naar Irak vliegen om een pelgrimstocht te maken naar Najaf en Karbala.'

Dat waren twee heilige sjiitische islamitische steden, populaire pelgrimsbestemmingen voor Iraanse sjiieten.

'Wat was daar verkeerd aan?' vroeg ik.

'Nou ja,' zei Roya zachtjes grinnikend, 'we wilden ook naar Ashraf.'

Nu begreep ik waarom de Iraanse autoriteiten hun reis niet konden waarderen.

Kamp Ashraf was het hoofdkwartier van de Mujahedin-e Khalq Organisatie, oftewel de Heilige Strijders van het Volk, een verbannen Iraanse groepering die tegen het islamitische regime was. De MKO was in de jaren zestig opgericht als een links-islamitische groepering tegen de sjah en had aanvallen en sluipmoorden uitgevoerd op zowel Iraanse als – in de jaren zeventig – Amerikaanse doelwitten. Maar kort na de revolutie ontstond er onenigheid tussen de groep en ayatollah Khomeiny. De MKO vermoordde meerdere Iraanse ambtenaren en het regime heeft veel aanhangers van de organisatie gevangengezet of geëxecuteerd. In de jaren tachtig richtte de MKO een basis op in Kamp Ashraf in de buurt van Bagdad en vocht mee aan de zijde van Irak in de Irak-Iran-oorlog, waardoor veel Iraniërs tegen de organisatie waren. Toch beweerde de MKO dat ze een uitgebreide ondergrondse achterban in Iran hadden.

Ik had ook gehoord dat deze groep en zijn overkoepelende organisatie, de Nationale Raad voor Verzet van Iran, steun kregen van bepaalde westerse ambtenaren, van wie enkelen de MKO belangrijke informatie verstrekten over het nucleaire programma van Iran. En hoewel Amerika en Iran de MKO een terroristische organisatie noemden, had de Europese Unie de groep van de lijst met terroristische organisaties geschrapt; een besluit waar Iran woedend over was.

Ondanks haar gewelddadige verleden beweerde de MKO dat ze in 2003 vrijwillig de wapens had neergelegd en was ze zichzelf gaan afschilderen als een democratisch alternatief voor het islamitische regime van Iran. Maar critici van de groepering, onder wie voormalige leden die klaagden over mishandeling en cultachtige praktijken in Kamp Ashraf, betwistten dit.

De Mujahedin-e Khalq was volgens zeggen nu de best georganiseerde Iraanse oppositiebeweging in het buitenland. Maar tot nu toe had de MKO, samen met andere oppositiegroepen, nog geen gezamenlijk front gevormd dat een serieuze bedreiging vormde voor Teheran.

Roya vertelde me dat ze geen lid was van de Mujahedin, maar haar zus wel. Roya en haar moeder waren van plan geweest haar in Irak op te zoeken, voordat ze naar Evin werden gebracht. Dit was niet de eerste keer dat Roya in de gevangenis zat. Ze had hier al twee keer eerder gezeten. Een keer in de jaren tachtig toen een aantal van haar medegevangenen en haar broer, allemaal leden van de MKO, waren geëxecuteerd. De tweede keer was een paar jaar geleden, toen ze terugkwam van een bezoek aan Kamp Ashraf.

Roya vertelde me dat de vleugel onderdeel was van het detentiecentrum van Evin, waar de gevangenen meestal verbleven tot er een vonnis was geveld. De laatste keer dat ze hier was geweest, was ze naar de gewone Evin-gevangenis overgebracht, waar honderden vrouwen zaten.

Het eten daar was walgelijk, zei Roya, en zat vol kamfer, om de seksuele driften van de gevangenen te onderdrukken. Sommige vrouwen daar zaten onder de luizen, drugs waren gemakkelijk, zo niet zelfs gemakkelijker, verkrijgbaar dan op straat en de bewakers behandelden de gevangenen veel wreder. Maar in de gewone gevangenis konden de gevangenen naar het toilet gaan wanneer ze wilden en ze mochten vaker telefoneren.

'Als je daar ooit naartoe wordt gestuurd,' adviseerde Roya me, 'probeer er dan voor te zorgen dat je bij de moordenaars in de cel terechtkomt.'

Veel moordenaars hadden hun echtgenoot vermoord, wat voor hun gevoel de enige manier was geweest om aan hun man die hen mishandelde te ontsnappen, vertelde Roya. De moordenaars, evenals de vrouwen die voor financiële misdaden gevangenzaten, waren de best opgeleide vrouwen. Daarom waren ze de beste keus voor de politieke gevangenen, die in de gewone gevangenis geen eigen afdeling hadden. De hoeren en drugsdealers kon je maar beter vermijden, adviseerde Roya.

Ik had een keer gelezen dat de helft van de gevangenen in Iran bestond uit mensen die voor drugsmisdaden waren veroordeeld. Hoewel bepaalde internationale gezondheidsdeskundigen beweerden dat Teheran veel vooruitgang had geboekt in de bestrijding van drugsverslaving, klaagden veel critici dat de autoriteiten onvoldoende deden om de vraag naar of het aanbod van drugs te beperken. Veel Iraniërs beschuldigden de leiders van het land er zelfs van dat ze drugsgebruik stimuleerden om de jeugd te kunnen onderdrukken.

Ik had ook gelezen dat bepaalde schattingen ervan uitgingen dat er driehonderdduizend of meer hoertjes waren in Iran. Verschillende waarnemers hadden me verteld dat de drijfveer voor prostitutie economisch was, terwijl de overheid het probleem weet aan 'moreel verval'. Een tienerhoertje dat ik een keer in Teheran had geïnterviewd, beweerde dat dit moreel verval ook voorkwam bij enkele rechtshandhavers en geestelijken van het land, en dat een paar van hen haar klant waren geweest.

'Wat denk je dat er met je gaat gebeuren?' vroeg ik Roya. 'Denk je dat je hier maanden of zelfs jaren moet zitten?'

'Dat weet ik niet,' zei ze onverschillig. 'Mijn ondervragers wilden dat ik de overtuigingen van Mujahedin afkeurde, maar ik heb hun verteld dat ik dat niet kon, omdat ik in mijn zus geloof en ik haar overtuigingen niet wil afkeuren, welke die ook zijn.'

'Hoe komt het dat je hier niet gek wordt?'

'Ik verdrijf de tijd met heen en weer lopen in de cel, de Koran lezen en bidden,' zei ze. 'En ik zeg tegen mezelf dat ik zo geduldig moet zijn dat mijn geduld uit zichzelf ongeduldig wordt.'

Ik grinnikte. Mijn achternaam betekende 'geduldige', duidelijk een verkeerde naam voor mij gedurende de afgelopen twee weken.

Achter Roya hoorde ik een doordringend gehoest. Het was dezelfde droge hoest die ik de vorige week had gehoord. Nu begreep ik dat het Zohreh was geweest.

Roya stond op en bracht haar moeder wat water en hoestsiroop. Zohreh had vrij kunnen blijven, vertelde Roya, maar ze had erop gestaan om hier samen met haar dochter naartoe te worden gebracht. Hun ondervragers hadden haar verzoek ingewilligd, maar ze hadden nu spijt van hun besluit en wilden de oude vrouw nu uit Evin ontslaan. Zohreh had steeds geweigerd. Maar in de gevangenis kreeg ze in elk geval gratis medicijnen, zei Roya lachend.

Weer glimlachte ik. Ik was dan misschien niet vrij, maar voor het eerst na twee weken eenzame opsluiting had ik een gesprek met iemand anders dan de mannen die me gevangen hadden gezet.

Ik wilde Roya in vertrouwen nemen, haar vertellen welke gruwelijke leugens ik in Evin had verteld. Het kon me niets meer schelen dat ik mijn dekmantel opblies. Ik wilde, ik móést haar vertrouwen.

'Roya,' fluisterde ik, omdat ik niet zeker wist of er afluisterapparatuur of camera's in onze cel waren, 'kan ik je een geheim vertellen?'

'Tuurlijk,' zei Roya en ze schoof over de vloer naar me toe.

'Ik ben hier niet echt vanwege drank.'

Ze trok een wenkbrauw op.

Ik zei dat ik in werkelijkheid journaliste was en werd beschuldigd van spionage. Ik vertelde haar hoe ellendig ik me voelde omdat ik was gezwicht voor de eisen van mijn ondervragers om een valse bekentenis af te leggen.

Roya steunde met haar kin op haar handen en keek me aandachtig aan. 'Je hebt nu geen keus meer, je moet nu wel volhouden dat je de waarheid hebt verteld,' zei ze vastbesloten, 'anders zullen je ondervragers je nooit vrijlaten.'

Helemaal aan de andere kant van de rechtszaal zat een indrukwekkende man: een geestelijke met een witte baard en een witte tulband. Hij las een paar dossiers op zijn grote bureau, dat op een verhoging van ongeveer dertig centimeter stond. Achter hem hingen twee ingelijste foto's aan de muur, van ayatollah Khomeiny en zijn opvolger, de Allerhoogste Leider ayatollah Khamenei, die ernstig op hem neerkeken.

Het was zondag 15 februari, de dag nadat ik bij Roya en haar moeder in de cel was gezet. Ze hadden me weer naar de Revolutionaire Rechtbank gebracht, naar een kamer op de derde verdieping. Daar moest ik gaan zitten, maar ik had geen idee wat er ging gebeuren.

De geestelijke keek op met een argwanende blik in zijn ogen. 'Hebt u contact met buitenlanders gehad?' vroeg hij op vijandige toon.

'Nou, mijn ouders wonen in Amerika en daar ben ik ook geboren en opgegroeid,' zei ik.

'Bent u lid van de *monâfeqin*?'

'De monâfeqin?' vroeg ik. De geestelijke gebruikte de term waarmee het regime naar de MKO verwees.

Hij knikte.

'Nee, dat ben ik niet,' zei ik, verbijsterd dat deze man allemaal nieuwe vragen stelde nu ik elk moment kon worden vrijgelaten.

Hij maakte een paar aantekeningen en vervolgens zwaaide hij met een hand alsof hij een lastige vlieg wegjoeg. 'Vertrek nu,' zei hij gebiedend.

'Maar, wacht,' zei ik. 'Wat gaat er nu met me gebeuren?'

Hij zei dat hij dat niet wist. De enige informatie die ik uit hem kon krijgen, was dat hij een rechter was, ook al wilde hij me niet vertellen hoe hij heette.

Mijn bewaker nam me mee naar de tweede verdieping, waar we op een andere gevangene wachtten. Ik zat op een stoel na te denken over mijn ontmoeting met de rechter. Ik had geen idee wie aan de touwtjes trok in dit toneelstukje waarin ik me niet meer dan een marionet voelde. Ik was ervan overtuigd geweest dat Javan en zijn baas Hâj Âghâ degenen waren die aan mijn touwtjes trokken. Maar hoe zat het dan met de andere spelers: de magistraat, de rechter in de kelder, de rechter die ik zojuist had gezien, misschien zelfs hogergeplaatste personen bij het ministerie van Veiligheid en de rechterlijke macht? Ik had geen idee welke relatie ze met elkaar hadden en wie hún belangrijkste poppenkastspeler was.

Ik was volkomen in de war. Ik zei tegen mijn bewaker dat mijn ondervrager had gezegd dat ik de vorige dag zou worden vrijgelaten en ik vroeg of ik de magistraat hierover kon spreken. De bewaker knikte en wenkte een man die ik herkende van mijn vorige bezoek aan de rechtbank, de assistent van de magistraat. Vanaf mijn stoel, die een meter van hen af stond, kon ik niet horen wat de bewaker zei toen hij vertelde waar ik me zorgen over maakte, maar ik zag de assistent onverschillig naar me kijken. Het leek alsof hij niets over mijn vrijlating wist.

Ik werd licht in mijn hoofd. Ik boog mijn hoofd en zag in het glazen tafeltje naast me dat een hologige vrouw me aankeek. Omdat ik in Evin geen spiegel tot mijn beschikking had, was dit de eerste keer in meer dan twee weken dat ik mezelf zag. Mijn wangen waren ingevallen, door de stress had ik wallen onder mijn ogen en ik had bulten op mijn huid. Ik liet mijn hoofd op het tafelblad rusten en sloot mijn ogen.

Daarna had ik geen eetlust meer. Ik probeerde mijn maaltijden aan Roya en haar moeder te geven, maar zij weigerden en zeiden dat ik moest eten. Daarom legde ik wat eten opzij, maar er kwamen allemaal mieren op, zodat ik alles moest weggooien. Mistroostig zei ik tegen Roya dat ze, als mijn gevangenbewaarders besloten dat ze me niet zouden vrijlaten en wilden dat niemand ooit nog iets van me hoorde, een manier moest zien te vinden om Bahman te laten weten dat ik hier was geweest.

Toen Haj Khanom maandagavond onze deur openmaakte om het avondeten te brengen, vertelde Roya haar dat ik niets had gegeten.

'Waarom niet?' vroeg Haj Khanom met opgetrokken wenkbrauwen.

'Ik heb geen honger,' mompelde ik.

'Waarom niet?' herhaalde ze.

'Ik ben een beetje van slag.'

'Waarover?'

Ik vertelde haar dat mijn ondervrager me had beloofd dat ik de vorige zaterdag zou worden vrijgelaten.

Haj Khanom zei met een warme glimlach: 'Maakt u zich maar geen zorgen. *Inshallah*, als God het wil, komt u algauw vrij.'

Iran, had ik geleerd, was het land van 'Als God het wil'. 'Als God het wil' was het antwoord dat ik kreeg toen ik het ministerie van Cultuur in 2003 officieel vroeg of ik een perskaart kon krijgen. Dat was ook het antwoord dat Bahman elke keer kreeg als hij toestemming vroeg voor het maken van een film. 'Als God het wil' was het antwoord dat Iraniërs elkaar – of zichzelf – gaven als ze geen direct antwoord wilden of konden geven. Maar ik was niet van plan Haj Khanom weg te laten komen met zo'n vaag antwoord.

'Denkt u echt dat ik binnenkort word vrijgelaten?' vroeg ik.

Ze knikte, nog steeds glimlachend. Daarna stapte ze achteruit de gang op en deed de deur op slot.

Roya keek me met een geruststellende blik aan. Ze vertelde me dat als iemand in de vrouwenvleugel wist wat me te wachten stond, het Haj Khanom was, omdat zij regelmatig contact had met verschillende staatsambtenaren in het detentiecentrum.

Enigszins opgelucht door die woorden, ging ik bij Roya en haar moeder op de grond zitten en at een paar lepels gebakken bonen.

'Wie heeft gezegd dat u afgelopen zaterdag zou worden vrijgelaten?' vroeg Javan met een kille blik.

Kennelijk had Haj Khanom hem in slechts één dag weten te vinden.

Ik zat weer in de verhoorkamer, tegenover mijn ondervrager in zijn eeuwige zwartleren jasje. Rechts van hem zat Hâj Âghâ, die me met een uitdrukkingsloze blik aankeek.

'U hebt me dat verteld,' antwoordde ik timide. 'U zei dat ik tegen mijn ouders moest zeggen dat ik zaterdag zou worden vrijgelaten.'

'Dat betekende niet dat u zaterdag écht zou worden vrijgelaten,' zei Javan bars, alsof hij indruk op Hâj Âghâ wilde maken.

Hâj Âghâ schraapte zijn keel en hief zijn rechterhand iets om de jonge agent tot bedaren te brengen. 'Juffrouw Saberi, ik heb nog maar enkele vragen over uw werk voor meneer D,' zei hij. 'Ik wil dat u volgende week over deze vragen nadenkt en daarna komen we u weer halen en dan wordt u vrijgelaten. Maar u hoeft niet te denken dat u uw verhaal kunt veranderen.'

Ik was zo bang dat ik amper een woord kon uitbrengen.

'Waarom duurt het allemaal zo lang?' vroeg ik met trillende stem.

Er vloog een ongeduldige blik over zijn gezicht. Hij wilde net iets zeggen toen Javan zei: 'We hebben het druk. U bent niet de enige zaak waar we mee bezig zijn, weet u.'

Ik had me al afgevraagd wat mijn bâzju de hele dag deed, of hij het Amerikaanse beleid ten opzichte van Iran bestudeerde, over e-mails gebogen zat die zijn ministerie had onderschept of undercover werkte, waarbij hij zijn misleidende westerse image gebruikte om niet op te vallen tussen nietsvermoedende jonge Iraniërs.

Toen begon Hâj Âghâ te praten. Met zijn zangerige stem zei hij: 'Tja, in eerste instantie wilde u niet meewerken en daarom konden we u niet vertrouwen. Nu moeten we alleen nog maar een paar kleinigheden en de administratieve kant regelen, en dan bent u helemaal klaar.'

Ik zat zwijgend te luisteren toen hij de lijst voorlas met vragen over het verzonnen verhaal over meneer D. Toen hij klaar was, voegde hij er nog aan toe: 'Ik wil ook dat u nadenkt over de manier waarop u met ons kunt samenwerken.'

Ik dwong mezelf in zijn lege ogen te kijken.

'Denkt u dat u geheime informatie voor ons kunt verzamelen?' vroeg hij.

Ik trok mijn wenkbrauwen op.

'Bijvoorbeeld, van verschillende Amerikanen en andere buitenlanders die u kent of die we u zullen aanwijzen zodat u kennis met hen kunt maken,' vervolgde hij.

Ik deed alsof ik over zijn verzoek nadacht. 'Wat voor informatie?' vroeg ik.

'U zou bijvoorbeeld stiekem papieren uit hun kantoor kunnen halen of documenten uit hun computers.'

'Dat kan ik proberen,' zei ik en ik probeerde overtuigend te klinken.

'Denk daar de komende dagen dus maar eens over na,' zei Hâj Âghâ. 'Dan brengen we u hier weer naartoe om te praten.'

'Oké,' zei ik.

'Trouwens,' zei hij, 'ik heb gehoord dat u nieuwe celgenoten hebt. U kunt hun beter maar niet vertellen waarom u in de gevangenis zit. Welke reden hebt u hun opgegeven?'

'Dat ik gearresteerd ben omdat ik alcohol had,' antwoordde ik.

Hij en Javan begonnen bulderend te lachen. Het sneed dwars door mijn ziel. Kennelijk waren ze ervan overtuigd dat ze een leugenachtige lakei van me hadden gemaakt.

Die avond ging de deur van onze cel twee keer open voor twee andere gevangenen. Zodra de deur achter hen in het slot was gevallen, lieten ze hun dekens op de grond vallen, omhelsden Roya en haar moeder, en begonnen opgewonden te praten.

134

Onze nieuwe celgenoten waren ook familieleden van MKO-leden. Ook zij waren een paar weken geleden op het vliegveld gearresteerd toen ze naar Kamp Ashraf wilden. Leila en Elham kenden elkaar niet voordat ze op hun eerste avond in Evin in dezelfde cel werden gezet. Net als Roya en haar moeder werden deze twee vrouwen beschuldigd van het verlenen van steun aan hun familieleden in de MKO met financiële en andere middelen. Hun ondervragers hadden het geld dat ze tijdens hun arrestatie bij zich hadden als bewijs voor deze bewering aangevoerd, maar de vrouwen zeiden dat dit geld net voldoende was om hun reiskosten te betalen.

De volgende paar dagen konden we niet veel anders doen dan met elkaar praten. Roya leerde me ook de eerste soera, het eerste hoofdstuk, van de Koran in het Arabisch. Ik kende alleen de eerste regel in het Arabisch; dezelfde regel die Javan me had gedwongen te zeggen als begin van de eerste videotape van mijn valse bekentenis. Mijn celgenote leerde me de rest ook:

In naam van Allah, de Barmhartigste, de Genadevolste.
Loof Allah, de Verzorger en Ondersteuner van de Werelden.
Barmhartigste, Genadevolste;
Meester van de Dag des Oordeels.
U aanbidden wij,
en Uw hulp zoeken wij.
Toon ons de juiste weg,
De weg van diegenen aan wie U Uw Genade hebt geschonken,
Diegenen wier (lot),
niet wraak is,
en die niet zullen dwalen.

Elham en Leila hadden medelijden met me. Ze vroegen me steeds waarom ik het land niet eerder had verlaten. 'Arme meid, ze komt hier vanaf de andere kant van de wereld,' zeiden ze dan, 'en dan wordt ze zo behandeld?'

Leila, de oudste van onze beide nieuwe celgenoten, legde voor mij zelfs een *nazr* af, een eed, zoals moslims aan God. Ze smeekte dat ik gauw zou worden vrijgelaten en beloofde dat ze een goede daad of een religieuze daad zou verrichten als ook zij ooit werd vrijgelaten.

Leila miste haar televisie, haar kruiswoordpuzzels en haar vrijheid, gromde ze. Toen ze later die week heen en weer liep over haar dekens zei ze dat ze niet begreep hoe iemand het hier lang kon uithouden. Ze had gehoord dat een vrouw acht maanden lang in voorarrest had gezeten.

'Acht maanden?' riep ik.

'Ja,' zei Leila. 'Ze werkte bij een soort hulpprogramma toen ze samen met de gebroeders Alaie, de aidsonderzoekers, werd gearresteerd.'

Ik had wel verslag gedaan over aids in Iran, maar de Iraans-Koerdische broers Alaie, wereldberoemde aidsonderzoekers, had ik nooit geïnterviewd. Ik had niet geweten dat er ook een vrouw bij hen in voorarrest had gezeten.

De Alaies hadden heel open over de gevaren van hiv en aids in Iran gepraat. Hardliners beweerden dat ze deel uitmaakten van een door de v s opgezet complot om de Islamitische Republiek door middel van een zachte revolutie omver te werpen. Eén broer was kortgeleden veroordeeld tot drie jaar gevangenisstraf en de andere tot zes jaar. Deze vonnissen werden door mensenrechtenactivisten in de hele wereld veroordeeld.

'Sst, sst!' siste Leila opeens en ze gebaarde dat we stil moesten zijn. Ze drukte haar oor tegen het getraliede raampje in onze celdeur en fluisterde: 'Horen jullie dat?'

We hoorden een vrouw een trieste melodie zingen. Ze zong in een taal die ik niet verstond, hoewel haar ellende eraf spatte.

Het zingen hield op. Het was stil geworden op de gang. Het was net alsof de gevangenen en zelfs de bewaaksters gehypnotiseerd waren door de zuivere, zachte stem.

'Dat is de vrouw over wie ik het net had,' vertelde Leila. Ze sprong bij de deur vandaan toen we slepende voetstappen dichterbij hoorden komen.

De deur ging open. Het was Skinny. 'Pak je spullen,' zei ze tegen ons vijven. 'Niet praten. Maak je klaar om de cel te verlaten.'

'Waar denk je dat ze ons naartoe brengen?' vroeg ik fluisterend aan Elham toen we onze dekens opvouwden.

'Ik hoorde Skinny tegen een andere bewaakster zeggen dat we naar de gewone gevangenis worden gebracht,' fluisterde ze terug.

Ik was verbijsterd. Hoe was het mogelijk dat ik naar de gewone gevangenis werd gebracht nadat Hâj Âghâ me had verteld dat ik waarschijnlijk vrijgelaten zou worden? En geen van allen waren we inmiddels berecht of hadden we een advocaat gezien.

'Mond houden!' zei Skinny kortaf. 'Opschieten. Doe je blinddoek voor. We gaan.'

Ze droeg ons over aan een andere bewaakster, die ons uit onze cel dreef. Zohreh hobbelde achter ons aan, steunend op haar stok. Toen we door de gang liepen, voelde ik dat er iemand aan mijn chador trok. Skinny fluisterde: 'Wacht. Jij niet.'

Mijn vier celgenoten schuifelden weg, terwijl Skinny me de andere kant op leidde, naar de gang waar ik alleen in een cel had gezeten. Halverwege die gang deed ze een celdeur open, duwde me naar binnen en smeet de deur achter me dicht.

Ik trok mijn blinddoek af en zag dat vier paar ogen me onderzoekend aankeken.

12

Een voor een stonden de vier vrouwen op om zich voor te stellen. Ik gaf hun een hand, maar ik was te erg in de war om hun namen te verstaan. Ik was net aan mijn vorige celgenoten gewend en nu moest ik helemaal opnieuw beginnen.

Net als in de vorige cel was er amper genoeg ruimte voor vijf vrouwen om te liggen slapen. Mijn nieuwe celgenoten verplaatsten hun bezittingen om een plekje voor me vrij te maken. Ik zou naast een vrouw slapen die ongeveer even oud bleek te zijn als ik, ondanks de grijze wortels van haar bruingeverfde haar. Haar paardenstaart wipte op en neer toen ze haar dekens en een groot aantal boeken opzijschoof.

Ik vroeg me af hoe ze aan boeken was gekomen. En aan een televisie, die ik zag op een stoel die tegen de muur stond.

'Waar kom je vandaan?' vroeg de vrouw toen ze met een kameraadschappelijke glimlach naast me ging zitten.

Dat vertelde ik haar.

Ze verbaasde zich over mijn ongebruikelijke achtergrond. 'Waarom hebben ze je hiernaartoe gebracht?'

Weer vertelde ik het drankverhaal.

Ze knikte langzaam.

'Waarom ben jij hier?' vroeg ik.

'Ik werkte aan een uitwisselingsprogramma voor medische deskundigen,' zei ze. 'De Iraanse autoriteiten beweerden dat ik het regime door middel van een zachte revolutie omver wilde werpen.'

Dan was dit misschien de vrouw die hier acht maanden was geweest, de vrouw die tegelijk met de Alaies was berecht.

'Hoe heette je ook alweer?' vroeg ik toen een andere celgenote, een slanke jonge vrouw met kort, krullend haar, naast haar ging zitten.

'Silva. Silva Harotonian.'

Silva. Dit was een van de mensen van wie mijn ondervragers beweerden dat ik hen kende, ook al had ik nog nooit van haar gehoord. Ze hadden kennelijk geprobeerd me op de een of andere manier in verband te brengen met haar en de Alaies.

'Ik heb gehoord dat je hier al acht maanden bent,' zei ik.

'Ja,' antwoordde ze.

De andere vrouw porde Silva speels in haar ribben. 'Je bent beroemd,' zei ze met een plagende grijns tegen haar.

Silva vertelde dat ze een Iraanse van Armeense afkomst was. Een jaar geleden was ze naar Armenië verhuisd, ten noordwesten van Iran, en was ze gaan werken voor de Amerikaanse non-profitorganisatie International Research & Exchanges Board, IREX. Het was haar werk om een programma op te zetten waardoor Iraanse medewerkers in de kraam- en kinderverzorging de kans kregen in Amerika collega's te ontmoeten. Silva werkte vanuit Armenië en ze reisde regelmatig naar Iran om het programma met Iraanse aanvragers te bespreken.

Haar laatste bezoek had veel langer geduurd dan ze had verwacht.

In juni 2008 kreeg ze in haar appartement in Teheran bezoek van agenten van de inlichtingendienst, die haar vertelden dat ze haar een paar vragen wilden stellen. Eerst namen ze haar voor verhoor mee naar het Esteghal Hotel. Tot haar verbijstering hoorde ze dat ze al maanden werd gevolgd door agenten van de inlichtingendienst en dat ze al haar gangen hadden gefilmd. Silva was ervan uitgegaan dat de autoriteiten geen bezwaar hadden tegen haar werk, vooral omdat de Iraanse regering een paar jaar geleden personeel van IREX had uitgenodigd om Iran te bezoeken, hoewel de hervormingsgezinde president Khatami toen nog aan het bewind was.

Toen het avond werd en ze nog steeds in het hotel was, vroeg ze of ze weg mocht. Ze moest naar de bruiloft van een vriendin.

'U gaat voorlopig helemaal nergens naartoe,' antwoordden haar ondervragers. De nacht bracht ze door in de Evin-gevangenis.

Gelukkig was een van Silva's vrienden bij haar op bezoek toen ze werd gearresteerd en hij vertelde een gemeenschappelijke vriend, een advocaat, wat er was gebeurd. Deze advocaat ging naar Evin om Silva te bezoeken, maar hij kreeg te horen dat ze daar niet was. Hij ging ook naar de Revolutionaire Rechtbank, maar de ambtenaren daar zeiden herhaaldelijk dat haar naam niet in hun dossiers voorkwam.

Toen de advocaat een keer in de rechtbank was, zag hij toevallig een opengeslagen dossier liggen waar haar naam op stond. 'Dat is de vrouw naar wie ik op zoek ben!' riep hij blij naar de rechtbankmedewerker, die geïrriteerd reageerde op deze ontdekking. 'Dat is Silva Harotonian!'

Silva werd net als ik in haar eentje in een cel gezet tijdens de eerste dagen van haar voorarrest, waarin ze stevig werd verhoord.

'Ze wilden dat ik van alles bekende wat niet waar was,' zei ze. Haar ondervragers wilden bijvoorbeeld dat ze zei dat de broers Alaie de leiding hadden van het programma dat zij leidde, maar dat was niet het geval en daarom wilde ze dat niet zeggen.

Uiteindelijk maakte ook Silva onder druk een soort op video vastgelegde bekentenis, maar niet helemaal op de manier die haar gijzelnemers wilden. Pas nadat haar verhoor was afgerond, mocht Silva een advocaat nemen en zelfs toen kreeg ze zelden toestemming om voor haar rechtszaak met haar juridisch adviseurs te praten.

De zitting achter gesloten deuren verliep niet goed. De openbaar aanklager beweerde dat Silva verschillende paspoorten bezat, waaronder een Amerikaans paspoort, en hij noemde haar een 'vrouw met duizend gezichten'. In werkelijkheid bezat ze maar één paspoort, een Iraans paspoort. Ze kreeg ook amper tijd zichzelf te verdedigen. Haar rechter kapte haar betoog af, zei ze, omdat hij honger had en wilde gaan lunchen.

Later veroordeelde hij Silva tot drie jaar gevangenisstraf. Ze ging tegen dit vonnis in beroep en ze was nu in afwachting van de reactie van het hof van appèl, die ze nu elk moment verwachtte.

'Waarom heb je niet gewoon een valse bekentenis afgelegd zoals je ondervragers wilden?' vroeg ik haar. 'Niemand gelooft die dingen immers. Je had vrij kunnen komen en het verhaal kunnen herroepen.'

Silva perste haar lippen op elkaar en sloeg haar blik neer. 'Ik ben kwaad omdat ik drie jaar van mijn vrijheid kwijt ben,' zei ze, meer tegen zichzelf dan tegen mij, 'maar ik ben blij dat ik niet heb gedaan wat mijn ondervragers wilden.'

De andere jonge vrouw klopte op haar rug en zei: 'Je hebt juist gehandeld, Silva.'

Silva hád juist gehandeld en ik had verkeerd gehandeld. Ik walgde te veel van mezelf om het gesprek voort te zetten en daarom zei ik tegen de beide vrouwen dat ik wilde gaan slapen. Ze stonden op en gingen aan de andere kant van de cel bij de rest van de vrouwen zitten. Ik trok mijn

dekens om me heen. Hoewel Silva tot drie jaar gevangenisstraf was veroordeeld, zou ze in elk geval wél een zuiver geweten hebben als ze hier-
uit kwam.

Ik kneep mijn ogen dicht en deed net alsof ik in slaap viel. Mijn vier
celgenoten waren in een kring gaan zitten en fluisterden met elkaar.

'Waarom is ze hier?' vroeg een van hen.

'Ze zei dat ze drank in haar bezit had,' antwoordde Silva, 'maar dat
betwijfel ik. Om die reden brengen ze hier geen mensen naartoe. Sectie 209 is voor politieke gevangenen.'

Mijn maag verkrampte. Tot dat moment had ik me niet gerealiseerd
dat ik in een afdeling voor politieke gevangenen zat. Ik kon me vaag
herinneren dat ik wel eens over 209 had gehoord, de afdeling was berucht vanwege de ergste vormen van marteling. Ik zat dus niet alleen in
Evin, maar ook nog eens op een van de wreedste afdelingen ervan.

Mijn ouders zouden nooit op het idee komen om me hier te zoeken
als ze geloofden dat ik was gearresteerd omdat ik drank had gekocht.
Maar dat was niet belangrijk, dacht ik steeds weer, omdat Hâj Âghâ had
beloofd dat ik snel zou worden vrijgelaten.

Mijn nieuwe celgenoten waren een bont gezelschap, ontdekte ik de volgende ochtend, maar ze leken allemaal goed met elkaar te kunnen opschieten.

Azar, een goedgehumeurde vrouw van ergens in de vijftig, zat al drie
maanden in Evin. Ze was samen met twee van haar zonen gearresteerd
voor vermeend bezit van antiquiteiten die volgens de autoriteiten
staatseigendom waren. Haar derde zoon was een geestelijke uit Qom.
Hij probeerde zijn banden met verschillende hoge ambtenaren te gebruiken om zijn moeder en broers vrij te krijgen. De meeste Iraniërs ac-
cepteerden *pârti bâzi* of 'het bespelen van relaties' als een manier om
iets voor elkaar te krijgen.

Azar droeg de hele dag haar maqna'e op haar hoofd die ze als een
bandana had vastgebonden om haar haar uit haar gezicht te houden.
Het grootste deel van de tijd zat ze met gestrekte benen op haar dekens
haar gebedskralen rond te draaien. Ze had pijn aan haar rug en benen,
hoewel deze klachten minder werden toen ze na een paar maanden in
de gevangenis een paar kilo was afgevallen. Naast haar lag een koran,
maar ik heb haar er nooit in zien lezen. Toen een bewaakster vroeg of ze

hem aan gevangenen in een andere cel mocht geven, vond Azar dat niet goed. De aanwezigheid van het boek, zei ze, troostte haar.

Samira was de slanke vrouw met het korte haar die tijdens mijn eerste avond in deze cel met Silva en mij had gepraat. Ze was begin dertig, gescheiden en ze woonde bij haar moeder, die weduwe was. Samira was twee weken eerder gearresteerd. Toen ik haar vroeg waarom, antwoordde ze droog: 'Omdat ik naar mijn lokale bakker ging en riep: "Wij willen brood!"'

Dat was toch niet zo erg, zei ik. Maar de autoriteiten, vertelde ze, dachten daar anders over. Wat zij had gedaan was een vorm van protest die werd geassocieerd met de nieuwe burgerlijkeongehoorzaamheidsbeweging *Mâ Hastim*, Wij Bestaan, opgericht door Shahram Homayoun, een Iraanse banneling in Amerika. Hij was de baas van Channel One TV, dat openlijk kritiek uitte op het islamitische regime van Iran, en een van de verscheidene Farsitalige satellietzenders die vanuit de Verenigde Staten in Iran werden uitgezonden.

Veel Iraniërs die ik kende, volgden Farsitalige uitzendingen vanuit het buitenland als voornaamste bron van amusement en nieuws. Dat gebeurde ondanks het verbod op satellietschotels (die desondanks alomtegenwoordig waren), de sporadische keren dat het regime ze in beslag nam en de regelmatige verstoring van satellietsignalen.

Een satellietzender met talloze trouwe kijkers was Voice of America Persian News Network, opgezet door de Amerikaanse regering. BBC Persian TV, gelanceerd kort voor mijn arrestatie, won snel aan populariteit, tot woede van Iraanse hardliners, die de beide zenders ervan beschuldigden dat ze het regime wilden ondermijnen.*

'Ik vraag nooit meer om brood,' zei Samira met een knipoogje naar mij. Ze wilde haar vrijheid – en die van haar moeder – nooit meer riskeren.

Agenten hadden Samira's moeder gearresteerd omdat ze toevallig

---

* Maar veel Iraniërs vinden bepaalde Farsitalige satellietprogramma's absoluut niet realistisch. Sommige Iraniërs geven de voorkeur aan Engelstalig nieuws, Iraanse kranten (ondanks de censuur) en het internet (ondanks de filters van de regering). In 2008 meldde een Iraanse staatsambtenaar dat vijf miljoen websites in Iran gefilterd werden.

thuis was toen ze Samira daar mee naartoe namen om haar appartement te doorzoeken. De oudere vrouw was een paar dagen later vrijgelaten. Samira kreeg later te horen dat zij ook vrijgelaten zou worden als
ze beloofde dat ze nooit meer deel zou nemen aan We Exist-activiteiten,
waar ze mee akkoord ging, en als ze borg betaalde. Het enige probleem
was dat zij noch haar moeder iets bezat wat tien miljoen toman, oftewel
tienduizend dollar, waard was. Daarom zat Samira nog steeds achter de
tralies, in de hoop dat een gul familielid of een vrijgevige vriend haar te
hulp zou komen.

Hoewel Samira gestudeerd had en als docente werkte, was haar
maandelijkse salaris van vierhonderdduizend toman, ongeveer vier-
honderd dollar, amper voldoende om zichzelf en haar moeder te onder-
houden. Net als veel andere afgestudeerden in Iran had ze te lijden onder de enorme inflatie, een tekort aan goede banen en relatief hoge
uitgaven voor levensonderhoud. Ik vond het heel erg voor haar dat ze
alleen maar in de gevangenis moest blijven omdat ze haar vrijheid niet
kon betalen.

De andere vrouw in mijn nieuwe cel was Vida, een gezette huisvrouw
van halverwege de zestig met een donkere huid en blondgeverfd haar.
Ze hoorde ook bij de groep die onderweg naar Kamp Ashraf was gearresteerd. Vida had daar haar zoon willen opzoeken. Ze had al heel veel
ellende meegemaakt in haar leven. Na de revolutie had het regime een
van haar andere zoons en haar broer geëxecuteerd, die beiden banden
hadden met de Mujahedin-e Khalq.

Vida had last van haar blaas, waardoor ze heel vaak naar het toilet
moest. Maar ze schaamde zich ervoor dat ze de bewaaksters steeds weer
moest roepen om naar het toilet te kunnen gaan, zodat ze vaak wachtte
tot een van ons ook naar het toilet moest.

Omdat ze de oudste van ons groepje was, gedroeg ze zich als onze
moeder. Ze mopperde op ons als we ons bord niet leegaten en maakte
schoon als we kruimels op de vloer lieten vallen. Om de tijd te verdrij-
ven, neuriede ze Iraanse volksliedjes en omdat ze analfabeet was, genoot ze ervan als Silva haar gedichten en romans voorlas.

Vida, Azar en Samira hadden veel bewondering voor Silva. Ze noemden
haar 'dokter', ook al was ze dat niet, en ze vroegen vaak haar advies over

zaken die met gezondheid en voeding te maken hadden. Ook aten ze gehoorzaam de salade op die Silva voor ons allemaal maakte. (Elke dinsdag mochten de gevangenen met hun eigen geld een paar snacks en verse groenten kopen van een gevangenismedewerker, die ze van buiten Evin meebracht, hoewel producten die te westers waren, zoals chips, niet toegestaan waren. Toen mijn celgenoten merkten dat ik maar heel weinig geld mee naar de gevangenis had genomen, waren ze zo lief hun traktaties met me te delen.) Terwijl Silva sla en komkommer stond te snijden met een bot mes dat ze van de dienstdoende bewaakster had geleend, amuseerde ze ons met verhalen.

'Op de ochtend van de dag waarop ik gearresteerd werd, kreeg ik een manicure voor de bruiloft van mijn vriendin waar ik die avond naartoe zou gaan,' vertelde ze. 'Toen ik in de gevangenis kwam, zagen de bewaaksters mijn handen en keken naar me alsof ik ontzettend frivool was. Ze dachten dat ik altijd ingewikkelde bloemen op mijn nagels verfde.'

We giechelden en opperden dat onze conservatieve gevangenbewaarders gelakte nagels beschouwden als een teken van westers materialisme en anti-islamitische decadentie.

Toen Silva een paar maanden in Evin had gezeten, mocht ze een kleine tv hebben. Hij stond altijd aan met het geluid heel zacht, zelfs als we in slaap vielen, alsof de vrouwen hun geest wilden verdoven zodat ze hun omgeving niet zouden opmerken. Net als ik had Silva voordat ze gevangenzat zelden naar de staatstelevisie gekeken, maar nu kende ze alle programma's uit haar hoofd.

Iran had geen particuliere radio- of tv-zenders, alleen de staatszender de Islamic Republic of Iran Broadcasting. IRIB fungeerde als de officiële stem van het regime en de directeur was benoemd door de Allerhoogste Leider.

De directeur Communicatie van de IRIB, die ik voor mijn boek had geïnterviewd, had me verteld dat het voornaamste doel van de regeringstelevisie was het amuseren van de kijkers zodat ze niet naar (buitenlandse zenders zoals) de BBC zouden kijken. Hij had ook gezegd dat de IRIB mede tot doel had Iraniërs te informeren en de islam te promoten.

Veel Iraniërs, vooral op het platteland, waren voor hun nieuwsvoorziening vooral van de binnenlandse tv afhankelijk. Maar ik kende ook genoeg Iraniërs die twijfelden aan de onpartijdigheid van IRIB, met name wat betreft onderwerpen als de binnenlandse problemen en het belichten van de economische problemen en criminaliteit in de rest van de wereld. IRIB stelde Amerika in een bijzonder slecht daglicht, vooral in nieuwsuitzendingen die het deden voorkomen alsof dat land werd overspoeld door daklozen en massamoordenaars.

Mijn celgenoten keken alleen naar het nieuwskanaal van de IRIB om naar de klok in het hoekje van het scherm te kunnen kijken, de enige manier om te weten hoe laat het was. Ze keken liever naar buitenlandse politieseries, zoals het Duitse *Cobra 11*, die vakkundig in het Farsi waren nagesynchroniseerd. IRIB censureerde dergelijke programma's vaak, met abrupte bewerkingen van verboden scènes of fysiek contact tussen acteurs en actrices. In Iran geproduceerde series waren natuurlijk ook gecensureerd, meestal lang voordat ze in een redactiekamer belandden.

Zodra een biddende geestelijke op het scherm verscheen, begon een van mijn celgenoten te kreunen en zette de tv op een andere zender.

Elke keer als een acteur een sigaret rookte, begon Samira met haar vingers te wriemelen.

En toen ik beelden zag van groene parken, uitgestrekte akkers of zelfs verlaten woestijnen, verlangde ik hevig naar de buitenwereld. Ik miste Fargo en mijn ouders, die zich nu ongerust zouden afvragen waarom ze niets van me hadden gehoord, een week nadat ik vrij zou zijn gekomen.

Samira werd op zondag 22 februari naar de rechtbank gebracht en ze kwam terug met een licht in haar ogen dat goed nieuws voorspelde. Een familielid had haar borg betaald. Ik had haar wanhopig graag willen vragen om Bahman voor me te zoeken, maar ik kon het niet over mijn hart verkrijgen. Na haar vrijlating zou ze goed in de gaten worden gehouden en als ze namens mij contact met iemand zou opnemen, liep ze extra gevaar.

Toen Samira ons allemaal omhelsde en afscheid van ons nam, was ik jaloers. Ik stelde me voor dat ze haar moeder zou terugzien, haar vrienden zou bellen en in haar eigen bed zou slapen.

Silva leek mijn gedachten te raden. Die avond, nadat Vida en Azar in slaap waren gevallen, vertelde ze me dat zij altijd jaloers was geweest op haar celgenoten als zij werden vrijgelaten. Er waren al zo veel vrouwen bij haar in de cel gekomen en weer vertrokken, zei ze, terwijl zij altijd achterbleef. Maar na een tijdje realiseerde ze zich dat ze oprecht blij was voor iedereen die deze gevangenis kon verlaten.

'Ik heb me erbij neergelegd dat deze ervaring,' zei ze met een gebaar naar de muren om ons heen, 'deel uitmaakt van mijn lotsbestemming.' Ze zweeg even. 'Dat geloof ik echt.'

Misschien maakte mijn gevangenschap ook wel deel uit van mijn lotsbestemming, dacht ik, net als mijn verhuizing naar Iran. Als de Iraanse autoriteiten me geen perskaart hadden gegeven, zou ik niet lang genoeg in dit land zijn gebleven om me er thuis te kunnen voelen en een boek over het land te kunnen schrijven. En als ik niet zou zijn voorgesteld aan Bahman, die me had aangemoedigd om door te gaan met mijn boek, was ik er misschien mee opgehouden en had ik het land wellicht verlaten. Dan zou ik nu niet híér zijn. Ja, het was vreemd dat al deze gebeurtenissen op de een of andere manier verband met elkaar hielden. Maar waarom?

'Hoe hou je het vol?' vroeg ik aan Silva.

'Ik bid heel veel tot Jezus Christus,' zei ze met een ernstige blik op haar gezicht. 'Ik voel dat Hij me altijd in de gaten houdt en altijd bij me is.'

Net als andere Iraanse Armeniërs was Silva christen. Hoewel de sjiitische islam de officiële godsdienst was in Iran en het regime zei dat negenennegentig procent van alle Iraniërs moslim was, had de Islamitische Republiek het christendom officieel erkend als minderheidsreligie, net als het jodendom en de oude Perzische religie, de leer van Zarathoestra. Terwijl deze drie religies een plaats in het parlement hadden en bepaalde vrijheden genoten, klaagden veel religieuze minderheden over discriminatie en zeiden ze dat het regime hen als tweederangsburgers behandelde.

Nadat Silva een paar maanden in de gevangenis had gezeten, mocht ze een bijbel en een boek met christelijke gebeden hebben. Daarin vond ze troost, vertelde ze me, net als in zingen.

Maar ondanks Silva's kalme uitstraling kon ik wel zien dat ze maar niet begreep waarom ze daar was. Deze verwarring kwam tot uiting in de woorden die ze in de verf op onze celmuur had gekrast:

Lieve God!
Ik begrijp U niet.
Wat wilt U van me?
Dankbaarheid of vergeving?

Silva was het slachtoffer geworden van Iraanse hardliners, die contact met het Westen, vooral met de Verenigde Staten, veroordeelden. Door hun bewering dat mensen zoals zij en de broers Alaie een bedreiging vormden voor de nationale veiligheid, probeerden deze hardliners Iraniërs bang te maken voor zelfs de normaalste contacten met Amerika. Het maakte niet uit of de mensen die ze beschuldigden deze contacten probeerden te gebruiken om hun land vooruit te helpen.

De volgende ochtend werd Azar naar de rechtbank gebracht, terwijl Silva haar wekelijkse bezoekje aan haar moeder mocht brengen die elders in Evin gevangenzat. Sommige gevangenen, had Silva me verteld, mochten bezoek krijgen van naaste familieleden, maar hoe lang ze moesten wachten tot hun deze gunst werd verleend, hing af van hun gevangenbewaarders.

De beide vrouwen keerden ongeveer tegelijk terug in de cel. Azar had zo'n brede grijns op haar gezicht dat ik voor het eerst zag dat ze een paar voortanden miste. Haar derde zoon, de geestelijke, had de borg voor haar en haar twee zonen betaald en nu zouden ze binnenkort vrijkomen. Azar lachte toen ze ons vertelde dat een van haar gevangen zonen droogjes tegen de rechter had gezegd: 'De gevangenis is niet zo slecht als ik dacht. We hebben dertig jaar op gratis elektriciteit en gratis water moeten wachten en nu hebben we eindelijk een plek gevonden waar álles gratis is.'

Ik betwijfelde of de rechter waardering had kunnen opbrengen voor deze opmerking, omdat die een bekende uitspraak van ayatollah Khomeiny belachelijk maakte dat het volk gratis water en elektriciteit zou moeten krijgen, omdat Iran verdronk in oliegeld. In de Islamitische Republiek werden elektriciteit en water gesubsidieerd, maar ze waren niet gratis. Critici beschuldigden de autoriteiten ervan dat ze olie-inkomsten verkwistten door corruptie, roekeloze uitgaven en onverstandige economische besluiten.

En inderdaad, niet alles in de gevangenis was gratis. Gevangenen moesten betalen voor zaken als zakdoekjes, shampoo, washandjes, extra ondergoed en maandverband.

Silva luisterde glimlachend naar Azars verhaal, maar toen rolde er een traan uit haar oog. Ze veegde hem weg en verontschuldigde zich. Ze was van slag, bekende ze, omdat haar oude moeder die dag heel verdrietig en bezorgd had geleken toen ze, door een glazen wand van elkaar gescheiden, met elkaar praatten.

Onze celdeur ging open. Het was een van de bewaakster die mijn celgenoten Braces noemden omdat ze een beugel in haar mond had.

'Jij en jij,' zei Braces en ze wees naar Vida en mij, 'kleed je om voor havâ-khori.'

We keken elkaar aan. Waarom zei Braces dat maar twee van ons naar buiten moesten? Vida en ik deden wat ons was gezegd. De volgende twintig minuten liepen we over de ommuurde binnenplaats en vroegen ons af wat er ondertussen met Silva en Azar gebeurde.

Toen Braces ons terugbracht naar onze cel waren de twee vrouwen en hun bezittingen verdwenen. We wisten dat Azar was vrijgelaten, maar we maakten ons zorgen over Silva. We gingen ervan uit dat ze een reactie op haar beroepszaak had gekregen. We hadden geen idee of de reactie negatief was geweest en in dat geval was ze misschien naar de gewone gevangenis gebracht. Als het antwoord positief was geweest, was ze misschien vrijgelaten.

We probeerden dat te weten te komen van Braces, maar die hield haar mond stijf dicht. 'Maak je niet dik,' zei ze alleen maar. 'Zij is naar een betere plek gegaan.'

'Bedoel je dat ze is vrijgelaten?' drong ik aan.

Met een valse grijns deed ze de deur dicht.

Na de plotselinge verdwijning van Samira, Azar en de mollige en praatgrage Silva was onze cel nu opeens stil en somber. Bovendien had Silva haar boeken meegenomen, die ik was gaan lezen, maar haar tv stond er nog. Algauw begon Vida te snikken. Daarna begon ze te huilen. Toen onze cel nog vol leven en energie was geweest, was de tijd voor haar veel sneller verstreken. Ze wilde dat we nieuwe celgenoten kregen, zoals de twee vrouwen met wie ze in de cel naast ons had gezeten. Zij waren bahaïsten, wier religie niet door de Iraanse grondwet werd erkend, ook al vormden de leden na de moslims waarschijnlijk de grootste religieuze groepering binnen Iran.

Ik nam Vida's hand in die van mij en probeerde haar te troosten, maar dat was niet gemakkelijk.

'Vertrouw op God,' was alles wat ik tegen haar, en tegen mezelf, kon zeggen.

13

De vrouw die in de deuropening van onze cel stond, had waarschijnlijk al urenlang gehuild, misschien al wel dagenlang. Ze had rode wangen en haar bloeddoorlopen ogen waren zo gezwollen dat ze bijna dichtzaten. Het was woensdag, twee dagen nadat Azar en Silva waren vertrokken. Toen de deur van onze cel openging, zagen we deze kleine, tengere vrouw in gevangeniskleren staan.

Ze bleef even in de deuropening staan met haar dekens in haar armen en met een verwilderde blik op haar gezicht.

'Kom binnen,' zei ik. Ik liep naar haar toe en stelde me voor. Vida deed hetzelfde.

De nieuweling, Nargess, struikelde naar voren en liet haar dekens op de grond vallen. Toen de bewaakster de deur achter haar dichtdeed, liet ze zich op haar dekens vallen en begon luidkeels te huilen. Ik herkende haar gejammer; dit was hetzelfde schrille gejammer dat ik in mijn eerste week hier vanuit een nabijgelegen verhoorkamer had gehoord. Dit moest de vrouw zijn die volgens mijn verhoorder net als ik van spionage werd beschuldigd.

Ik ontdekte algauw dat Nargess ook degene was die ik tijdens mijn eerste dagen in eenzame opsluiting in de cel achter die van mij had horen jammeren. Ze was dus niet vrijgelaten, zoals ik had gedacht, maar overgeplaatst naar een cel verderop in de gang. In totaal had ze ruim een maand in eenzame opsluiting doorgebracht.

Vida en ik waren de eerste gevangenen die ze sinds haar arrestatie zag.

'Gaan ze me executeren?' vroeg Nargess met trillende stem. Haar ondervrager had haar verteld dat ze, als ze niet bekende dat ze een spion was, jarenlang in Evin zou doorbrengen of zelfs geëxecuteerd zou worden. Haar verhaal klonk me pijnlijk bekend in de oren.

Ik maakte haar duidelijk dat ze niet vermoord zou worden nu ze niet meer alleen in een cel zat. Ik raadde maar wat, omdat in deze gevangenis niets voorspelbaars gebeurde.

Nargess vertrok haar gezicht. Daarna begon ze weer te huilen, maar deze keer van opluchting. Ze vertelde ons dat ze ondanks de dreigementen van haar ondervrager de beschuldigingen tegen haar was blijven ontkennen. Ontstemd had hij dagenlang niets van zich laten horen. Het klonk alsof hij een tiran was, want hij had geweigerd haar vrij te laten, hoewel de magistraat die ze op haar tweede dag in de gevangenis had gezien had bevolen dat ze op borgtocht vrijgelaten moest worden. Haar ondervrager had haar zelfs niet toegestaan een telefoontje te plegen en ze was bang dat niemand wist waar ze was. Gelukkig wist een vriend van de familie wel dat ze gevangen was genomen. Ze had in zijn auto gezeten toen twee agenten in burger opdoken, haar in hun eigen auto lieten stappen en haar hier naar Evin brachten.

Nargess had niet verwacht dat ze ooit in de gevangenis zou belanden. Ze zei dat ze een eenvoudige zakenvrouw was die zich niet met politiek bezighield, maar ze had wel veel buitenlandse vrienden. Dat wisten haar collega's en ze vermoedde dat een van hen haar ten onrechte van spionage had beschuldigd.

Nargess vertelde ons dat ze in haar cel troost had gevonden door urenlang in de Koran te lezen en dag en nacht te bidden. En dat wilde ze nu ook doen. Ze wilde God bedanken omdat Hij haar uit haar eenzame opsluiting had verlost en bij ons had geplaatst.

Die dag heeft ze urenlang gebeden en toen ik midden in de nacht wakker werd, zag ik dat ze rechtop op haar dekens zat, alweer biddend.

Ik was jaloers op haar om haar geloof, want daardoor was ze sterk gebleven én het had haar geholpen dezelfde druk te weerstaan waar ik voor was bezweken. Maar ook had ik medelijden met haar omdat ze niet snapte dat het zinloos was om te huilen. Deze vrouw, realiseerde ik me, hield zo veel van God dat ze banger was Hem teleur te stellen dan voor de dood.

'Kleed je aan,' zei Haj Khanom de volgende ochtend tegen mij. 'Je wordt verhoord.'

Hierop wachtte ik al sinds ik mijn ondervrager en Hâj Âghâ een week eerder had gezien.

Ik trok mijn chador aan en deed mijn blinddoek voor, waarna ik naar de verhoorkamer werd gebracht. Daar beval Hâj Âghâ me om mijn blinddoek af te doen. Ik zag dat hij voor me aan een groot bureau zat, met Javan in zijn leren jasje eerbiedig rechts achter hem.

'We hebben een uitzondering gemaakt door hier vandaag – een feestdag – te komen, omdat we u gauw uit de gevangenis willen krijgen,' zei Hâj Âghâ, overtuigd van zijn eigen gewichtigheid. Het was donderdag 26 februari, een van de vele religieuze feestdagen in Iran en de verjaardag van het martelaarschap van imam Reza, de gerespecteerde sjiitische Achtste Imam.

'Dank u,' zei ik, ervan uitgaand dat dit de juiste reactie was, ook al twijfelde ik aan zijn motieven.

Hâj Âghâ gaf me een vel papier waarop verschillende vragen stonden. Na dit laatste verhoor, vertelde hij, zou hij mijn dossier aan de magistraat geven.

'We hebben hem gevraagd u vrij te laten, omdat u hebt meegewerkt en voor ons zult gaan werken, waarover we later nog met u zullen praten,' vervolgde Hâj Âghâ. 'Wanneer u hem over ongeveer tien dagen ziet, moet u uw bekentenis herhalen en akkoord gaan met alles wat hij zegt.'

Over ongeveer tien dagen?! Ik was verbijsterd door de gedachte dat ik moest blijven wachten op mijn vrijheid en dat mijn familie, Bahman en alle vrienden die hadden gemerkt dat ik bijna een maand eerder was verdwenen zich nog langer zorgen zouden maken. Ik sloeg mijn blik neer en zweeg.

'Wat is er?' vroeg Hâj Âghâ.

'Nou, ik dacht dat ik nu zou worden vrijgelaten.'

'Daar zijn we mee bezig geweest, maar deze dingen kosten tijd,' zei hij, alsof ik beter had moeten weten. 'Maakt u zich geen zorgen. We hebben bij de magistraat een goed woordje voor u gedaan. En trouwens,' voegde hij eraan toe, 'vraag hem niet om een advocaat. Advocaten zijn nutteloos. Wij nemen hier de beslissingen.'

Tijdens dit verhoor moest ik mijn hele valse bekentenis over meneer D herhalen, maar de details hiervan waren steeds verder weggezakt. Daarna moest ik antwoorden op geschreven vragen, maar ook op verschillende vragen die me tijdens eerdere verhoren al waren gesteld.

Voor het eerst moest ik mijn antwoorden in het Engels opschrijven en ze daarna hardop voorlezen. Javan viel me na elke paar zinnen in de rede en zei dan dat ik een woord of een zin moest vervangen door een woord of een zin waar hij de voorkeur aan gaf. Ik had me niet gerealiseerd dat zijn Engels zo goed was. Hij vertelde me zelfs dat de accuraatste vertaling van het Farsi-woord *mahramâneh* niet *secret* (geheim) was, zoals ik had gedacht, maar *classified* (topgeheim).

Een nieuwe vraag was of ik al voor mijn arrestatie had gemerkt dat het ministerie van Veiligheid me zo goed in de gaten hield. Ik vertelde Javan en Hâj Âghâ dat dit niet het geval was, hoewel ik me na mijn arrestatie had afgevraagd of ik bepaalde signalen had gemist.

'Zoals?' vroegen ze allebei, geïntrigeerd.

Ik beschreef de man en de vrouw in het park die mijn vriend en mij hadden gefilmd, maar vertelde ook over de agent in burger die naar mijn flatgebouw was gekomen en de manager had gevraagd wie in welke flat woonde.

'Ja, dat waren wij,' zei Hâj Âghâ.

Daarna begon ik over Hassan.

'Nee, nee,' zei Javan. 'Hij heeft niets met ons te maken.'

Ik kon niet weten of hij de waarheid sprak of niet, maar ik dacht dat het op dat moment niet echt meer iets uitmaakte.

Ik wijdde me weer aan de vragenlijst. Ik was bij de laatste vraag beland: waarom hebt u in uw nieuwsreportages kritiek geuit op het islamitische regime?

Dit was voor het eerst sinds mijn gevangenneming dat mijn ondervragers deze beschuldiging uitten.

Ik had maar één keer een klacht over mijn nieuwsreportages gekregen, van een ambtenaar van het ministerie van Cultuur. Dat was in 2003 tijdens de door studenten geleide protesten die op de universiteit van Teheran waren begonnen. Hij had me berispt omdat ik beelden had laten zien van jonge mannelijke en vrouwelijke demonstranten die door met gummiknuppels zwaaiende burgerwachten op motoren achterna werden gezeten. De ambtenaar had ook kritiek geuit op mijn verslag omdat ik had gemeld dat duizenden demonstranten de straat op waren gegaan, maar niet had verteld dat miljoenen Iraniërs thuis waren gebleven.

Die dag was ik teruggegaan naar mijn flat en ik herhaalde dit gesprek tegen mijn baas van het Amerikaanse nieuwsagentschap Feature Story

News. Hij vond het maar niets dat het ministerie van Cultuur mij vertelde hoe ik journalistiek moest bedrijven.

Op dat moment begreep ik dat ik, wanneer ik over de Islamitische Republiek wilde schrijven, een evenwicht zou moeten vinden tussen de verwachtingen van het regime, mijn werkgever, de mensen die ik wilde interviewen en mijn eigen geweten. Dat was een uitdaging geweest, maar ik had mijn best gedaan zo accuraat en eerlijk mogelijk verslag te doen. Deze evenwichtsoefening was iets waar veel journalisten in Iran mee worstelden. Vooral binnenlandse journalisten waren daar experts in geworden omdat ze binnen de vaak arbitraire en onduidelijke grenzen van het regime moesten werken, maar ondertussen toch een bepaalde hoeveelheid serieuze kritiek wilden leveren. Anderen ontdoken de restricties voor de media en de vrijheid van meningsuiting door het schrijven van persoonlijke blogs of door bijdragen te leveren aan buitenlandse nieuwswebsites, ondanks het risico op sancties dat ze daardoor liepen. Nu ik in mijn schoolbankje tegenover Hâj Âghâ zat, voelde ik meer bewondering voor deze mensen dan ooit.

'Ik heb geprobeerd verschillende standpunten in mijn reportages te laten doorklinken,' zei ik. 'Bovendien moet een goede journalist diverse gezichtspunten verzamelen en deze aan de kijkers en lezers presenteren, zodat zij hun eigen conclusies kunnen trekken.'

Hâj Âghâ trok even zijn wenkbrauwen op. Kennelijk kon hij mijn versie van journalistiek niet waarderen. 'Maar waarom hebt u bericht over gevoelige onderwerpen als aids in Iran?'

Door zijn vraag vroeg ik me af of hij wel eens iets van mijn werk had gelezen, gezien of beluisterd. Ik vertelde dat ik in 2003 in een reportage had gezegd dat aids wel voorkwam in Iran, maar dat het land dankzij een informatieve aanpak binnen de regio een voorloper was in de bestrijding ervan. Ik wees erop dat ik ook naar Thailand was gegaan om een documentaire te maken over de ziekte daar en dat de Thaise overheidsfunctionarissen enthousiast waren over mijn werk.

'Thailand is anders,' snoof Hâj Âghâ. 'Daar hebben ze een gigantische seksindustrie, terwijl wij een islamitisch land zijn! Er is geen enkele reden om over aids in Iran te schrijven.'

In werkelijkheid was het onderwerp 'aids' in Iran helemaal niet eenvoudig. Volgens een deskundige van de vn die ik had geïnterviewd, zou een land als Iran nog in geen tien jaar bereid zijn de dreiging van een algemene aidsepidemie te onderkennen. Maar hij had eraan toegevoegd dat het helemaal van het toekomstige beleid van het land afhing of en, zo ja, wanneer de geconcentreerde epidemie onder intraveneuze drugsgebruikers en gevangenen zich zou uitbreiden tot medewerkers in de seksindustrie, homoseksuelen en de jeugd.

De minister van Gezondheid van Iran had onlangs toegegeven dat er ongeveer achttienduizend geregistreerde Iraniërs met hiv waren besmet en dat het werkelijke aantal waarschijnlijk drie keer zo hoog was. Maar een andere ambtenaar van dat ministerie had gezegd dat het aantal zelfs nog hoger kon zijn, misschien wel honderdduizend. De minister weet dit probleem aan drugs en – een zeldzame bekentenis in Iran – aan riskant seksueel gedrag, zoals onbeschermde seks buiten het huwelijk, prostitutie en homoseksualiteit.

Maar het leek me zinloos dit tegen Hâj Âghâ te zeggen.

'En waarom hebt u de minister van Gezondheid geïnterviewd over het medicijn IMOD?' vroeg hij.

IMOD, Influencing Model Orphan Drugs, was een kruidenextract dat Iraanse onderzoekers in de afgelopen jaren hadden ontwikkeld. De minister van Gezondheid van Iran had beweerd dat het middel het immuunsysteem hielp in de strijd tegen de infectie. Ik wilde dat interview gebruiken voor mijn boek, vertelde ik.

'IMOD is positief nieuws voor Iran,' voegde ik eraan toe. 'En de Iraanse media hebben erover geschreven, waarom zou ik dat dan niet mogen doen?'

'Zij mogen dat wel doen,' zei Hâj Âghâ. 'Maar het is anders als u erover schrijft.'

Ik fronste. Ik voelde me meer aangevallen door Hâj Âghâ's beschuldiging over mijn verslaggeving dan over de belachelijke beschuldiging dat ik een spion zou zijn.

Gefrustreerd besloot ik om een einde aan deze discussie te maken. Iemand die zo paranoïde was, zou ik nooit kunnen overtuigen. En, concludeerde ik verdrietig, juist de mensen met deze instelling waren de mensen met macht in de Islamitische Republiek.

Nadat ik mijn laatste antwoord had opgeschreven, gaf ik de papieren terug aan Hâj Âghâ.

Javan stond op om me terug te brengen naar mijn cel. 'Als u in de toekomst met ons samenwerkt,' zei hij met een zelfgenoegzame glimlach, 'zal uw Farsi zó verbeteren dat u alles in onze taal kunt schrijven.'

Ik dwong mezelf te knikken, deed mijn blinddoek weer voor en stond op om achter hem aan het vertrek uit te lopen.

'Nog één ding, juffrouw Saberi,' riep Hâj Âghâ me achterna. Ik draaide me om in de richting van zijn stem. Ik kon hem niet zien, maar ik voelde zijn doordringende blik op me gericht.

'Vergeet niet,' zei hij dreigend, 'dat u, als u hier weg bent en u iemand iets over deze afspraak vertelt, uw eigen doodvonnis ondertekent.'

Terug in mijn cel deed ik mijn chador af en ging op mijn dekens zitten. Na zo veel niet-nagekomen beloften leek het erop dat ik deze keer écht zou worden vrijgelaten, maar toch was ik niet blij.

Mijn celgenoten vroegen wat er die dag was gebeurd, maar Hâj Âghâ's dreigementen hadden me zo bang gemaakt dat ik mijn mond hield.

Ik draaide mijn rug naar hen toe en staarde naar de muur. Ik aarzelde tussen een gevoel van hoop dat ik eindelijk zou worden vrijgelaten en het idee dat ik, wanneer ik eenmaal vrij was, in angst zou moeten leven voor Hâj Âghâ en zijn handlangers, waar ik me ook bevond. Maar het ergst vond ik de gedachte aan wat ik had moeten doen om vrij te komen.

Vida en Nargess hadden al drie krimi's achter de rug toen ik me iets realiseerde wat ik had geprobeerd te voorkomen sinds mijn eerste week in de gevangenis: ik wilde niet worden vrijgelaten door leugens te vertellen. Ik wilde mijn valse bekentenis herroepen, niet ná mijn vrijlating, maar terwijl ik nog in de gevangenis zat.

Maar hoe?

Als ik dat tegen Javan zou zeggen, zouden hij en Hâj Âghâ woedend worden. Ze zouden me waarschijnlijk weer alleen in een cel gooien en me afsnijden van iedereen die me zou kunnen helpen. Ik vond het een verschrikkelijke gedachte dat mijn voornaamste tegenstanders tegelijkertijd mijn enige reddingslijn waren.

'Ga zitten,' zei de bebaarde man met twee ringen en hij wees naar een stoel.

De magistraat zat achter zijn bureau in zijn kantoor op de tweede verdieping van het gerechtsgebouw, precies zoals ik hem bijna een maand eerder voor het eerst had gezien.

Ik gehoorzaamde. Ik had niet verwacht dat ik hier nog maar twee dagen na mijn laatste verhoor naartoe zou worden gebracht, veel eerder dan Hâj Âghâ had voorspeld. Toen ik voor de magistraat zat, die volgens Hâj Âghâ de sleutel naar mijn vrijlating in zijn bezit had, boog ik mijn hoofd.

'Hebben uw ondervragers een soort deal met u gesloten voor uw vrijlating?' vroeg hij mij.

Ik keek abrupt op. Hoeveel wist deze man precies?

Toen herinnerde ik me weer dat mijn bewaakster, bijna twee weken eerder, de assistent van de magistraat had verteld dat mijn ondervrager tegen me had gezegd dat ik zou worden vrijgelaten. De assistent had zijn baas kennelijk op de hoogte gebracht van dat gesprek.

'U kunt me wel vertrouwen, hoor,' zei de magistraat zacht.

Ik deed net alsof ik dat niet begreep. Dit kon wel eens een nieuwe test zijn van mijn gevangenbewaarders. Als ik Hâj Âghâ's waarschuwing negeerde en de magistraat vertelde dat mijn ondervragers me misdaden die ik niet had gepleegd hadden laten bekennen, zou mijn kans op vrijheid wel eens verkeken kunnen zijn. Bovendien hadden al deze mannen op de een of andere manier iets met elkaar te maken, dus hoe was het mogelijk dat de magistraat het antwoord op zijn eigen vraag níét zou kennen?

'Maakt u zich geen zorgen,' zei hij. 'Ik zal het niet tegen hen zeggen.' Hij keek me met een intense maar niet vijandige blik aan, waardoor er een belangrijke strijd in mijn hoofd ontbrandde.

Misschien moest ik de magistraat vertrouwen. Maar waarom? Hij was de man die me had veroordeeld tot eenzame opsluiting en me een advocaat had ontzegd.

De magistraat zat me nog steeds aan te kijken. Hij kwam geduldig en ontwapenend oprecht over.

Als ik hem alleen maar vertelde dat mijn gevangenbewaarders eisten dat ik voor hen zou spioneren en niet dat mijn bekentenis vals was, zou hij me misschien toch vrijlaten, dacht ik.

'Ze...' begon ik, 'willen dat ik voor hen ga spioneren,' flapte ik eruit.

De magistraat vertrok zijn gezicht.

'Is dat niet ook aan andere gevangenen gevraagd?' vroeg ik.

'Dat heb ik nog niet eerder gehoord. Wat wilden ze dat u voor hen deed?' vroeg hij. Zijn stoel kraakte toen hij naar voren leunde.

Ik kon amper geloven dat hij niet op de hoogte zou zijn van dit soort afspraken, maar ik zei: 'Ze zeiden dat ik buitenlandse diplomaten in Iran moest bespioneren en Amerikanen in het buitenland...'

'Was u dan niet bang dat de Amerikaanse regering u daarvoor zou arresteren?'

Ik wist niet wat ik moest zeggen. Maakte deze man zich echt druk over mijn welzijn, of deed hij alsof? Aan wiens kant stond hij eigenlijk?

'Nou, j-ja,' stamelde ik, 'dat zou riskant zijn, maar mijn ondervragers zeiden dat dit de prijs was voor mijn vrijheid.' Het leek me beter om niet te bekennen dat ik me, als ik eenmaal vrij zou zijn, nooit aan deze afspraak zou kunnen houden.

De magistraat keek naar zijn bureau en begon met zijn pen op een leeg schrijfblok te tikken, zacht en langzaam.

Daarna keek hij op en zei met een sombere blik: 'Daar had u niet akkoord mee moeten gaan.'

Ik verstijfde.

'En u moet weten,' zei hij, 'dat ik me niets aantrek van welke deal ze ook maar met u hebben gesloten. Ik neem mijn eigen beslissingen.'

'Maar ze zeiden dat u elke aanbeveling van hen zou overn...' zei ik, maar mijn stem begaf het.

'Nee, zo zit het niet,' zei hij hoofdschuddend. 'En trouwens, zeg maar niet tegen hen dat ik dit heb gezegd.'

Ik knikte stijfjes, ik wist nog steeds niet of dit een truc was om mijn gehoorzaamheid te testen; maar aan wie?

Daarna vroeg de magistraat of ik bezittingen had waarmee ik mijn borg zou kunnen betalen. Ik vertelde hem dat mijn vader een appartement op mijn naam in Teheran had en hoeveel dat ongeveer waard was. De magistraat zou me dat niet vragen, dacht ik, als hij niet van plan was me vrij te laten, hoewel ik het niet zeker wist.

Hij gebaarde naar een bewaker om me weg te brengen.

Ik stond op om te vertrekken, maar ik ging weer zitten. 'Mag ik mijn ouders bellen en hun vertellen waar ik ben?'

Hij knipperde verbaasd en vroeg: 'Weten ze dat dan niet?'

Ik vertelde hem dat mijn ondervragers me opdracht hadden gegeven te liegen over waar ik was.

'Waarom hebt u gelogen?' vroeg de magistraat.

'Ze zeiden dat ik niet zou worden vrijgelaten als ik niet zou liegen.'

'Als ze u opdracht zouden geven iemand te vermoorden, zou u dat dan ook doen?'

Ik begon te denken dat deze man misschien écht principes had. 'Nee, natuurlijk niet,' antwoordde ik.

'Waarom hebt u dan gelogen?'

'Omdat ik hen vertrouwde.'

'U had hen niet moeten vertrouwen,' zei hij bars en hij wijdde zijn aandacht vervolgens aan de paperassen op zijn bureau.

Toen de bewaker me naar de gevangenis terugreed, had ik er spijt van dat ik de magistraat niet ook had verteld dat ik een valse bekentenis had afgelegd. Misschien vergiste ik me, maar het was mogelijk dat hij de waarheid wel belangrijk vond.

Terug in de vrouwengevangenis vroeg ik Haj Khanom of ik weer naar de magistraat kon worden gebracht. Ze zei dat dit onmogelijk was. Ik zou moeten wachten tot hij me weer liet komen, wanneer dat ook maar was.

14

Toen mijn celgenoten en ik ons klaarmaakten voor de nacht, ging onze celdeur weer open. Deze keer schuifelde een magere, jonge vrouw in een wijde gevangenispyjama naar binnen. Tussen haar lange pony door zagen we onder een van haar ogen een donkerrode wond.

'Hebben ze je geslagen?' vroegen we zodra onze nieuwe celgenote, Sara, haar dekens midden op de vloer had gelegd.

Met een samenzweerderige glimlach, waarbij haar wang tegen haar linkeroog drukte, vertelde Sara ons dat ze die ochtend vroeg was gearresteerd, samen met haar verloofde en twee van haar vriendinnen. Ze hadden in het appartement van hun vriend liggen slapen toen een aantal agenten van de veiligheidspolitie in burger de flat binnenvielen. De indringers waren op zoek naar de eigenaar van het appartement, maar omdat die er niet was, besloten ze de vier studenten mee te nemen.

Sara's verloofde had zich verzet tegen zijn arrestatie en toen hadden de mannen hem geslagen. Daarop sloeg Sara een van de agenten tegen zijn hoofd en hij had teruggeslagen met iets hards in zijn hand. Zo was ze aan die wond gekomen.

Uiteindelijk hadden de agenten de vier studenten gearresteerd en hen gedwongen in een busje te stappen dat zo dicht voor de deur van het flatgebouw geparkeerd had gestaan dat je het gebouw alleen maar uit kon door het busje in te stappen.

Ze waren de hele dag verhoord, vertelde Sara. Nu zaten haar beide vriendinnen in een andere cel en haar verloofde was naar de mannengevangenis van 209 gebracht. Ze grinnikte zachtjes toen ze dit verhaal vertelde, alsof ze het allemaal erg grappig vond.

Sara en haar verloofde hadden al voorspeld dat ze ooit eens in de gevangenis zouden belanden. Ze waren actief in een linkse studentengroepering, hadden deelgenomen aan verschillende studentendemonstraties en enkele studiegenoten waren al eerder gearresteerd.

Gevangenschap, wist ik, was een risico dat Iraanse studenten liepen als ze politiek activisme bedreven, een activiteit die steeds gevaarlijker was geworden, vooral sinds de hardliners hun macht over universiteiten na Ahmadinejads zege in 2005 hadden uitgebreid. Studentenactivisten konden ook worden geconfronteerd met minder heftige straffen, zoals geschorst of geroyeerd worden, of uitgesloten worden van bepaalde opleidingen.

Omdat de gevolgen zo groot konden zijn, eisten alleen de moedigste studenten handhaving van de mensenrechten en democratie. Veel andere jonge Iraniërs, die het gevoel hadden dat ze geen enkele invloed hadden op de toekomst van hun land, gaven er de voorkeur aan de politiek vanaf de zijlijn te volgen of zich er helemaal niet mee te bemoeien.

Toch bleef de Iraanse jeugd een grote en potentieel belangrijke kracht. Naar schatting twee derde van de zeventig miljoen inwoners van het land was jonger dan dertig en ongeveer drieënhalf miljoen Iraniërs stonden ingeschreven bij een universiteit.

Als kweekvijver van politieke ideeën en activiteiten hadden de Iraanse campussen een belangrijke rol gespeeld bij de vorming van het land en vaak gediend als lanceerplatform voor protesten die zich door de hele samenleving verspreidden. Algauw nadat de antisjahgezinde studenten hadden meegeholpen de revolutie te laten slagen, had het nieuwe regime universiteiten ruim twee jaar lang gesloten voor de implementatie van zijn Culturele Revolutie, die tot doel had de universiteiten te zuiveren van studenten en academici met linkse of liberale neigingen. De Culturele Revolutie had ook de studentenbeweging in Iran getransformeerd, waarna de Unity Consolidation Office, of de UCO, de belangrijkste studentenorganisatie werd.

De UCO was vóór absolute steun aan ayatollah Khomeiny en functioneerde als instrument voor het regime om universiteiten van de oppositie te ontdoen. Maar toen er begin jaren tachtig een nieuwe generatie studenten verscheen, veranderde de organisatie. Hoewel de UCO nog steeds trouw was aan de belangrijkste doelstellingen van de Islamitische Republiek, verzette hij zich tegen de conservatieven en werd hij een voorstander van de burgermaatschappij, pluralisme en vrijheid van meningsuiting. Veel studenten steunden president Khatami en de hervormingsgezinden. Maar door het trage tempo van de hervormingen raakten ze langzaam maar zeker gedesillusioneerd.

De Iraanse studentenactivisten konden nu in vier hoofdgroepen worden verdeeld. De eerste bestond uit basiji die absolute trouw hadden gezworen aan de Allerhoogste Leider en zijn politiek. De tweede was een naar democratie strevende beweging onder leiding van de uco die in verschillende groepen was gesplitst en waar veel seculiere studenten lid van waren. De derde bestond uit moderne islamieten die voorstander waren van hervormingen binnen het bestaande systeem. En de vierde bestond uit leden met linkse ideeën, zoals Sara, die het socialisme predikten en dan vooral het marxisme-leninisme.

De volgende dag, zondag 1 maart, werd Sara naar de rechtbank gebracht en beschuldigd van contacten met buitenlandse communistische oppositiegroeperingen. Net als haar verloofde. Maar haar twee vriendinnen zouden op borgtocht worden vrijgelaten.

Ondanks haar eigen ontmoedigende nieuws maakte Sara zich geen zorgen. Ze zei dat ze van enkele studiegenoten had gehoord wat ze in de gevangenis kon verwachten.

'Wat heb je je ondervragers verteld?' vroeg ik.

'Dat hing af van wat ze me vroegen,' zei ze. 'Of ik probeer hun de waarheid te vertellen of, als ik dat niet kan, zeg ik helemaal niets.'

Sara vertelde me dat haar ondervragers haar onder druk hadden gezet om de namen van de andere leden van de groep te geven. In plaats van een direct antwoord te geven, had ze zoiets gezegd als: 'Wij staan voor gelijkheid en broederschap. Gelooft u niet in die waarden?' Hij had 'ja' geantwoord. 'Dan,' was haar repliek, 'moet ú ook lid worden!'

Eerst Roya, daarna Silva en Nargess en nu deze tweeëntwintigjarige studente; zij allemaal hadden allerlei manieren gebruikt om zich te verzetten tegen de eisen van hun ondervragers om te liegen of misdaden te bekennen die ze niet hadden gepleegd. Ze hadden dreigementen en druk getrotseerd ondanks de wetenschap dat ze door de waarheid te vertellen en hun onschuld vol te houden hun kans op vrijheid in de waagschaal stelden.

'Weten je ouders waar je bent?' vroeg ik Sara, omdat ik me afvroeg of haar familie, net als die van mij, enig idee had waar ze was.

'Dat denk ik wel,' antwoordde ze. 'Mijn broer is vorig jaar gearresteerd en later op borgtocht vrijgelaten. Voor het geval ik de volgende zou zijn, spraken we af dat hij me elke avond op een bepaalde tijd zou bellen om te controleren of alles in orde is. Als mijn telefoon op dat tijdstip is uitgeschakeld, kan hij ervan uitgaan dat ik in de gevangenis zit.'

Maar Sara was wel bang dat haar ouders zich grote zorgen zouden maken dat hun dochter nu hetzelfde als haar broer moest doorstaan. Daarom vroeg ze aan de dienstdoende bewaakster of ze hen mocht bellen. Dat zou Sara's hoofdondervrager moeten goedkeuren, kreeg ze te horen. De rest van de dag en de hele maandag verstreken zonder antwoord.

Toen Haj Khanom die dinsdagochtend het ontbijt naar onze cel bracht, duwde Sara haar dienblad opzij en kondigde rustig aan: 'Ik wil geen ontbijt, geen lunch, geen avondeten en geen medicijnen. Ik wil alleen mijn ouders bellen en ik weiger iets te eten totdat ik dat kan doen.'

'Zoals je wilt,' zei Haj Khanom. Haar kenmerkende glimlach was iets minder breed na deze plotselinge uitbarsting. 'Maar hier kun je niet krijgen wat je wilt door niet te eten.'

Ik had nog nooit iemand gezien die in hongerstaking ging, hoewel ik wel kennis had gemaakt met en verslag had gedaan over Akbar Ganji, een beroemde Iraanse politiek dissident die in 2006 uit Evin was vrijgelaten nadat hij meer dan zeventig dagen had gevast. Zijn hongerstaking had heel veel aandacht gekregen en de eis van internationale mensenrechtenorganisaties dat hij vrijgelaten werd kracht bijgezet. Later is hij naar het buitenland vertrokken, waar hij zich bleef uitspreken voor de democratische beweging in Iran.

Maar omdat niemand buiten Evin op de hoogte was van Sara's hongerstaking was het moeilijk te voorspellen hoe effectief deze actie voor haar zou zijn.

Sara beperkte haar dagelijkse dieet tot drie kopjes thee en drie dadels, waar we elke dinsdag een doosje vol van kregen. Ze was al zo mager dat haar sleutelbeenderen scherp uitstaken en we waren allemaal bang dat ze het niet zou overleven.

Een dag later zat ik geblinddoekt met mijn gezicht naar de muur van de verhoorkamer, waar Javan me naartoe had laten brengen. Ik verwachtte dat hij me zou ondervragen over mijn gesprek met de magistraat, maar in plaats daarvan vertelde hij me dat mijn vader 'luidruchtig was geworden'.

Ik wist niet goed hoe ik het woord 'luidruchtig' moest interpreteren.

'Echt waar?' vroeg ik. 'Weet hij dan waar ik ben?' Zelfs als hij dat niet wist, moest hij hebben besloten dat hij niet langer zijn mond kon houden en niet geloofde wat ik drie weken eerder tijdens dat telefoongesprek gedwongen was geweest te vertellen.

De ondervrager beantwoordde mijn vraag met een bevel: 'Zijn geklaag is niet behulpzaam voor u. Bel hem. Vertel hem niet waar u bent. Zeg dat u in orde bent en dat hij zich stil moet houden.'

Ik dacht even na over zijn laatste bevel. Mijn bâzju was zichtbaar geïrriteerd. Aan de ene kant was wat mijn vader deed misschien nadelig voor me wanneer mijn gevangenbewaarders besloten me niet vrij te laten om zo te laten zien dat zij ongevoelig waren voor druk van buitenaf. Aan de andere kant kon media-aandacht, als dat was waar mijn vader naar streefde, ertoe leiden dat ze me eerder vrijlieten; tenminste, als ze toegaven dát ze me gevangenhielden.

Hoe dan ook, mijn ondervrager gaf me opdracht om weer te liegen.

De vrouwen die ik de afgelopen tijd had ontmoet hadden geweigerd tegemoet te komen aan de eis van hun ondervragers om te liegen, terwijl ik veel bevelen had opgevolgd die tegen mijn geweten in gingen. Het was misschien een beetje laat als ik me nú verzette, maar waarom zou ik dat niet doen?

'Nee,' zei ik zacht tegen Javan.

'Wat zei u?' vroeg hij.

'Nee,' herhaalde ik, iets luider.

'Waarom niet?' Zijn stem klonk iets hoger dan anders.

'Omdat,' zei ik en ik ging rechterop in mijn stoel zitten, 'ik niet langer wil liegen.'

Javan zweeg. Enkele seconden verstreken. Kennelijk analyseerde hij mijn onverwachte weigering om mee te werken.

Ik hoorde een pen op mijn bureau vallen, gevolgd door een vel papier. Daarna hoorde ik de stem van mijn ondervrager, nu weer beheerst. 'Schrijf "Ik wil mijn vader niet bellen", en onderteken dat.'

Ik schoof mijn blinddoek iets omhoog, pakte de pen en schreef: *Ik wil mijn vader niet bellen, tenzij ik hem de waarheid mag vertellen.* Daarna zette ik mijn handtekening.

Javan pakte het vel papier en las mijn tekst. Zonder nog iets tegen me te zeggen, gaf hij een bewaker opdracht me terug te brengen naar mijn cel.

'Je lijkt behoorlijk overstuur,' zei Nargess.

Vida en Sara waren in slaap gevallen, maar ik had wakker gelegen en naar de vlek op het plafond liggen staren terwijl ik over de gebeurtenissen van die dag nadacht. Ik keek naar Nargess. Ze had de koran in haar schoot liggen, zoals zo vaak. Sinds ze bij ons in de cel was gekomen, zag ze er gezonder uit. Haar ogen waren niet langer opgezwollen door het vele huilen en ze had iets van het gewicht dat ze in eenzame opsluiting was kwijtgeraakt teruggekregen.

'Kom hier zitten,' zei ze en ze klopte op een opgevouwen deken die naast haar lag.

Ik kroop ernaartoe en zij nam mijn handen in die van haar.

'Doe eens net alsof ik je zus ben,' zei ze en ze keek me aan. 'Als je wilt, kun je me vertellen wat je dwarszit. Vertrouw me maar.'

En dus vertelde ik het haar. Ik vertelde haar over mijn valse bekentenis en dat ik die wilde intrekken, maar niet tegenover mijn ondervrager. Ik drong er ook bij haar op aan dit tegen niemand te zeggen, omdat ik bang was dat als Hâj Âghâ het zou horen hij me zou laten doden, zoals hij had gezworen.

'Ik weet niet wat ik moet doen,' zei ik zachtjes tegen Nargess. 'Als ik de waarheid vertel, word ik misschien nooit vrijgelaten. Maar als de enige manier om vrij te komen een leugen is, dan heeft die vrijheid niet veel waarde. Ik weet nu dat ik heel zwak ben geweest, vooral nu ik vrouwen zoals jij heb leren kennen.'

Nargess bloosde. 'Ik ben blij dat ik niet voor de dreigementen van die mensen ben bezweken,' zei ze zachtjes. 'Ongeacht wat ze me nu misschien zullen aandoen, heb ik tenminste wel een zuiver geweten.' Zachtjes streelde ze mijn handpalmen. 'Ik zal bidden en God vragen je te helpen.'

Daarna liet ze mijn handen los, streek met een teder gebaar over de koran en vroeg: 'Wil je dat ik een *estekhâre* voor je doe?'

Estekhâre, had ik jaren daarvoor geleerd, was een islamitische traditie om antwoorden te vinden op vragen, in dit geval door de Koran te consulteren. Deze praktijk was heel gewoon in Iran, waar veel mensen naar een waarzegger gingen voor antwoorden op persoonlijke en financiële vragen en problemen.

Ik had waarzeggen altijd als bijgeloof beschouwd, maar nu was ik bereid om op vrijwel elke mogelijke manier op zoek te gaan naar aanwijzingen over mijn lot.

'Weet je hoe je de estekhâre moet doen?' vroeg ik Nargess.

Ze knikte plechtig.

'Oké, dan heel graag,' zei ik.

Ze sloot haar ogen en kromde haar vingers om de bovenkant van de koran. 'Kijk in je hart en benoem je bedoeling of wens,' fluisterde ze.

In gedachten benoemde ik er meteen twee: dat niemand ooit schade zou ondervinden door de leugens die ik in de gevangenis had verteld en dat ik die week zou worden vrijgelaten. Daarna zei ik tegen Nargess dat ik klaar was.

Ze mompelde een paar onverstaanbare dichtregels, sloeg zonder te kijken de koran op een willekeurige bladzijde open en las die in stilte. Hoofdschuddend sloeg ze de koran dicht. Daarna keek ze me aan en zei: 'Je hebt twee wensen uitgesproken.'

'Hoe weet jíj dat?' vroeg ik verbaasd.

Nargess glimlachte alsof het antwoord op mijn vraag voor de hand lag. 'Dat zei de Koran,' zei ze en ze deed het boek voorzichtig dicht. 'Benoem een andere wens, eentje deze keer.'

Ik aarzelde en vroeg me af of ik in plaats van een wens een vraag zou moeten stellen. 'Mag ik in plaats daarvan een vraag stellen?' vroeg ik Nargess.

'Natuurlijk.'

Ik sloeg mijn armen om mijn knieën. Er verstreken een paar minuten terwijl allerlei vragen door mijn hoofd schoten. Mijn hele probleem, bedacht ik me, was de vraag of ik in mijn leugens moest volharden of er een einde aan moest maken nu ik nog in de gevangenis zat. Kortom: moest ik mijn vrijheid riskeren door de waarheid te vertellen?

'Ik ben klaar,' fluisterde ik.

Ze citeerde nog een paar dichtregels, sloeg de koran weer open, las de linkerbladzijde en las de laatste regel zachtjes voor. Ze knikte langzaam alsof ze de woorden in haar hoofd verwerkte, en las ze nog eens.

Ten slotte keek ze op en zei vol overtuiging: 'Doe het! Zelfs als je eronder lijdt, zul je uiteindelijk zegevieren.'

Dat waren niet de woorden die ik had willen horen. Ik had gewild dat Nargess iets zou zeggen als: 'Blijf bij je verhaal tot je vrij bent.'

Toch wist ik vanbinnen dat het juist was wat ze zei. Pijnlijk, maar wel juist.

De tranen stroomden over mijn wangen toen ik me realiseerde dat ik de waarheid had verloochend uit angst voor een man en uit angst voor de dood. Ja, ik wilde leven, maar welk leven was het waard geleefd te worden? Het leven waarin ik een zuiver geweten had, het leven waarin ik deed wat volgens mij juist was; zelfs onder druk. Ten slotte begreep ik dat ik de waarheid móést vertellen, zelfs als het me mijn vrijheid zou kosten, zelfs als het me mijn leven zou kosten.

Sara begon er behoorlijk ziek uit te zien. In de loop van die week had ze nog steeds geen toestemming gekregen om te bellen. Maar ze leek vastbesloten haar hongerstaking voort te zetten tot haar verzoek was ingewilligd.

Sara was ook op andere gebieden erg koppig. Ze weigerde over de binnenplaats van de gevangenis te lopen, ondanks het feit dat de twintig tot dertig minuten durende sessies vier keer per week onze enige kans waren buiten te zijn. De binnenplaats was een belediging, verklaarde Sara, en was er alleen maar zodat de gevangenisautoriteiten de wereld konden vertellen dat ze zo menselijk waren dat ze ons een kans gaven buiten te lopen.

Maar ze had helemaal geen energie meer om te lopen. Nadat ze was opgehouden met eten, lag ze de hele dag op haar dekens tv te kijken. Ze lag er met haar neus bovenop, omdat haar ondervragers haar bril in beslag hadden genomen.

Hoe meer gewicht Sara kwijtraakte, hoe bozer ik werd op onze gevangenbewaarders. Een simpel telefoontje naar haar familie, wat het recht van iedere gevangene zou moeten zijn, was een privilege waarvoor Sara zichzelf doodhongerde.

Maar hoe zwakker ze werd, hoe sterker haar besluit werd om ermee door te gaan, alsof ze kracht putte uit deze verzetsdaad.

Doordat ik getuige was van Sara's hongerstaking overwoog ik zelf ook iets dergelijks te gaan doen. Maar mijn doel week af van Sara's doel: ik wilde geen toestemming om mijn familie te bellen, hoewel ik daar kortgeleden ook een verzoek voor had ingediend. In plaats daarvan wilde ik mezelf straffen omdat ik aan de eisen van mijn ondervragers tegemoet was gekomen. Ik schoof de gedachte dat deze denkwijze ongezond was opzij en de dag nadat Sara was begonnen te vasten, besloot ik ook op te houden met eten. Ik begon niet echt met een 'staking' en daarom vertelde ik het niet officieel aan mijn bewaaksters zoals Sara wel had gedaan. Ik besloot Sara's dagelijkse dieet van drie koppen thee en drie dadels ook te volgen. Mijn vader had me ooit verteld dat dadels het voedzaamst waren als je ooit in de woestijn strandde en niets anders te eten had.

De eerste drie dagen waren het ergst. Eerst begon mijn maag als een gek te rommelen: hij wilde weten waarom ik er geen voedsel in stopte. Daarna begon mijn maag pijn te doen: hij smeekte me die pijn te stillen. Op zaterdag, de vierde dag, had hij zich aangepast aan het gebrek aan eten en berustte erin om, op een incidenteel gerommel na, stilletjes de onbekende toekomst af te wachten.

Elke keer als Nargess en Vida hun eten opaten, keek ik een andere kant op, maar ik kon niet voorkomen dat ik het rook. Dan begon ik te fantaseren over de zelfgemaakte Iraanse gerechten die ik vaak at, de laatste keer op kerstavond tijdens mijn reis naar Qom. Ik had de avond doorgebracht in het huis van een man die ik die ochtend in een seminarie had ontmoet. Hij, zijn vrouw en drie kinderen woonden in een middenklassewijk vlak bij de plaatselijke moskee. Het gezin had me met de gebruikelijke Iraanse gastvrijheid onthaald: een rondleiding door de stad, gevolgd door een diner van *qorme sabzi*: een geliefde stoofpot van groenten, vlees en bonen, geserveerd met rijst, en verse baklava van de dichtstbijzijnde bakkerij als nagerecht. Zoals zo veel Iraanse huisvrouwen was mijn gastvrouw een fantastische kok. Sinds ze op haar dertiende was getrouwd, op dezelfde leeftijd die haar dochter nu had, had ze veel ervaring opgedaan in de keuken.

'Ik wilde dat ik net zo'n onafhankelijk leven had geleid als jij,' zei de vrouw die avond tegen me toen ze een dunne matras voor me uitrolde op het Perzische tapijt naast haar drie dochters. 'Ik ben nog maar achtendertig, maar ik voel me al heel oud.'

Ze hoopte dat haar dochters meer mogelijkheden kregen dan zij had gehad. Een van hen wilde tandarts worden, de tweede arts en de derde ingenieur.

Het gezin had me de volgende dag naar het treinstation gebracht, nadat ze me hadden laten beloven dat ik een keer zou terugkomen om met hen mee te gaan naar hun huisje in Noord-Iran, waar we de lekkerste wilde bessen zouden plukken. Het water liep me in de mond toen ik daaraan dacht.

Nargess liet zich op de vloer vallen en riep: 'Goddank! Goddank!'
Het was zaterdag 7 maart en ze kwam terug van de rechtbank. Ze had voor haar magistraat staan huilen en ze had geroepen dat ze nooit in haar leven iets had gedaan wat zelfs maar in de buurt kwam van iets politieks. Tussen haar snikken door had ze eerlijk verteld dat ze tig keer op pelgrimsreis naar Mekka was geweest en donaties aan die en die moskee had geschonken, en hem gevraagd hoe zo'n gelovige moslima ooit een spion zou kunnen zijn!

De magistraat had besloten, net zoals hij al eerder had gedaan, om Nargess op borgtocht vrij te laten en ze had toestemming gekregen om voor het eerst sinds haar arrestatie een paar weken eerder haar familie te bellen. De rechtbank zou de eigendomsakte van haar huis houden tot haar rechtszaak, wanneer die ook maar zou plaatsvinden, áls die al zou plaatsvinden, maar nu vond Nargess dat totaal niet belangrijk.

De magistraat was een begripvolle en eerlijke man, herhaalde ze steeds weer, veel eerlijker dan haar belangrijkste ondervrager, die haar niet had willen vrijlaten. Toen ik haar vroeg hoe de magistraat eruitzag, zei ze dat zijn rechterhand was opgesierd met twee ringen.

Zaterdag was ook voor Sara een goede dag. Haar ondervrager had haar toegestaan haar ouders te bellen, maar alleen als ze haar hongerstaking beëindigde met een maaltijd en alleen als ze haar ouders zou vertellen dat het goed met haar ging. Ze deed wat haar was gezegd en probeerde vervolgens haar treurende moeder te troosten door te zeggen dat ze waarschijnlijk over een paar weken werd vrijgelaten. Ondanks deze leugentjes was Sara blij dat ze met haar ouders had gepraat en ze kwam met een triomfantelijke grijns terug naar onze cel.

Ik probeerde blij te zijn voor mijn celgenoten, maar dat lukte niet. Voor hen leek vrijheid binnen bereik, maar voor mij was er alleen maar onzekerheid.

Ik begon in te storten. Mijn zenuwen waren gevoelig geworden door het gebrek aan voedsel en door niets dan stilte van de zijde van mijn ondervrager. Mijn onderlip trilde en ik kreeg een brok in mijn keel. Het laatste wat ik wilde was de vreugde van mijn celgenoten bederven en daarom drukte ik op de zwarte knop naast de deur van onze cel en wachtte tot Glasses, de bewaakster met bril die dienst had gehad op de avond van mijn arrestatie, verscheen.

In het toilet deed ik meteen de deur dicht. Ik leunde met mijn rug tegen de muur, begroef mijn gezicht in mijn handen en begon te huilen. Tranen van hulpeloosheid, van schuld, van heftig verlangen naar mijn familie. Ik probeerde mijn gejammer te dempen door de mouw van mijn shirt tegen mijn mond te drukken, maar na een paar seconden kon ik me niet meer inhouden. Ik huilde en huilde en huilde. Mijn voorraad tranen, die gedurende mijn vijf weken in de gevangenis maar met een paar druppels was verminderd, stroomde nu naar buiten. Met elke snik konden mijn opgekropte ongerustheid, angst en woede zich eindelijk een weg naar buiten banen.

'Je gehuil galmt door de gang,' snauwde een vrouw tegen me. Ik hief mijn hoofd. Glasses had de wc-deur geopend en keek door haar dikke brillenglazen op me neer. 'De mensen hier hebben al genoeg om verdrietig over te zijn zonder dat ze jou horen snikken.'

'Sorry,' zei ik, zonder mijn tranen te drogen. 'Ik wilde niet huilen waar mijn celgenoten bij waren.'

Glasses vertrok haar brede, bleke gezicht en keek me even peinzend aan, alsof ze zich afvroeg wat ze moest doen met de puinhoop die zo stom was geweest haar dienst te verpesten.

Ik verwachtte dat ze tegen me zou schreeuwen omdat ik was ingestort. Maar in plaats daarvan zei ze zacht: 'Als je dan toch moet huilen, doe het dan maar in de kamer hiernaast.'

De kamer ernaast was even groot als een cel en op de smerige betegelde vloer stonden twee grote potplanten, een grote afvalbak en een drinkfonteintje. Daar mochten mijn medegevangenen en ik onze plastic waterflessen vullen en ons afval weggooien, taken waar we vaak ruzie om maakten omdat ze de monotonie van ons leven van alledag doorbraken. Als het maar even kon, stelden we de terugkeer naar onze cel een paar extra seconden uit, drukten onze neus in de groene bladeren en snoven de geur diep op. Zo konden we een zuivere vorm van leven opsnuiven die, in tegenstelling tot onze deprimerende omgeving, ons hielp volhouden en die ons nooit kwaad deed.

Ik krabbelde overeind en liet Glasses voorgaan. Ook hier bleef ze in de deuropening staan toekijken hoe ik in elkaar zakte en doorging met huilen.

Na een minuut of twee vroeg ze: 'Wat is er aan de hand?'

Ik veegde mijn neus af met mijn mouw en keek naar haar op. 'Moeten gevangenen hier wel eens jaren blijven?' vroeg ik. Het kostte me moeite deze woorden uit te spreken.

Ze aarzelde en zei toen: 'Meestal niet, maar soms wel.'

Dat antwoord veroorzaakte een nieuwe huilbui.

'Waarom vindt mijn ondervrager het niet goed dat ik mijn ouders vertel waar ik ben?' snikte ik.

Ze hield haar hoofd schuin en zei: 'Dat móét hij goedvinden.'

'Maar dat deed hij níét.'

Glasses sloeg haar blik neer alsof ze niet wist wat ze moest zeggen. Ze leek bijna aardig.

Ze liet me daar nog een paar minuten zitten, tot mijn ogen waren opgedroogd.

'Wakker worden,' zei Skinny de volgende ochtend tegen mij. 'Je gaat naar de rechtbank.'

Het was zondag 8 maart, de dag waarop ik volgens Hâj Âghâ naar het kantoor van de magistraat gestuurd zou worden, waar ik, als ik vrijgelaten wilde worden, mijn bekentenis moest herhalen en met alles wat de magistraat zei akkoord zou moeten gaan.

Ik probeerde me te haasten terwijl ik water tegen mijn gezicht spatte en mijn chador aandeed, maar ik was traag nadat ik vier dagen vrijwel niets had gegeten.

'Ik zal voor je bidden,' zei Nargess toen Skinny me de cel uit leidde.

Een bewaker sloot me op in een busje, waar hij me met handboeien vastmaakte aan een jonge vrouwelijke gevangene die ik nog nooit had gezien. Mijn polsen waren zo dun geworden dat ik me gemakkelijk los had kunnen wriemelen. Twee mannelijke gevangenen zaten tegenover ons, ook aan elkaar geboeid.

'Niet met elkaar praten,' zei de bewaker vanaf de passagiersstoel voordat we de gevangenispoort uit reden naar de Revolutionaire Rechtbank.

'Geef me alstublieft de kracht om de waarheid te vertellen,' mompelde ik met gesloten ogen tegen mezelf. 'Wat de gevolgen ook zullen zijn.'

De bewaker wilde iets tegen me zeggen, maar de chauffeur, die me kennelijk in zijn achteruitkijkspiegeltje had gezien, viel hem in de rede en zei: 'Laat haar maar. Ze praat niet tegen iemand, ze zit te bidden.'

Met mijn vrije hand trok ik mijn chador over mijn gezicht en fluisterde steeds weer: 'Help me alstublieft om vandaag de waarheid te vertellen, wat de gevolgen ook zullen zijn.'

Toen we ongeveer een half uur later bij de rechtbank aankwamen, maakte de bewaker onze handboeien los en bracht ons naar de tweede verdieping. Toen we bij de afdeling Beveiliging kwamen, kwam er een kale man naar me toe.

'Juffrouw Saberi?' vroeg hij.

'Ja?' vroeg ik, verbaasd dat iemand anders dan de bewakers en ambtenaren iets tegen me zei.

'Ik ben uw advocaat, Abdolsamad Khorramshahi.'

Dit was nieuw voor me. Ik had hem nog nooit gezien en nog nooit van hem gehoord. Misschien had Javan me heel gemeen een advocaat van het regime toegewezen, als deze man tenminste echt een advocaat was. Met zijn ouderwetse pak, gebogen schouders en stoppels op zijn kin had hij alleen dankzij zijn leren aktetas iets weg van een advocaat.

Mijn bewaker berispte de man omdat hij tegen me praatte en bracht de andere vrouwelijke gevangene en mij naar het kantoor van de magistraat. Zij en ik werden op de voorste rij stoelen voor het bureau van de magistraat gezet. Khorramshahi liep mee en ging een paar rijen achter ons zitten.

De magistraat begroette hem hartelijk en zei dat het hem verbaasde te horen dat hij mij vertegenwoordigde. 'U doet toch meestal geen politieke maar maatschappelijke zaken?' vroeg de magistraat.

Ik keek achterom naar Khorramshahi, die alleen beleefd glimlachte.

Toen wijdde ik me weer aan mijn gebed.

'Help me alstublieft om vandaag de waarheid te vertellen,' fluisterde ik. 'Wat de gevolgen ook zullen zijn.'

'Wat bidt u?' vroeg de magistraat. Kennelijk had hij mijn lippen zien bewegen.

'Iets in het Engels,' antwoordde ik zacht.

'Wat bidt u dan?'

'Ik zei: "Help me alstublieft om vandaag de waarheid te vertellen."'

Hij keek me verbaasd aan en begon toen in de dossiers op zijn bureau te bladeren.

Het volgende half uur zat ik te wachten terwijl de magistraat mijn vrouwelijke medegevangene ondervroeg door haar antwoorden op zijn opgeschreven vragen te laten opschrijven. Aan de hand van de weinige woorden die ze zeiden, maakte ik op dat de vrouw twintig dagen alleen in een cel had gezeten en van propaganda tegen de islam werd beschuldigd. Toen hij uitgevraagd was, zei de magistraat tegen haar dat ze die dag op borgtocht werd vrijgelaten. Ze bedankte hem en de bewaker nam haar mee naar de hal, waar ze moest wachten.

Het was mijn beurt.

De magistraat vroeg me waarom ik een keer tijdens een dinertje in Teheran met de Japanse ambassadeur had gepraat, waarom ik naar Libanon was geweest en waarom ik had geprobeerd mijn kennis die in de gevangenis zat te helpen; allemaal dezelfde vragen als tijdens mijn verhoren vijf weken eerder. Hij wilde ook weten waarom ik meerdere politieke figuren in Iran had geïnterviewd. Ik vertelde dat ik een boek aan het schrijven was en dat dit een paar van de ongeveer zestig Iraniërs waren die ik had geïnterviewd in een poging buitenlanders een evenwichtig en kleurrijk beeld van de Iraanse maatschappij te geven.

De magistraat vroeg ook of ik geheime documenten in mijn bezit had en ik antwoordde dat dit voor zover ik wist niet het geval was.

Nadat ik elk antwoord had opgeschreven, las hij dat door, waarna hij een nieuwe vraag op een nieuw vel papier schreef en dat aan me overhandigde. Op een bepaald moment viel de magistraat zichzelf in de rede. 'Hoe is de staat Ohio?' vroeg hij op dezelfde toon.

Hij keek me aan met wat een oprechte blik leek.

'Ik heb gehoord dat het er prachtig is,' zei ik. 'Het grenst aan de Great Lakes.'

De magistraat knikte en begon zijn volgende vraag op te schrijven. Daarna vroeg hij, zonder me aan te kijken: 'Zou u me een visum kunnen bezorgen?'

Ik had geen idee of hij een grapje maakte.

'Natuurlijk, als u me vrijlaat,' zei ik, alleen maar om zijn reactie te zien.

'Daar werken we vandaag dus aan,' antwoordde hij en hij gaf me het volgende vel papier.

Ik zou dus echt binnenkort worden vrijgelaten. De vorige keer had hij me gevraagd of ik bezittingen had waarmee ik de borg zou kunnen betalen en nu had hij het over mijn vrijheid. Hij had Nargess vrijgelaten en hij leek geloofwaardiger en machtiger dan Hâj Âghâ en Javan. Moet ik mijn verklaring nog steeds herroepen? vroeg ik me af toen ik de volgende vraag las: Wie was meneer D en wat was uw relatie met hem?

Even bleef ik roerloos zitten, mijn pen bleef een paar centimeter boven het papier hangen. Als ik de waarheid opschreef, zat ik misschien nog jarenlang in de gevangenis. Maar als ik bleef meewerken, zoals Hâj Âghâ en Javan me hadden opgedragen, werd ik vrijgelaten.

Kortom: waarheid = gevangenis. Leugens = vrijheid.

15

Ik haalde diep adem en ademde langzaam weer uit. Daarna zette ik mijn pen op het papier en schreef:

Meneer D noch iemand anders heeft me gevraagd om informatie te verzamelen. Zoiets heb ik nooit gedaan en ik heb nooit geld gekregen om dat te doen. Wat ik tijdens mijn verhoor over meneer D heb ge-zegd, was onjuist omdat mijn ondervragers, steeds als ik de waarheid vertelde – dat ik geen spion was en alleen maar een boek over Iran schreef, en dat dit een persoonlijk en niet door een andere persoon, organisatie of regering gefinancierd project was – zeiden dat ze me niet geloofden en dat ik niet meewerkte.

Ik stopte even om mijn gedachten op een rij te zetten. Hoewel ik ge-woon de waarheid probeerde op te schrijven, vond ik het nog altijd eng om mijn ondervragers te erg te bekritiseren of te vertellen dat ze had-den gedreigd mij of mijn familieleden te doden. Deze agenten werkten immers samen met de magistraat en met alle andere mensen die de be-sluiten namen.

Ik heb uit de woorden van mijn ondervragers afgeleid dat ik niet zou worden vrijgelaten tenzij ik dit onjuiste verhaal zou vertellen. Maar nu wil ik liever de waarheid vertellen en het risico lopen dat ik in de gevangenis moet blijven dan mijn vrijlating verdienen door te liegen. Meneer D is onschuldig en ik ben geen spion.

Ik overhandigde mijn papier aan de magistraat. Hij las mijn antwoord met een uitdrukkingsloos gezicht. Daarna keek hij op en vroeg me: 'Waarom zou ik dit geloven?'
'Dat verhaal heb ik verzonnen op basis van de vragen die mijn on-

dervragers me stelden,' vertelde ik. 'Ik heb die leugens verteld omdat ik bang was. Maar daar heb ik spijt van.'

De tranen rolden over mijn wangen. Zonder iets te zeggen hield de magistraat me een doosje tissues voor. Kennelijk was hij wel gewend aan radeloze gevangenen.

Ik pakte een tissue, depte mijn gezicht droog en vermande me. 'De vorige keer dat ik u zag,' zei ik, 'kreeg ik het gevoel dat u de waarheid belangrijk vond. God weet dat ik u nu de waarheid vertel.'

De magistraat zat me nog steeds aan te kijken en draaide met zijn duim zijn beide ringen rond. 'Maar ík weet niet wat God weet,' zei hij.

Met een vage glimlach zei ik: 'Dat geeft niet. Voor mij is het voldoende om te weten dat God het weet.'

De magistraat knikte langzaam, maar ik had geen idee wat hij dacht. Daarna pakte hij zijn telefoon op, draaide een nummer en zei tegen degene die opnam: 'Ze is haar verhaal aan het veranderen.' Hij hing op, wendde zich weer tot mij en ging door met zijn vragen.

Uiteindelijk, toen het volgens mij al laat in de middag was, hield hij op met vragen stellen. Het had zeker drie tot vier uur geduurd.

Pas nadat het verhoor was beëindigd, gaf de magistraat me toestemming om een paar minuten met Khorramshahi te praten.

'Wie heeft u voor me gevonden?' vroeg ik argwanend.

'Bahman,' zei hij met een zachte, waakzame stem. 'Een van jullie gemeenschappelijke vrienden had me aanbevolen.'

Ik wist nog steeds niet of ik deze man kon vertrouwen en ik vond het verontrustend dat hij normaal gesproken geen politieke zaken behandelde. Maar toen hij tegen me zei dat ik een formulier moest ondertekenen waarmee ik hem als mijn advocaat aanstelde, deed ik dat. Ik wilde mijn kennelijk enige kans op een advocaat niet verspelen.

Ik zei tegen Khorramshahi dat ik zojuist mijn onder druk verkregen valse bekentenis dat ik gespioneerd zou hebben had ingetrokken en dat mijn gijzelnemers video-opnamen van me hadden gemaakt terwijl ik vele onjuiste verklaringen aflegde. Hij leek een beetje hardhorend en daarom verhief ik mijn stem en herhaalde alles. Daarna vroeg ik of hij naar mijn appartement wilde gaan om de eigendomsakte te halen (zelfs als ik niet op korte termijn op borgtocht zou worden vrijgelaten) en het vuilnis weg te brengen. 'U kunt Bahman wel om de sleutels vragen,' voegde ik eraan toe.

'Sst!' siste hij. 'Spreek zijn naam hier niet hardop uit.'

Ik wist niet of Khorramshahi bedoelde dat ik als ik over Bahman praatte Bahman, mezelf of de advocaat in gevaar bracht, ook al wisten mijn ondervragers alles al van ons.

'U moet vertrekken,' zei de magistraat en hij gebaarde naar de bewaker dat hij me weg moest brengen.

'Vertel mijn ouders alstublieft waar ik ben,' zei ik tegen Khorramshahi voordat ik opstond.

'Dat weten ze, dat weten ze,' verzekerde hij me.

De bewaker bracht me naar de gang en zei dat ik naast de andere vrouwelijke gevangene moest gaan zitten. Zij en ik moesten op de twee mannelijke gevangenen wachten die tegelijk met ons naar de rechtbank waren gebracht. De bewaker zei weer dat we niet met elkaar mochten praten en ging vervolgens een paar meter verderop op een stoel zitten.

'Van welke misdaad ben jij beschuldigd?' fluisterde de vrouw.

Ik keek naar de bewaker. Hij zat met een andere bewaker te praten.

'Spionage,' antwoordde ik.

De vrouw keek me met grote ogen aan.

'Ben jij Roxana?' vroeg een andere vrouw in burgerkleren die naast ons was gaan zitten. De gevangene stelde haar voor als haar zus.

'Hoe komt het dat je me kent?' vroeg ik verbaasd.

'Op *Voice of America Persian* TV hebben ze het steeds over je,' zei ze met een brede glimlach.

Op de terugweg naar Evin zat de zus van de andere vrouwelijke gevangene bij ons in het busje. Vreemd genoeg had de bewaker me met handboeien aan haar vastgemaakt. Ze had crackers in haar tas en bood me er een aan. Ik nam hem aan. Nu ik mijn bekentenis had ingetrokken, had ik besloten weer te gaan eten en het was de lekkerste snack die ik ooit had geproefd.

Ik keek uit het raampje en zag allerlei dingen waar ik op de heenweg geen oog voor had gehad. Er liepen voetgangers op straat die tussen het langzaam rijdende verkeer door liepen. Velen van hen hadden boodschappentassen bij zich, waarschijnlijk vol cadeaus en nieuwe kleren voor nieuwjaarsdag. Noroez, het Iraanse Nieuwjaar, viel op 21 maart, nog geen twee weken later.

Ik voelde warme vingers op mijn huid. De zus van de gevangene had haar geboeide hand op de mijne gelegd. 'Maak je maar geen zorgen,' fluisterde ze met haar blik strak naar voren gericht. 'Met Noroez ben je vrij. Dat beloven we je. Dat voelen we.' Dat herhaalde ze nog een paar keer, met een veelbetekenende glimlach.

Mijn handboei sneed in mijn pols en maakte een rode striem in het vlees. Maar de stevige greep van de jonge vrouw en haar opbeurende woorden, hoewel ik ze amper kon geloven, werkten als een verdovend middel, zodat ik de pijn amper voelde. Ze bleef mijn hand vasthouden, onze handpalmen waren nat van het zweet, tot we bij Evin aankwamen.

Toen ik mijn cel binnenstapte, had ik een veel lichter gevoel. Ik had geen idee of het feit dat ik die dag mijn bekentenis had ingetrokken betekende dat ik jarenlang in de gevangenis zou zitten, maar dat kon me niet meer schelen. Mijn ouders wisten waar ik was en de media berichtten over mij, zodat het bijzonder onwaarschijnlijk was dat ik geëxecuteerd zou worden. Bovendien zouden mijn ondervragers nu niet meer verwachten dat ik voor hen zou spioneren. Ook had ik, en dat was het belangrijkst, eindelijk de waarheid verteld. Hoewel ik nog steeds gevangenzat, voelde ik me nu verlost, alsof ik was veranderd in de schaduw van de spreeuw en mezelf eindelijk had bevrijd.

Mijn celgenoten wisten zonder dat ik ook maar een woord had gezegd dat ik gelukkig was. Zodra ik mijn chador had afgedaan, stonden ze op om me te omhelzen.

Ik wist niet waarom ik mijn eigen kleren had gekregen, maar ze voelden prettig op mijn huid. Haj Khanom had me die avond naar de gang gebracht, me een grote vuilniszak gegeven met daarin mijn spijkerbroek, T-shirt, roopoosh en witte hoofddoek en tegen me gezegd dat ik me moest aankleden. Ze vertelde niet waarom, maar ik had gehoorzaamd. Ik had ontdekt dat wanneer de bewakers niet vertelden waar we naartoe gingen het zinloos was ernaar te vragen.

Javan stond voor de vrouwenvleugel op me te wachten. Hij bracht me naar een Peykan en zei dat ik moest instappen. Daarna reden we weg, terwijl een andere auto vlak achter ons aan reed.

Vaag zag ik dat de straten van de stad aan me voorbijtrokken. Tot mijn verbazing reden we naar de Sadr Highway, de snelweg die naar mijn eigen wijk leidde.

'Waar gaan we naartoe?' vroeg ik.

'We brengen u naar uw huis, zodat u ons het geld kunt geven dat u nog overhebt van meneer D.'

Het koude zweet brak me uit. Kennelijk had Javan nog niet gehoord dat ik mijn bekentenis had ingetrokken. Als hij dat ontdekte, zou hij misschien proberen de magistraat, die me misschien had geloofd, ervan te overtuigen dat mijn bekentenis niet vals was maar waar. Daarom bleef ik zwijgend zitten tot we mijn straat in reden, die alweer verlaten was.

Toen Javan en ik uit de Peykan stapten, stapten drie mannen die ik herkende, onder wie Tasbihi en de Postbode, uit de tweede auto. Dit was precies dezelfde groep die op de dag van mijn arrestatie mijn appartement was binnengevallen.

Javan gaf me de sleutels en zei dat ik de voordeur van het gebouw moest openmaken. Hij zei niet dat ik me natuurlijk moest gedragen als we een van de buren tegenkwamen. Om de een of andere reden was er niemand te zien, net als de vorige keer, zelfs Gholam niet, de conciërge.

Voor het appartement naast dat van mij stonden allerlei maten schoenen voor de deur. Mijn buren hadden kennelijk een van hun familiebijeenkomsten. Gelach en kinderstemmen drongen door tot in de hal. Ik stelde me voor hoe bang ze zouden kijken als ze toevallig de deur zouden opendoen en ze me daar tussen vier agenten in burger zouden zien staan. Inwendig grinnikte ik, verbaasd omdat ikzelf gewend was geraakt aan de aanwezigheid van dat soort mannen.

Mijn appartement had er nog nooit zo uitnodigend uitgezien. Sinds mijn arrestatie was er kennelijk wel iemand geweest. De schrijfblokken en de boeken in mijn woonkamer waren netjes opgestapeld en het rook er niet naar tonijn.

'Pak het geld en de rest van de documenten die u, zoals u ons hebt verteld, van het Center for Strategic Research hebt gekregen,' zei Javan.

Hij had dus gebluft.

Ik had een paar minuten nodig om ze te verzamelen, omdat ze op verschillende plekken in mijn kast lagen. Ik bekeek ze allemaal en terwijl ik ze aan mijn bâzju gaf, zag ik dat er nergens op stond dat ze geheim waren.

'Geef me ook dat document over de Amerikaanse oorlog in Irak,' zei hij.

Ik had gedacht dat hij dat ook had gevonden. Toen ik het document vond, zag ik dat daar ook niet op stond dat het geheim was. 'Ziet u wel, er staat geen stempel op met het woord "geheim",' zei ik vrolijk toen ik het aan Javan gaf. 'Het is geen geheim document.'

Hij keek me aan en griste het uit mijn handen.

'Maar dat is heel goed nieuws!' riep ik uit. 'Het is precies zoals ik u eerst vertelde, dat ik helemaal geen geheime documenten heb!'

'Geef me het geld dat u van meneer D hebt gekregen,' zei hij zuur.

Ik opende mijn bureaula en haalde er een envelop uit waar ik extra contanten in had gestopt. Javan liet me het geld tellen, iets meer dan tweeduizend dollar. Toen nam hij me mee naar de woonkamer, waar zijn drie handlangers op mijn meubels zaten te luieren. Hij legde een pen en een vel papier op de counter tussen de woonkamer en de keuken.

'Schrijf dit op,' zei hij. '"Deze tweeduizend dollar is nog over van de vijftienduizend dollar die ik van meneer D heb gekregen voor de informatie die ik voor hem heb verzameld."'

Ik aarzelde. Ik had gehoopt dat ik uit deze puinhoop zou komen zonder dat ik Javan zou moeten vertellen dat ik nog maar een paar uur eerder mijn belachelijke bekentenis had ingetrokken. Ik was nog steeds doodsbang.

Ik pakte de pen en begon te schrijven: *Deze tweeduizend dollar is nog over van de vijftienduizend dollar die ik van meneer D heb gekregen...* Ik kon het niet. Ik legde de pen neer, sloeg mijn blik neer en sloeg mijn armen over elkaar.

'Wat is er gebeurd, juffrouw Saberi?' vroeg mijn bâzju. Zijn ogen boorden zich in die van mij.

Ik deed mijn mond open. Daarna deed ik hem weer dicht. Ik likte om mijn lippen en zei zacht: 'Dat kan ik niet opschrijven.'

'Waarom niet?'

Moed is de eerste stap naar de zege, fluisterde een inwendig stemmetje.

Ik legde mijn onderarmen op de counter en tilde langzaam mijn hoofd op en keek hem aan. 'Omdat het niet waar is. Meneer D heeft me nooit gevraagd iets voor hem te doen, hij heeft me nooit geld gegeven en ik heb hem nooit informatie verstrekt. Het waren allemaal leugens. Ik ben geen spion. En dat heb ik de magistraat vandaag allemaal verteld.'

Javan probeerde zijn shock door een beverige glimlach te verbergen. De andere agenten keken naar ons, verbijsterd.

'Waarom hebt u een leugen verteld?' vroeg Javan.

'Omdat u, steeds wanneer ik u de waarheid vertelde, dat ik op eigen initiatief een boek schreef, me niet geloofde en zei dat ik niet meewerkte. U hebt me onder druk gezet om te liegen en u zei dat ik alleen werd vrijgelaten als ik deed wat u van me eiste.'

'Waarom vertelt u de waarheid nu dan wel?' vroeg hij.

'Omdat de Koran me heeft verteld dat als je de waarheid vertelt, je misschien wel lijdt maar uiteindelijk zult zegevieren.'

Het werd doodstil in de kamer. Een paar seconden verstreken tot de stilte werd verbroken door het gegil van de buurkinderen.

Javans mond vertrok tot een brede glimlach. Ik had nog nooit gezien dat zijn mond wijder open was dan nodig was om te praten, te snauwen of te grijnzen.

'We wisten vanaf het begin dat het een leugen was,' verkondigde hij.

Het was alsof ik een stomp in mijn maag kreeg en ik deinsde achteruit. In feite vertelde Javan me dat mijn ondervragers vanaf het begin hadden geweten dat ik geen spion was. Toch hadden ze me gedwongen een walgelijke valse bekentenis af te leggen, me gedwongen die vier keer voor de camera te herhalen en die voor altijd vereeuwigd terwijl ze me meer dan vijf weken hadden opgesloten.

Toen glimlachte ik ook. Ik glimlachte omdat ik me eindelijk realiseerde wat voor belachelijk spelletje deze mensen vanaf het begin met me hadden gespeeld.

'Ik heb besloten,' zei ik, 'dat ik nog liever sterf dan dat ik op basis van deze leugens word vrijgelaten.'

Javans glimlach verdween meteen. Hij wilde me de pen weer geven en zei: 'Schrijf dit dan maar op: "Ik ben bereid geëxecuteerd te worden."'

'Dat weiger ik op te schrijven,' zei ik met klem.

Hij grinnikte nerveus, alsof ik hem – de steronderzvrager – te schande maakte, in het bijzijn van zijn collega's. Ik was niet langer het 'jij mag het zeggen'-meisje. Eindelijk had ik een grens getrokken.

'Goed dan,' zei hij, met zijn kenmerkende onverstoorbaarheid. 'Schrijf dan maar op dat uw hele bekentenis een leugen was.'

'Oké,' zei ik, 'dat zal ik doen.' Ik scheurde het vel papier in stukken en pakte een nieuw vel papier.

Het verhaal over meneer D was onjuist, schreef ik. Daarna schreef ik voor het eerst dat ik was gedwongen te liegen. *Onder druk heb ik dat verhaal verzonnen, omdat mijn ondervragers me hadden verteld dat dit de enige manier was om vrijgelaten te worden.* Ik schreef ook dat mij was verteld dat ik geheime documenten in mijn bezit had, maar dat nu was gebleken dat dit niet het geval was.

Ik ondertekende het papier en gaf het aan Javan.

Hij las mijn tekst en zei dreigend: 'Denk maar niet dat het iemand iets kan schelen als u in de gevangenis blijft. Er is zo veel ander nieuws dat ze moeten brengen. U bent zelfs geen klein berichtje in de krant waard.'

Ik zweeg omdat ik zijn hatelijke opmerking geen antwoord waardig vond. De andere drie mannen stonden op om te vertrekken. Ik vroeg of ik een foto van mijn familie mee naar Evin mocht nemen, een beetje Iraans geld en een paar boeken. Dat vonden ze goed, als ze de boeken konden goedkeuren. Daarom pakte ik twee dikke delen van *The Story of Civilization* van Will Durant, mijn bijbel en de koran in het Engels.

In de auto op de terugweg naar Evin dacht ik na over Javans woorden: 'We wisten vanaf het begin dat het een leugen was.'

Ik vroeg me af hoe vaak mijn gijzelnemers en hun collega's ook andere gevangenen opzettelijk vals hadden beschuldigd. Misschien waren ze niet echt paranoïde, maar deden ze net alsof, om hun valse beschuldigingen tegen mensen zoals ik te ondersteunen.

Maar als de autoriteiten wisten dat ik geen spion was, waarom hadden ze me dan eigenlijk gearresteerd?

Mijn ondervragers hadden tegen me gezegd dat ze wisten dat ik het land binnenkort zou verlaten. Misschien wilden ze een deel terug van het geld dat ze hadden uitgegeven om me al die jaren in de gaten te houden. Ze leken ook verontwaardigd over het feit dat ik verschillende Iraniërs had geïnterviewd voor een boek dat ik in het buitenland had willen publiceren, buiten het bereik van hun censuur. Maar in plaats van dat ze me gewoon hadden gewaarschuwd dat ik het niet mocht schrijven, hadden ze een valse bekentenis uit me gewrongen waarmee ze me in de toekomst konden dwingen voor hen te spioneren. Mijn bekentenis konden ze ook gebruiken om hun bewering te staven dat Amerika in heel Iran spionnen had en om hun verlangen om de Iraanse samenleving nog meer beperkingen op te leggen te verdedigen, zogenaamd om de nationale veiligheid te beschermen. Bovendien konden mijn ondervragers mijn gevangenschap gebruiken om hun steun aan anti-Amerikaanse hardliners te consolideren en andere mensen met twee nationaliteiten angst aan te jagen, schrijvers en journalisten in Iran en Iraniërs die voorstander waren van betere betrekkingen met het Westen.

Hoe meer ik over de verschillende mogelijkheden nadacht, hoe meer ik geloofde dat waar ik de afgelopen weken getuige van was geweest, neerkwam op het onderwerp 'macht': bepaalde mensen met macht misbruikten die om individuen te onderdrukken die volgens hen een bedreiging vormden voor die macht.

'Bel uw ouders op,' zei een man tegen me, 'en zeg dat het goed met u gaat.'

Vroeg in de ochtend had ik opdracht gekregen mijn chador aan te trekken omdat ik weer naar de rechtbank ging. Het verbaasde me dat ik daar al zo snel weer naartoe moest, slechts één dag nadat ik mijn bekentenis had ingetrokken. Geblinddoekt was ik naar beneden gebracht, waar een man wiens stem ik niet herkende me mijn mobiele telefoon gaf.

'Vertel uw ouders dat u vandaag naar de rechtbank gaat en dat u over twee of drie dagen wordt vrijgelaten,' zei hij tegen me. 'Zeg verder niets.'

Dit kon ik moeilijk geloven. Waarom zouden ze me vrijlaten nadat ik mijn valse bekentenis had ingetrokken?

Ik trok mijn blinddoek iets omhoog om het telefoonnummer van mijn ouders te kiezen.

Mijn vader nam op. 'Roxana, gaat het wel goed met je?'

'Ja hoor, dad. Het gaat goed met me,' zei ik. 'Ze hebben me opdracht gegeven te zeggen dat ik vandaag naar de rechtbank ga en dat ik over twee of drie dagen waarschijnlijk word vrijgelaten.' Daarna voegde ik er, de woorden van de bewaker negerend, aan toe: 'Maar ik weet niet zeker of dat waar is.'

'Maar wij hebben ook gehoord dat je binnenkort wordt vrijgelaten.'

'Echt waar?' Ik kon dat nieuws nog niet geloven. 'Dat weet ik nog niet zo zeker, dad. Ik heb tijdens mijn verhoor een paar verklaringen afgelegd die niet waar waren, maar gisteren heb ik eindelijk de waarheid verteld. Dad, als je ooit iets ziet of hoort, ook al komt het uit mijn eigen mond, moet je het niet geloven, oké?'

Ik hoopte dat hij begreep dat ik het had over de videoband met mijn valse bekentenis. Ik wist dat mijn gevangenbewaarders het niet op prijs zouden stellen dat ik dit zei, maar daar kon ik me niet langer druk over maken.

'Oké,' zei hij. 'Maar maak je geen zorgen. We doen zo veel we kunnen om je te helpen, Roxana, en het ministerie van Buitenlandse Zaken heeft om je vrijlating gevraagd.'

'Het ministerie van Buitenlandse Zaken?' Ik had me niet gerealiseerd dat mijn zaak al op dat niveau was beland. Het was een troost te weten dat ik dergelijke steun had, maar ik vond het ook vreselijk toen ik me realiseerde dat mijn gevangenschap nieuwe spanningen tussen de beide landen had veroorzaakt op een moment waarop de kans op toenadering groot leek.

'Word je gemarteld, Roxana?'

'Nee, maar het is...' Ik probeerde de juiste woorden te vinden. '... spiritueel en psychologisch erg uitdagend.'

De bewaker gebaarde dat ik moest ophangen.

'Ik moet ophangen, dad.'

'Roxana, vergeet dit niet: je ziel kunnen ze nooit pijn doen.'

'Je hebt gelijk, dad,' zei ik met een brok in mijn keel. 'Ik hou van jullie allemaal. Maak je maar geen zorgen om mij. Het komt wel goed met me.'

Zodra ik mijn mobieltje aan de bewaker had overhandigd, wilde hij weten waarom ik me niet aan zijn instructies had gehouden.

'Ik heb mijn vader alleen maar de waarheid verteld,' antwoordde ik.

'Hm,' zei hij. 'Hoe dan ook, uw ondervrager en Hâj Âghâ zeiden dat het hun speet dat uw vrijlating zo lang op zich heeft laten wachten, maar ze hebben hun best gedaan.'

Ik knikte. Werd ik dan echt vrijgelaten?

De bewaker bracht me naar een busje voor Sectie 209, waar een aantal mannelijke gevangenen wachtte. Niemand had handboeien om en deze keer, voor het eerst, ik ook niet.

Het was iets warmer geworden en de bewaker die op de passagiersstoel zat, vond het goed dat we toen we op de snelweg reden het raampje een stukje opendeden. Een vervuilde wind blies tegen mijn gezicht, zodat ik mijn ogen half dicht moest knijpen.

Mijn chador maakte een piepend geluidje toen ik me op een met plastic beklede stoel liet zakken. De bewaker had me naar de afdeling Beveiliging van de rechtbank gebracht. Maar in plaats van naar het kantoor van de magistraat was ik naar een ruim vertrek aan de rechterkant van de gang gebracht. Daar stond ik voor een man die alleen achter een bureau zat en over zijn grijzende baard streek.

Zonder iets te zeggen, had hij me met een gebaar duidelijk gemaakt dat ik in een van de vele beklede stoelen moest gaan zitten. Ze roken muf en zagen er oud uit, ook al waren ze nog steeds in plastic gewikkeld alsof ze net uit de winkel kwamen. Ik had een stoel uitgezocht die zo ver mogelijk van het bureau af stond, omdat ik dacht dat ik de persoonlijke ruimte van een mannelijke ambtenaar van de Islamitische Republiek maar beter kon respecteren.

De bebaarde man bladerde door een paar paperassen toen een jongere, slanke man met een donkere baard binnenkwam, op een stoel vlak voor het bureau ging zitten en me met een priemende blik in zijn kraalogen aankeek.

Daarna begon de oudere man me zonder enige introductie vragen te stellen, over waar ik was opgegroeid, waarom ik naar Iran was gekomen, voor wie ik tijdens mijn verblijf in Iran reportages had gemaakt, waarom ik 'de neiging had antiregimereportages te schrijven' (hoewel hij geen enkel voorbeeld gaf) en allerlei vragen stelde over het boek dat ik aan het schrijven was.

Ik beantwoordde al zijn vragen, hoewel ik niet begreep waarom ik een advocaat had als hij niet aanwezig was bij alweer een nieuw verhoor. De man bleef me maar vragen stellen, tot hij over meneer D begon.

Mijn bekentenis over meneer D was vals, vertelde ik en ik voegde eraan toe dat mij was gezegd dat ik die bekentenis had moeten afleggen om vrijgelaten te kunnen worden.

De jongere man trok een wenkbrauw op. Daarna sprak hij voor het eerst. 'Waarom verandert u uw verhaal nu?' vroeg hij op uitdagende toon.

'Omdat ik me later realiseerde hoe schadelijk de gevolgen van mijn valse bekentenis zouden kunnen zijn,' vertelde ik. 'Het zou de Amerikaans-Iraanse betrekkingen kunnen schaden, maar ook andere mensen met een dubbele nationaliteit en journalisten zoals ik.'

'Bent u bereid een leugendetectortest te ondergaan?' vroeg hij.

'Ja, graag!' zei ik, enthousiast over deze optie. 'Daar ben ik al vanaf dag één toe bereid.'

Hij lachte hol.

'Tja,' zei de oudere man, 'ik had besloten u vrij te laten, maar nu wil ik dat niet meer.'

'Waarom niet?'

'Omdat uw advocaat gisteravond twee interviews heeft gegeven,' antwoordde hij nonchalant. 'Advocaten maken alles altijd ingewikkelder. Zij leggen verklaringen af om zichzelf te promoten.'

'Ik weet niet waarom meneer Khorramshahi interviews heeft gegeven,' zei ik, 'maar ook al is dat zo, waarom moet ik daar dan voor boeten?'

Hij negeerde mijn vraag en vervolgde: 'Hebt u gisteren toen u bij meneer Sobhani was met hem gesproken?'

Sobhani zou de magistraat wel zijn. 'Ja,' zei ik.

'Ik wist het wel,' zei de andere man glunderend. Daarna zei hij: 'Ik heb nog niet besloten hoe lang ik u in de gevangenis zal laten, misschien een paar maanden, misschien een of twee jaar.'

Ik was verbijsterd. Die ochtend was me verteld dat ik werd vrijgelaten en nu hoorde ik precies het tegenovergestelde. Maar wie deze man ook was, hij leek meer invloed te hebben dan alle andere mensen die ik tijdens mijn gevangenschap had ontmoet. En als het formaat van zijn kantoor iets duidelijk maakte over zijn positie, dan had hij een hogere rang dan Sobhani.

'Wanneer ik ooit besluit u vrij te laten,' zei hij, 'zal ik u waarschijnlijk verbieden het land te verlaten, tot de mediagekte over uw zaak is bedaard.'

Ik wist dat als hij me in Iran vasthield het ministerie van Veiligheid me kon blijven monitoren en intimideren. Maar het was altijd beter om uit de gevangenis te zijn, ook al mocht ik het land niet verlaten, dan om achter de tralies te zitten.

Daarna zei de jongere man weer iets. 'Bent u bereid om voor de camera kritiek op de vs te leveren?'

Ik huiverde.

'Daar gaat ze nooit in mee,' zei de man achter het bureau droog. 'Ze is Amerikaanse.'

'Ik ben Amerikaanse én Iraanse,' zei ik. 'Ik hou van beide landen.'

De jongere man lachte spottend toen ik dit zei en maakte een weids gebaar naar zijn collega. 'Weet u niet wie deze man is?'

'Ik heb hem nog niet eerder gezien,' antwoordde ik.

'Dit is meneer Haddad,' zei hij trots.

'Sorry,' zei ik. 'Ik heb nog nooit van u gehoord.'

De jongere man zei, vol bewondering: 'Meneer Haddad is de man die studenten bekritiseren omdat hij hun medestudenten tot gevangenisstraf veroordeelt.'

Haddad haalde zijn schouders op alsof deze prestatie niet veel voorstelde. 'Juffrouw Saberi heeft waarschijnlijk nog niet met dat soort dingen te maken gehad.'

'Daar hebt u gelijk in,' zei ik. 'Dat heb ik niet. Dus u bent de baas van meneer Sobhani?'

'Ja, dat zou je kunnen zeggen,' antwoordde Haddad terwijl hij zijn borst een beetje opzette. 'Maar goed, op de een of andere manier hebben we allemaal met elkaar te maken.' Daarna voegde hij er abrupt aan toe: 'Ga nu weg.'

'Wacht,' zei ik. Ik wilde niet vertrekken voordat ik Haddad had verteld wat ik dacht. 'U en uw collega's lijken het erg te vinden dat ik een boek aan het schrijven was, maar ik probeerde dat zo evenwichtig mogelijk te doen. Ik beschreef zowel de kansen als de uitdagingen in de Iraanse samenleving. Er is geen land ter wereld dat alleen kansen heeft en geen uitdagingen. Als ik op die manier over Iran zou hebben geschreven, zouden buitenstaanders het nooit geloven. U denkt misschien dat mijn research en reportages voldoende reden zijn om me in de gevangenis te houden, maar wat ik hier vandaag heb gezegd was de waarheid.'

Haddad luisterde rustig naar me, maar toen hij begon te praten betrok zijn gezicht. 'Amerika heeft Guantánamo Bay en Abu Ghraib, maar waarom schreeuwt de wereld dat we de mensenrechten schenden als wij een Amerikaanse vrouw een maand in de gevangenis stoppen?'

Door naar deze plaatsen te verwijzen leek het alsof Haddad zijn afschuw van Amerika op mij botvierde. Iran en andere islamitische landen waren vooral woedend geworden door de levendige verslagen over Amerikaanse soldaten die in 2004 Iraakse gevangenen in de Abu Ghraib-gevangenis mishandelden. Als Teheran Washington van hypocrisie beschuldigde, hadden ze het vaak over deze verslagen, maar ook over beschuldigingen van marteling in het Amerikaanse Guantánamo Bay.

'En waarom,' vervolgde hij, 'bemoeit Amerika zich met binnenlandse kwesties van andere landen? Waarom onderdrukt Amerika zo veel mensen en landen die toevallig altijd islamitisch zijn?'

'Ik ben het niet eens met alles wat de Amerikaanse regering doet,' zei ik. 'Maar ik ben niet verantwoordelijk voor de politiek en de daden van Amerika. Daar heb ik niets mee te maken.'

Haddad perste zijn lippen op elkaar. In plaats van antwoord te geven, wijdde hij zijn aandacht weer aan de paperassen op zijn bureau en zei weer dat ik moest gaan.

Ik begreep dat ik niets meer tegen deze mannen kon zeggen. De enige manier waarop ik hun mening over mij zou kunnen veranderen, was door hun mening over Amerika te veranderen, en dat was onmogelijk.

In het busje terug naar Evin maakten mijn medegevangenen grapjes met elkaar. Het was wel duidelijk dat ze allemaal zouden worden vrijgelaten. Maar mijn hoop, die deze ochtend nog voorzichtig was gegroeid, was nu de bodem ingeslagen.

Vrij, niet vrij; vrij, niet vrij; en nu, zoals de kennelijk invloedrijke Haddad me had verteld, niet vrij; misschien twee jaar lang niet.

Terug in mijn cel vertelde ik mijn celgenoten over mijn ontmoeting met Haddad. Sara had wel eens van hem gehoord en ook van zijn assistent Heidarifard, waarschijnlijk de naam van de jongere man in het kantoor. Ze vertelde dat de beide mannen radicale hardliners waren. Haddad was Teherans plaatsvervangend openbaar aanklager voor veiligheidszaken. Hij werkte onder Saedad Mortazavi, de beruchte onbuigzame openbaar aanklager van Teheran, die naar men zei zijn opdrachten van de Allerhoogste Leider kreeg. Mensenrechtenactivisten bekritiseerden Mortazavi voor het opsluiten van veel activisten, studenten en bloggers, en beschuldigden hem van betrokkenheid bij de dood van journalist Zahra Kazemi, een beschuldiging die hij ontkende.

Mortazavi, had ik gehoord, stond ook bekend als de Beul van Teheran en als de Slager van de Pers.

16

Een bebaarde man overhandigde me een vel papier en beval me het te ondertekenen. Ik vond het moeilijk te begrijpen en daarom las Braces de tekst hardop voor. Het was zoiets als: *U, Roxana Saberi, zult worden vrijgelaten tegen een borgsom van vijf miljard rial.*

Ik wist niet zeker of ik het had begrepen en vroeg haar het nog eens voor te lezen. Dat was op de dag nadat ik Haddad had ontmoet en zij had me naar de begane grond van Sectie 209 gebracht, naar het kantoor van deze man.

Braces las de tekst nog eens voor en bevestigde wat ik dacht dat ze had gezegd.

'Echt?' vroeg ik.

'Ja,' antwoordde ze. Toen ze glimlachte, zag ik haar tanden glinsteren.

Ik kon onmogelijk te weten komen wat er achter de schermen en buiten de gevangenis gebeurde. Maar deze keer werd me niet alleen verteld dat ik zou worden vrijgelaten, maar had men me ook gevraagd een formulier te ondertekenen waarin ik officieel op de hoogte werd gebracht van mijn ophanden zijnde vrijlating.

Ik zou de rechtbank een eigendomsakte moeten geven ter waarde van vijf miljard rial, ongeveer vijfhonderdduizend dollar. Het appartement van mijn vader was niet zo veel waard, maar misschien zou de rechtbank wel akkoord gaan met een lagere borgsom.

Snel ondertekende ik het papier. Ik kon niet wachten om het mijn celgenoten te vertellen.

Terug in mijn cel had ik mijn chador nog niet eens uitgetrokken toen Braces alweer in de deuropening verscheen. Ze vertelde me dat ik een bespreking had met mijn advocaat om over mijn borg te praten. 'Maar zeg tegen hem,' voegde ze eraan toe toen ze me de vrouwenvleugel uit bracht, 'dat die is verhoogd tot tien miljard rial.'

Ik had problemen met het aantal nullen, maar rekende dat bedrag in gedachten om in dollars. 'Maar dat is ongeveer één miljoen dollar!' riep ik uit. Ik had nog nooit gehoord dat er in Iran zo'n hoge borg werd gevraagd. Braces ook niet.

Khorramshahi zat al op me te wachten toen een bewaker me naar een gebouwtje vlak achter de gevangenispoort en vervolgens naar een kamer met een aantal hokjes bracht, waar advocaten hun cliënten konden spreken. Ik ging aan een wit tafeltje tegenover Khorramshahi zitten.

'Bent u al naar mijn appartement geweest om mijn eigendomsakte op te halen?' vroeg ik hem.

Hij schudde zijn hoofd.

'Waarom niet?'

Hij schoof naar me toe en zei bijna onhoorbaar: 'De autoriteiten houden me misschien in de gaten.'

Ik liet mijn schouders hangen. Als mijn advocaat te bang was om mijn eigendomsakte op te halen, wie moest het dan doen?

'Maar nu moet u hem echt voor me gaan halen,' zei ik en ik vertelde hem wat er die ochtend was gebeurd. Khorramshahi zei dat hij wilde nagaan of de rechtbank alleen de eigendomsakte van mijn appartement als borg zou accepteren, maar ik zou nog een paar dagen moeten wachten omdat hij de stad uit zou zijn voor een gesprek met een andere cliënt.

Korte tijd later zei de bewaker dat mijn tijd op was. Ik vroeg Khorramshahi's mobieletelefoonnummer, maar hij had geen pen en moest daarom een pen lenen van een advocaat in het hokje achter ons.

'Trouwens,' zei ik toen ik vertrok, 'gisteren heb ik meneer Haddad gesproken.'

'Echt waar?'

'Ja, en hij zei tegen me dat hij me in de gevangenis liet zitten omdat u de pers interviews hebt gegeven.'

'Maar ik heb helemaal geen interviews gegeven,' zei Khorramshahi met een verbaasde blik.

Als dat waar was, had Haddad tegen me gelogen. Het was maar goed dat ik niets meer met hem te maken had omdat ik hier binnenkort weg zou zijn.

Om mijn aanstaande vrijheid te vieren, besloot ik mezelf mooi te maken. Ik zou immers de week daarop worden vrijgelaten, aan het begin van de Noroez, dertien dagen van vreugde waarop Iraniërs altijd hun vrienden en familieleden bezoeken. Als voorbereiding op die festiviteiten, maakten ze hun huis meestal van boven tot onder schoon en gingen ze allemaal naar de kapper of de schoonheidssalon. In de lift in het gerechtsgebouw had ik heel even een glimp van mezelf opgevangen en gezien dat ik inmiddels één lange wenkbrauw had.

Hoewel het me niets had kunnen schelen als ik een báárd had gekregen op deze walgelijke plek, begreep ik dat ik, als ik voor de feestdagen niet naar een schoonheidssalon kon gaan, met oud en nieuw een behoorlijk harig uiterlijk zou hebben. Het bezit van een pincet was verboden, maar Sara had een paar dagen eerder een stukje zwart garen gepikt, toen Haj Khanom haar een naald en wat draad had gegeven om een gat in haar gevangenisuniform te herstellen. Nu wikkelde Sara het van een opgevouwen tissue af en ging aan de slag. Toen zij met dat draadje behendig de haren tussen mijn wenkbrauwen uittrok, deed dat niet echt pijn. Heel anders dan de eerste keer dat mijn wenkbrauwen op die manier waren geëpileerd, kort nadat ik naar Iran was verhuisd.

In die tijd had ik niet veel aandacht aan mijn gezichtshaar besteed en hoewel ik van nature minder haar op mijn gezicht had dan de gemiddelde Iraanse vrouw hadden mijn Iraanse vriendinnen tegen me gezegd dat ik er echt iets aan moest doen. Ze hadden me meegenomen naar de plaatselijke schoonheidssalon, waar ik een totaal ander domein van de Iraanse maatschappij had leren kennen. In die manloze zone konden de vrouwen hun hijab afdoen en op een ontspannen manier aan hun uiterlijk werken door een knipbeurt, een manicure of pedicure, harsen, cosmetische make-overs en het met een draadje epileren van allerlei ongewenste haartjes.

Mijn schoonheidsspecialiste boog zich over me heen en viel me aan met haar touwtje. Het had zo erg geprikt dat de tranen me in de ogen sprongen. Toen ik mijn tranen depte, had ze me lachend getroost met een populaire uitspraak onder Iraanse vrouwen: *Bekosh o khoshgel-am kon;* 'Vermoord me, maar maak me mooi'. Mooi voor hun man, mooi voor feestjes achter gesloten deuren, waar de vrouwen vaak hun hijab afdeden, en mooi voor voorbijgangers op straat die toevallig naar hun onbedekte gezicht keken.

Twee of drie minuten later ging Sara rechtop zitten, inspecteerde mijn gezicht en zei met een tevreden glimlach: 'Je bent helemaal klaar.'

'Ik heb de Koran naar je vrijlating gevraagd,' fluisterde Nargess die avond tegen me. De koran lag zoals gebruikelijk opengeslagen voor haar.

'En?' vroeg ik en ik kroop dichter naar haar toe.

'Hij zei dat je op z'n vroegst over een maand en uiterlijk over een jaar zult worden vrijgelaten.'

Dat was onmogelijk, zei ik tegen haar, omdat ik de komende dagen op borg zou worden vrijgelaten.

'Nee,' antwoordde Nargess, 'de Koran zegt over meer dan een maand maar korter dan een jaar.'

Ik bedankte haar, maar ik viel die avond in slaap in de hoop dat haar voorspelling zou worden overtroefd door die van de beide zussen die eerder hadden voorspeld dat ik vóór Noroez zou worden vrijgelaten.

Vida, Sara en ik tuurden door het getraliede raampje in onze celdeur om een glimp op te vangen van Nargess, die gekleed in haar eigen kleren en hoofddoek ten afscheid naar ons zwaaide. Het was woensdag 11 maart en ze ging naar huis.

'Vergeet niet,' had ze me voor ze vertrok gezegd, 'dat ik altijd je zus zal zijn.'

De volgende dag werd Vida onverwacht uit onze cel gehaald. Sara en ik bleven achter en we vroegen ons af of ze was vrijgelaten of naar de gewone gevangenis was overgebracht, waar ze andere familieleden of mko-leden zou kunnen treffen.

De dagen daarna probeerden we onszelf bezig te houden door in onze cel oefeningen te doen en naar televisieseries te kijken waar ik toen ik nog vrij was nooit naar had willen kijken, zoals politieseries, gewelddadige films en De profeet Jozef. Als we geluk hadden, zond de irib de Zuid-Koraanse serie Jumong uit; de knappe held van die serie was tegenwoordig zeer geliefd in Iran. Europese voetbalwedstrijden en herhalingen van Dr. Quinn, Medicine Woman werden na middernacht uitgezonden, zodat we daarvoor opbleven en tot de middag sliepen. Dit dagschema had als bijkomend voordeel dat we de langste en ergste periode van de dag verkortten: de tijd tussen het ontwaken en de ontdekking dat we nog steeds in Evin zaten, en de avond.

Om te voorkomen dat onze hersenen zouden wegkwijnen door het vele tv-kijken, discussieerden we ook urenlang over politiek, economie en de Iraanse samenleving. Sara vertegenwoordigde een nieuwe generatie van jonge, hoogopgeleide Iraanse vrouwen die kennis hadden gemaakt met allerlei denkbeelden. De afgelopen jaren was ongeveer vijfenzestig procent van de eerstejaarsstudenten vrouw. Vrouwenrechtenactivisten vonden deze trend bemoedigend, maar sommige conservatieven vonden dat het de samenleving ondermijnde en onder Ahmadinejad was de regering begonnen met het instellen van seksequota voor eerstejaarsstudenten.

Critici beweerden dat deze quota voornamelijk waren ingesteld omdat men bang was dat hoogopgeleide vrouwen meer politieke, maatschappelijke en economische eisen zouden stellen dan niet-opgeleide vrouwen en daardoor moeilijker te beteugelen waren. Zij voerden ook aan dat seksequota op universiteiten de discriminatie vergrootten die vrouwen op andere gebieden ook al te verduren hadden.

Iraanse vrouwen hadden in het algemeen meer rechten – zoals de vrijheid om auto te rijden, een eigen zaak te hebben en na het huwelijk hun eigen achternaam te behouden – dan veel vrouwen elders in het Midden-Oosten. Een aantal vrouwen bezette een politieke post, was professioneel coureur of werkte als brandweervrouw. Toch zorgde de manier waarop het regime de islam interpreteerde ervoor dat andere rechten werden beperkt. Een vrouw had bijvoorbeeld maar recht op de helft van de erfenis die een man kon krijgen en haar getuigenverklaring in de rechtbank was maar half zoveel waard als die van een man. Een man mocht maximaal vier echtgenotes hebben en kon veel gemakkelijker scheiden dan een vrouw. Een campagne onder het gewone volk had geprobeerd een miljoen handtekeningen te verzamelen om de eis tot het wijzigen van die wetten te ondersteunen, ook al hadden de autoriteiten veel vrijwilligers bedreigd en opgesloten.

Sara vertelde me dat haar verloofde het toejuichte dat ze doorstudeerde en het vreselijk zou vinden als ze de hele dag thuis zou blijven om het huishouden te doen. Toen ze over hem praatte, drukte ze haar dekens tegen haar borst, alsof ze hem omhelsde.

Ik dacht dat Sara algauw zou worden vrijgelaten. Ze was al akkoord gegaan met de eis van haar ondervrager dat ze zodra ze vrij was haar activiteiten als studentenactiviste zou beperken. Toch was ze geen studentenleider en haar ondervragers beschouwden haar niet echt als een belangrijke vangst. Ze wachtten waarschijnlijk alleen maar tot de wond bij haar oog genezen was zodat ze niet met het fysieke bewijs van haar schermutseling terug zou keren naar de universiteit. De wond genas goed, was eerst groen en daarna geel geworden en viel nu steeds minder op.

Opeens hoorden we in de verte een dof geluid, alsof iemand werd geslagen.

Sara krabbelde overeind, zette het geluid van de tv uit en drukte haar oor tegen het raampje in onze celdeur.

'Hoor je dat?' vroeg ze fluisterend.

Een man schreeuwde het uit, ergens voorbij de vrouwenvleugel. 'Ik ben geen spion! Ik ben geen spion! Ik beken toch niet!'

Sara draaide zich vliegensvlug om. De snee op haar jukbeen was weer vuurrood geworden.

'Dat is mijn verloofde!' riep ze uit. 'Ik herken zijn stem!'

Ze keek onze cel rond tot haar blik op een aluminium kan met sinaasappelsap viel. Ze schonk de inhoud in de gootsteen en draaide de kan rond tot hij kapotscheurde. Daarna kraste ze met een scherpe rand over een van haar polsen.

'Wat dóé je?!' riep ik.

Sara zei dat ze bereid was haar pols open te snijden als dat nodig was om toestemming van haar ondervrager te krijgen om haar verloofde te zien. Ze vroeg een dienstdoende bewaakster haar ondervrager te vragen of ze hem mocht zien. Er verstreken een paar minuten, maar er kwam geen antwoord.

'Ik weet dat het mijn schat was,' mompelde Sara steeds. Ze wiegde van voor naar achter en omklemde haar dekens. 'Dat weet ik gewoon.'

Toen de avond viel, werd ze afwezig en keek ze met een lege blik naar de tv. Toen we naar bed gingen, had ze zich erbij neergelegd dat ze moest wachten. Die nacht mompelde ze in haar slaap steeds weer de naam van haar verloofde.

Sara hoefde niet lang te wachten. De volgende dag, op maandag 16 maart, mocht ze haar verloofde zien. Ze was opgelucht toen bleek dat hij niet degene was geweest die we hadden horen jammeren, hoewel we allebei medelijden hadden met de ongelukkige man die dat wel had gedaan. Door dit alles was ik wel dankbaar dat Bahman in elk geval niet ook in de gevangenis zat, hoewel ik wel bang was dat mijn gevangenbewaarders hem op allerlei andere manieren hadden lastiggevallen.

Ondertussen werd ik steeds zenuwachtiger over mijn eigen situatie. De laatste werkdag voor het Iraanse nieuwjaar was al over twee dagen en dan zou de rechtbank een paar dagen dicht blijven. Als Khorramshahi mijn eigendomsakte dan nog niet had gebracht, zou ik Nieuwjaar in Evin doorbrengen.

Op woensdagochtend werd Sara naar de rechtbank gebracht. De bewaakster die wij Cheeks noemden omdat ze zo'n dik gezicht had, zei tegen mij dat ik weer een bespreking met mijn advocaat had. Ze liep met me mee naar het gebouw waar ik Khorramshahi de vorige keer ook had gesproken en gleed in de stoel naast me, tegenover mijn advocaat. Ze had kennelijk opdracht gekregen ons gesprek te volgen.

Khorramshahi begroette me en vertelde me daarna dat de Zwitserse ambassade, die de Amerikaanse belangen in Iran behartigde, toestemming had gevraagd voor een consulair bezoek aan mij in Evin, maar de Iraanse autoriteiten hadden dat verzoek nog niet ingewilligd.

Ik begreep niet waarom de Zwitsers me hier wilden bezoeken nu ik binnenkort vrijgelaten zou worden.

'Hebt u de eigendomsakte al uit mijn appartement opgehaald?' vroeg ik Khorramshahi.

'Nee,' zei hij.

Kennelijk was hij nog altijd te bang om daarnaartoe te gaan.

Khorramshahi sloeg zijn blik neer en zei: 'Ik sta onder heel veel druk, héél veel druk.'

Ik wachtte tot hij dit uitlegde, maar dat deed hij niet, misschien omdat Cheeks alles wat we zeiden hoorde. Ik begon te denken dat mijn advocaat, ondanks zijn kennelijk goede bedoelingen en vriendelijke houding, te bang was om mijn belangen te behartigen. De rechtbank of het ministerie van Veiligheid had hem kennelijk op de een of andere manier bedreigd.

'Trouwens,' zei Khorramshahi, 'ik heb de magistraat gevraagd uw borg te verlagen, maar hij zei dat hij uw dossier nog niet had teruggekregen.'

'Dat begrijp ik niet,' zei ik. 'Ik heb al een formulier ondertekend waarin staat dat ik op borg word vrijgelaten.'

Khorramshahi fronste zijn voorhoofd. 'Is dat zo?'

'Ja,' antwoordde ik. Ik werd steeds ongeduldiger. 'Dat heb ik u de vorige keer al verteld.'

Ik voelde dat ik woedend werd. 'Als deze mensen me niet gauw vrijlaten, is dat om me te straffen omdat ik mijn bekentenis heb ingetrokken en dan ga ik in hongerstaking,' verklaarde ik.

'Nee, nee,' zei Khorramshahi hoofdschuddend. 'Dat moet u niet doen.'

Ik keek hem kwaad aan.

'Maar,' vroeg hij, 'waar bent u eigenlijk van beschuldigd?'

'Weet u dat dan nog niet?' vroeg ik verbaasd.

'Ik heb uw dossier nog niet kunnen inzien.'

Eigenlijk wist ik ook niet zeker waar ik officieel van werd beschuldigd. De enige keer dat mij iets was verteld over de tenlastelegging was op de tweede dag in de gevangenis en toen werd ik ervan beschuldigd de nationale veiligheid in gevaar te brengen.

'Ze zeggen dat ik een spion ben,' zei ik.

Hij haalde zijn schouders op. 'Wat is de hoogste straf die ze u voor spionage kunnen geven? Hooguit een jaar.'

Ik schrok omdat mijn advocaat niet leek te weten dat je daar de doodstraf voor kon krijgen.

'Maar ik kan hier niet nóg een maand blijven, laat staan een jaar,' protesteerde ik. 'Ik ben onschuldig. Er is immers geen enkele reden me gevangen te zetten.'

'U moet blijven hopen,' zei Khorramshahi afkeurend. 'Ik heb een cliënt die hier al jaren zit en toch zegt ze elke keer als ik haar zie tegen me: "Meneer Khorramshahi, je moet altijd blijven hopen."'

'Dat kunt u gemakkelijk zeggen,' snauwde ik. 'U bent vrij. Ik zit in de gevangenis!'

Cheeks zei dat mijn tijd op was. Ik had mijn zaak met Khorramshahi willen bespreken nadat ik dat teleurstellende nieuws over mijn borg had gehoord, maar daarvoor hadden we niet genoeg tijd en ook niet voldoende privacy.

Toen ik opstond om te vertrekken, zei Khorramshahi: 'Blijf alstublieft eten.'

'Ik zal erover nadenken,' antwoordde ik nors.

'Je was altijd zo goedgehumeurd,' zei Cheeks toen we buiten liepen, te-rug naar Sectie 209. 'Wat is er met je gebeurd?'

'Zou jij niet kwaad zijn als ze de ene dag tegen je zeiden dat je wordt vrijgelaten en de andere dag tegen je zeggen "Nou, misschien niet"?'

'Nou, ja,' zei ze. 'Maar je moet wel eten.'

Ik had geen zin om daarop in te gaan en keek omhoog naar de lucht. Het was een ongebruikelijk heldere dag in Teheran, totaal anders dan de dagen waarop de lucht zo vervuild was dat de scholen dichtgingen en mijn alleen-voor-vrouwensportschool de vrouwen verbood hard te lo-pen op de loopband omdat dit slecht was voor hun gezondheid.

Ik kon zelfs de Alborz-bergen zien. Ik had heel vaak samen met vrienden in de parken op de hellingen gewandeld en gepicknickt. Ik was ook naar een populair skioord geweest, ongeveer een uur verderop. Tijdens de Noroez-vakantie zouden deze bergen worden overspoeld met gezinnen en jonge mannen en vrouwen die elk beschikbaar groen plekje zouden innemen. Maar het leek erop dat ik mijn Iraanse Nieuw-jaar in een gevangeniscel zou doorbrengen.

'Waar heb je dat formulier voor je borg ondertekend waar je het over had?' vroeg Cheeks.

Ik vertelde haar over de bebaarde man op de begane grond van 209. Ze zei dat ze wist wie hij was, een ambtenaar die Jaffari heette. Ik vroeg of ik hem kon spreken en dat vond ze goed.

Toen ik tegen Jaffari zei dat mijn advocaat niets over mijn borg had gehoord, leek hij verbaasd. Hij pakte zijn telefoon en begon sissend te-gen iemand te praten. Na een minuut of twee hing hij op en zei dat hij navraag had gedaan bij een collega bij de Revolutionaire Rechtbank.

'De magistraat wilde u op borg vrijlaten,' vertelde Jaffari, 'maar me-neer Haddad heeft die beslissing teruggedraaid.'

Cheeks zei iets tegen me toen we terugliepen naar de vrouwenvleu-gel, maar ik was te ontmoedigd om te luisteren. Ik wilde met Sara pra-ten. Zij leek te begrijpen hoe alles hier toeging en ik moest haar vragen wat dit volgens haar betekende. Wat zou er met me gebeuren nu ik uit-eindelijk toch niet op borgtocht zou worden vrijgelaten?

Mijn cel was leeg. Sara en haar bezittingen waren verdwenen. In de af-valbak onder de gootsteen lag een plastic bord met een paar rijstkorrel-tjes erop. Sara was kennelijk vrijgelaten.

Ik ging tegen een muur zitten en bonkte er zachtjes met mijn hoofd tegenaan, alsof ik de wirwar van gedachten in mijn hoofd wilde ontknopen.

Ik dacht dat er een grote kans bestond dat mijn zaak voor de rechter zou komen. Haddad had gezegd dat hij me dan tot twee jaar gevangenisstraf zou veroordelen. Maar ik had gehoord dat andere gevangenen met een dubbele nationaliteit waren vrijgelaten. Waarom had ik niet ook op borgtocht vrijgelaten kunnen worden? Mijn ondervragers waren kennelijk woedend dat ik hun plannen had gedwarsboomd nadat ik eerst had toegezegd te zullen meewerken. Nu ze me niet langer konden dwingen voor hen te spioneren, waren ze bovendien niet meer geloofwaardig als ze de video met mijn valse bekentenis zouden uitzenden nadat ik aan de autoriteiten, aan mijn advocaat en impliciet aan mijn vader had verteld wat ik had gedaan. Ik dacht dat ik waarschijnlijk nu al vrij zou zijn als ik mijn bekentenis pas had ingetrokken nadat ik was vrijgelaten, zoals enkele andere gevangenen hadden gedaan.

Hoe dan ook, ik zou niets meer te weten komen tot na de Noroezvakantie, die ongeveer tweeënhalve week zou duren.

Ik wilde bidden, maar dat kon ik niet. Als God rechtvaardig was, waar was Zijn rechtvaardigheid dan? Ik begon te twijfelen of het wel slim was geweest mezelf te dwingen de waarheid te vertellen, ongeacht de gevolgen daarvan.

Opeens zag ik iets glinsteren aan de andere kant van de cel. Ik kroop er over de vloer naartoe en ontdekte Sara's medicijnen tegen haar verkoudheid. Ik griste het flesje van de vloer en stopte het in het plastic tasje waar ik mijn shampoo en tandpasta in bewaarde. Misschien zou dat flesje nog van pas komen, dacht ik. Ik was niet echt van plan zelfmoord te plegen, maar ik stelde me voor dat ik net genoeg bloedde zodat ik nog leefde als de bewaaksters me vonden en dat ze dat zo'n probleem vonden dat ze me zouden vrijlaten.

Ik zette de televisie aan, maar ik bleef stil liggen zonder ernaar te kijken. Er liepen een paar tranen langs mijn wangen. Ze kriebelden, maar ik liet ze met rust.

De lucht werd donker en in de verte hoorde ik vuurwerk knallen. Dat herinnerde me eraan dat het de vorige dag Chahâr Shanbeh Suri was geweest. Op de laatste dinsdag van het Iraanse jaar liepen alle Iraniërs naar buiten om vuurwerk af te steken en over kleine brandjes in hun straten en tuinen te springen; een Zarathoestra-ritueel waardoor je het volgende jaar een goede gezondheid zou hebben. Kennelijk staken sommige mensen nu het overgebleven vuurwerk af.

De mensen buiten leefden hun gewone leven, maar ik moest in deze ellendige cel zitten.

Ik vouwde een arm onder mijn hoofd en staarde naar de familiefoto die ik van thuis had meegebracht. Mijn broer, die vijfentwintig was toen deze foto in 2005 werd genomen, zag er mager uit. Dat was een jaar voordat hij bij het leger was gegaan op zoek naar discipline en persoonlijke ontwikkeling, nadat hij was gestopt met een masteropleiding geneeskunde. Ik vroeg me af wat hij zou hebben gedaan als hij in Afghanistan door de taliban gevangen zou zijn genomen. Hij zou waarschijnlijk moedig zijn geweest.

Een paar jaar na de middelbare school had Jasper boeken over grote leiders in de geschiedenis verslonden, in een poging iets van hun sterke en zwakke kanten te leren. Hij was zich zo bewust geworden van zijn eigen normen en waarden dat toen ik hem een keer computersoftware gaf die goedkoop was gekopieerd in Iran, waar de auteursrechten niet voor buitenlands werk golden, hij die niet had willen aannemen.

Als Jasper me hier nu zou zien mokken, zou hij zeer waarschijnlijk Confucius citeren: 'Ze probeerden rechtschapen te handelen, en dat deden ze ook; en waarover konden zij misnoegd zijn?'

Ik stond op. Ik sloeg mijn bijbel open bij het evangelie van Mattheus en ging wanhopig op zoek naar teksten die me konden troosten. Uiteindelijk kwam ik bij de Bergrede van Jezus:

> *Maakt u zich dus geen zorgen: 'Waar moet ik mijn eten vandaan halen? Of mijn drinken? Of mijn kleren?'... Maar maakt u zich zorgen over al het andere binnen het Koninkrijk Gods en over wat Hij van u verlangt, dan zal Hij u al die andere zaken schenken.* ¹

Ik had die passage al eerder gelezen, toen ik nog vrij was, maar ik had nooit gedacht aan wat die woorden nu voor me zouden betekenen.

Ik kan nadenken over morgen, maar ik hoef me er geen zorgen over te maken. In plaats daarvan moet ik me richten op wat er vandaag van me wordt verlangd: denken aan God in alles wat ik doe en niet toelaten dat de onrechtvaardigheden of de wreedheden mijn geest of mijn ziel plagen. Ik zal ophouden met verlangen naar het verleden of naar de wereld buiten deze muren en ik zal mezelf beloven dat ik niet meer zal huilen tot de dag waarop ik word vrijgelaten – wanneer dat ook zal zijn – en dan zal ik vreugdetranen huilen.

Ik hoorde de deur van mijn cel krakend opengaan. Ik keek op en zag Haj Khanom.

'Pak je spullen,' zei ze. 'Je gaat nieuwe vriendinnen ontmoeten.'

17

'Ik ben Mahvash,' zei een klein vrouwtje met grijs haar en vriendelijke ogen terwijl ze me met mijn dekens hielp.

'En ik ben Fariba,' zei een andere vrouw van halverwege de veertig. Ze glimlachte en stak haar hand uit.

Haj Khanom had me in een cel naast mijn vorige cel gezet, waarvan Vida had gezegd dat ze daar met twee bahaivrouwen had gezeten.

Mahvash en Fariba hadden me door het getraliede raampje in hun celdeur vaak op de gang heen en weer zien lopen, vertelden ze toen ik naast hen op mijn dekens ging zitten. Ze hadden gehoord dat ik uit Amerika kwam en ze wilden dat ik hun wat Engels leerde. Dat wilde ik graag doen. Als ik toch in Evin moest blijven, kon ik maar beter iets doen wat waardevol was voor andere mensen.

Mijn nieuwe cel zag eruit alsof de bewoners hier al lange tijd waren. De twee vrouwen hadden een grote hoeveelheid dekens verzameld, die als een tapijt de helft van het vloeroppervlak bedekten. Een stuk van een muur stond vol boeken en er stond een familiefoto tegenaan. Deze cel had net als mijn vorige een televisie.

'Hoe lang zijn jullie hier al?' vroeg ik.

De twee vrouwen keken elkaar aan, alsof ze deze vraag al veel vaker hadden gehoord.

'Een jaar,' zei Mahvash.

'Tien maanden,' zei Fariba.

Ik rilde. En toch glimlachten ze nog.

Ik had gelezen dat bahaïsten in Iran waren vervolgd en gediscrimineerd sinds hun geloof in de negentiende eeuw in Perzië was gegrondvest door een man die Bahá'u'lláh heette. Critici over de hele wereld beschuldigden de Islamitische Republiek ervan dat ze systematisch de rechten van de bahaïsten schonden. Het regime beschouwde die religie als ketters, omdat de islam volgens de islamitische leer de laatst geopenbaarde religie was en daarom geen enkele latere religie legitiem was. Toch ontkenden de Iraanse autoriteiten vaak dat bahaïsten en andere religieuze minderheden in het land oneerlijk werden behandeld.

Mahvash vertelde me dat ze een half jaar alleen in een cel had gezeten. Fariba, die op dezelfde dag als vijf bahaïstische mannen was gearresteerd, had vier maanden alleen in een cel gezeten. In die tijd hadden de zeven bahaïsten vrijwel geen contact met hun familie gehad en mochten ze alleen maar de Koran lezen. Toen Mahvash en Fariba eindelijk samen in een cel werden gezet, hadden ze achtenveertig uur lang met elkaar gepraat.

De zeven bahaïsten waren vervolgd omdat ze lid waren van de Bahaïstische Nationale Assemblee, een gekozen orgaan dat zich bekommerde om de behoeften van de bahaïsten in Iran, die volgens deze groepering met meer dan driehonderdduizend waren.

Na de Islamitische Revolutie waren enkele leiders verdwenen of geëxecuteerd, en veel bahaïsten werden aangevallen, gearresteerd en onder druk gezet om hun geloof af te zweren. Langzaam maar zeker kwam er een einde aan de executies, maar de bahaïsten werden uitgesloten van overheidsbanen en universiteiten namen bahaïstische studenten niet aan of schorsten ze. De bahaïstische gemeenschap richtte uiteindelijk een eigen onofficiële universiteit op, waar Mahvash de leiding van had en waar Fariba een graad in de psychologie had behaald.

'Als jullie in Iran zo veel beperkingen worden opgelegd, waarom verlaten jullie het land dan niet gewoon?' vroeg ik de twee vrouwen, me bewust van het feit dat veel andere religieuze minderheden na de revolutie waren geëmigreerd. 'Jullie hadden gemakkelijk een visum kunnen krijgen.'

'We houden van Iran en we willen niet alleen de bahaïsten hier dienen maar ook het hele land,' antwoordde Mahvash. Fariba was het met haar eens.

Zij en hun vijf collega's waren beschuldigd van onder andere belediging van religieuze heiligheden en spionage voor Israël, een beschuldiging die volgens mijn celgenoten alleen maar was ontstaan doordat het wereldhoofdkwartier hier gevestigd was. Deze beide aanklachten konden resulteren in de doodstraf.

Ondanks de ernst van deze beschuldigingen hadden de gevangenen nooit toestemming gekregen hun advocaten te zien, Abdolfattah Soltani en Shirin Ebadi. Ik had gelezen dat Ebadi, mensenrechtenactiviste en winnares van de Nobelprijs van de Vrede, met de dood was bedreigd omdat ze de groep verdedigde.

Mahvash vertelde me dat de bahaïsten helemaal geen bedreiging vormden voor het land, omdat de Iraanse bahaïsten niet gewelddadig waren en politiek onpartijdig. Bovendien ontkenden ze iedere subversieve daad tegen het regime. De zeven leiders waren zelfs akkoord gegaan met de eisen van hun gevangenbewaarders om de landelijke en regionale bahaïstische assemblees in Iran op te heffen, maar ze bleven gevangenzitten, net als bijna dertig andere bahaïsten in het land.

'We zijn bereid een compromis te sluiten met de autoriteiten van dit land,' zei Mahvash. 'Maar we trekken een grens als het gaat om onze religieuze taken.'

'Het regime,' voegde Fariba eraan toe, 'wil bijvoorbeeld niet dat we andere mensen kennis laten maken met ons geloof, maar wij voelen het als onze plicht de grondbeginselen van ons geloof te delen met mensen die daarin geïnteresseerd zijn.'

Tijdens het praten maakten de beide vrouwen een salade klaar. Fariba waste een paar wortels en komkommers die ze hadden gekocht, die Mahvash met een bot mes schilde. De vrouwen leken zo kalm, alsof ze die salade in de veiligheid van hun eigen keuken maakten.

'Hoe kunnen jullie hier zo rustig blijven?' vroeg ik.

'Wij zijn van mening dat het heel normaal is dat nieuwe religies zoals die van ons met dit soort uitdagingen geconfronteerd worden,' zei Mahvash zonder van haar komkommers op te kijken. 'We proberen deze uitdaging om te zetten in een kans.'

'Kans?' vroeg ik verbaasd. 'Welke kans?'

Mahvash keek op en glimlachte om de kennelijk verbijsterde uitdrukking op mijn gezicht. 'Wij vertrouwen erop dat God doet wat het beste is voor onze gemeenschap,' zei ze. 'Als Hij denkt dat wij ons geloof beter kunnen dienen door hier te blijven, dan accepteren we dat.'

'Maar als jullie alles aan God en je geloof overlaten,' zei ik, 'wat blijft er dan over van je eigen vrijheid van handelen?'

Fariba schudde haar hoofd. 'We laten niet álles aan God over,' zei ze. 'We kiezen zelf wat we hier doen en zeggen, en dat zijn heel belangrijke keuzes. We proberen niet uit het oog te verliezen welke repercussies onze daden in de gevangenis voor andere bahaïsten kunnen hebben.'

'Met andere woorden,' vertelde Mahvash, 'we doen wat volgens ons juist is. Door dat te doen, zetten we een stap naar God en wij geloven dat Hij dan tien stappen naar ons zal zetten.'

Haar woorden herinnerden me aan een bekende Farsi-spreuk, *Az to harakat, az khodâ barakat*. Dat betekent zoiets als: God helpt hen die zichzelf helpen.

'En waar word jij van beschuldigd?' vroeg Mahvash terwijl ze de wortels in schijfjes sneed.

Ik vertelde haar en Fariba dat ik mijn valse bekentenis had ingetrokken en dat Haddad had besloten me in de gevangenis te laten zitten. Toen ik uitverteld was, vertelden ze me dat ze, ook al hadden ze hun cel met talloze vrouwen gedeeld, nog nooit zoiets hadden gehoord.

'Er was moed voor nodig om je verklaring te herroepen,' zei Mahvash, 'zelfs nog meer dan wanneer je in eerste instantie helemaal geen valse verklaring had afgelegd.'

'Het betekent veel voor me dat je dat zegt,' zei ik, dankbaar voor haar geruststellende woorden.

Ze begon de salade over drie plastic bakjes te verdelen.

'Geef mij alsjeblieft niets,' zei ik.

'Waarom niet?'

'Omdat ik vanavond begin met een hongerstaking.'

De twee vrouwen keken elkaar aan en toen mij. 'Waarom?' vroegen ze tegelijk.

'Omdat ik boos ben dat ik in de gevangenis zit omdat ik de waarheid heb verteld.'

'Wij geloven niet in hongerstakingen,' zei Fariba.

'En de rechtbank zal dagen gesloten zijn vanwege de vakantie,' voegde Mahvash eraan toe. 'Je hongerstaking zal dus niet veel invloed hebben op welke ambtenaar dan ook, als dat je bedoeling zou zijn.'

Het zou veel beter zijn, zeiden ze, als ik wachtte tot de vakantie voorbij was en, als ik nog steeds vastbesloten was, er daarna mee te beginnen. Dat klonk logisch en daarom at ik die avond mijn salade en mijn avondeten op. Mijn eetlust was ook wel geprikkeld door het gezelschap van mijn twee nieuwe vriendinnen.

Ik wist niet goed wanneer of waar Mahvash en Fariba hun nieuwe Engelse woordenschat dachten te gebruiken, maar gedurende de volgende dagen leerde ik hun termen die ze zouden moeten kennen om te kunnen winkelen, koken en reizen, maar ook uitdrukkingen die ze niet echt hoefden te kennen, zoals vloeken.

De vrouwen schreven de nieuwe woorden op met een pen die hun ondervrager hun had gegeven nadat ze een aantal maanden in de gevangenis hadden gezeten. Haj Khanom waarschuwde hen dat ze deze schat zou afpakken als ze hem voor iets anders gebruikten dan het opschrijven van woorden en om kruiswoord- en sudokupuzzels te maken uit de kranten die ze om de paar dagen kregen. De bewaaksters gaven hun meestal een van deze drie kranten: de conservatieve *Keyhan*, de *Iran*, die staatseigendom was en, veel minder vaak, de gematigde *Ettela'at*.

Als aanvulling op de Engelse lessen, die onderdeel vormden van onze dagelijkse routine, deden we twee uur per dag oefeningen in onze cel en lazen we boeken. Nu we ons aan een bepaald tijdschema hielden, ging de tijd sneller voorbij en hadden we het gevoel dat we het beste van onze situatie maakten.

Op verschillende momenten van de dag spraken mijn beide celgenoten hun gebed uit en ik dat van mij. Op mijn verzoek leerden ze me een paar bahaïstische hymnen, zoals *Heilige, Heilige, God onze Heer, God van de engelen en de geest.*

We zorgden ervoor dat we heel zachtjes zongen, vooral nadat ik was berispt omdat ik onder de douche zo hard 'Stille nacht, heilige nacht' had gezongen dat de mannen in de buitenste gang me konden horen.*

Ik had de schoonheid van liederen nooit eerder zo ervaren als toen mijn celgenoten en ik deze eenvoudige bahaïstische hymnen neurieden. Het gaf niets dat onze stemmen een beetje vals klonken. Als we samen zongen, voelde ik me tijdelijk vanuit onze sombere omgeving overgeplaatst naar een plaats met innerlijke vrede.

Een paar dagen later was het Iraans Nieuwjaar.

De Noroez ervoor had ik samen met Bahman en zijn moeder door-

---

* Volgens sommige conservatieve gelovigen is de stem van een vrouw uitdagend en kan deze bij mannen onbetamelijke seksuele gedachten oproepen. In de Islamitische Republiek mag een vrouw in het openbaar meestal geen solo's zingen, tenzij ze optreedt voor een publiek dat alleen uit vrouwen bestaat en ze wordt begeleid door een band die alleen uit vrouwen bestaat.

gebracht in de Iraanse provincie Koerdistan; de Noroez daarvoor samen met vrienden, ook in Koerdistan; de Noroez daarvoor in Teheran; de Noroez daarvoor... Dit was mijn zevende Noroez in Iran en mijn eerste in de gevangenis.

Noroez werd al duizenden jaren gevierd. Nadat de Iraanse opstandelingen in 1979 aan de macht waren gekomen, probeerden enkelen de pre-islamitische tradities, zoals Noroez, uit te bannen, omdat deze de islamisering van het land in de weg zouden kunnen staan. In officiële documenten werden, waar mogelijk, verwijzingen naar Iran vervangen door verwijzingen naar de islam. Toespelingen op het in de zesde eeuw v.Chr. door Cyrus de Grote gestichte Perzische Rijk verdwenen vrijwel geheel uit de schoolboeken.

Maar veel Iraniërs verzetten zich tegen het negeren van de Perzische cultuur. Net zoals sjah Mohammed Reza en zijn vader sommige Iraniërs van zich hadden vervreemd door het islamitische aspect van hun identiteit te bagatelliseren, realiseerde het islamitische regime zich dat ze door het minachten van de pre-islamitische Iraanse cultuur veel van de binnenlandse steun zouden kwijtraken die ze nodig hadden, vooral tijdens de Irak-Iran-oorlog. Om de nationale eenheid tegen de Iraakse indringers te schragen, blies het regime het Iraanse nationalisme nieuw leven in.

Sinds 1980 had de Allerhoogste Leider het land jaarlijks toegesproken op Noroez. Ondertussen waren de Noroez-rituelen een belangrijke rol blijven spelen, zelfs binnen de meest gelovige families. Volgens de traditie plaatsten ze hun tafels met zeven symbolische objecten waarvan de naam begon met de Farsi-letter *seen*, bijvoorbeeld een *seeb* of een appel, die de elementen verbeeldt die aan de oude Zarathoestra werden geofferd, zoals planten en water.

In de afgelopen dagen hadden Mahvash en Fariba dat soort objecten verzameld: een appel die ze hadden gekocht, de groene uitlopers van rottende wortels en een paar munten die ze apart hadden gelegd. Deze objecten legden ze op een dun plastic kleedje op de vloer.

Naast dit kleed legden ze een boek van Hafiz, de aanbeden veertiende-eeuwse Perzische dichter. Veel Iraniërs bezaten een exemplaar van zijn *Divan* en gebruikten dit boek om aan de hand van willekeurig gekozen gedichten de toekomst te voorspellen.

Een uur of twee voordat het nieuwe jaar zou beginnen, vroegen Mahvash en Fariba de *Divan* hun toekomst te voorspellen. Een van de gedichten die ze lazen, bevatte deze strofen:

Ooit zal de verloren Jozef terugkeren naar Kanaän, treur niet.
De hut van zorgen zal een rozentuin worden, treur niet.
Dit door verdriet bedrukte hart zal zich herstellen, vrees niet.
En deze opgewonden geest zal vrede vinden, treur niet.

Op dat moment ging de deur van onze cel open en strompelde een vrouw van een jaar of dertig met onverzorgd, lang zwart haar naar binnen. Ze liep voorovergebogen en ze had haar ogen halfdicht. Het leek alsof ze elk moment in elkaar kon zakken.

We liepen snel naar haar toe om haar te helpen met haar dekens en we legden haar voorzichtig neer. Haar naam was Parisa, mompelde ze, en ze had alleen in een cel gezeten sinds zij en haar broer een paar dagen eerder waren gearresteerd. Ze had de hele tijd niets gegeten.

We boden Parisa wat fruit aan. Ze aarzelde, maar nam het toen aan. En dus zetten we haar met haar rug tegen de muur, waarna ze begon te eten; eerst lusteloos, maar na elk hapje iets energieker. Toen het op was, ging ze weer liggen, met haar hoofd iets omhoog op een opgevouwen deken, en vertelde ons haar verhaal.

Parisa werkte als administratief medewerkster en was, net als mijn vroegere celgenote Samira, aanhanger van de We Exist-beweging onder leiding van Channel One in Los Angeles. Ze had tegen de bewaaksters gezegd dat ze geen zin had in eten, maar in werkelijkheid had ze er bewust voor gekozen om op thee na niets te nemen. Als gevolg daarvan waren haar bloedglucosespiegel, haar bloeddruk en haar hartslag helemaal van slag en was haar diabetes verergerd.

Mahvash, Fariba en ik luisterden eerst en vertelden Parisa vervolgens ons eigen verhaal. Ik begon met te vertellen wie ik was, maar ze zei dat ze dat al wist. Ze had mijn foto gezien in verschillende reportages op de satelliet-tv, hoewel ze niet had gehoord dat ik van spionage was beschuldigd. Het leek erop dat de Iraanse autoriteiten dat niet bekend hadden gemaakt. Toen ik haar vertelde dat ik mijn valse bekentenis dat ik voor de Verenigde Staten had gespioneerd had ingetrokken, viel haar mond open en schudde ze verbaasd haar hoofd.

'Je had moeten wachten tot na je vrijlating,' zei Parisa. 'Nu zullen ze je nooit vrijlaten.'

'Wat er ook gebeurt,' zei ik, onaangedaan door haar woorden, 'inmiddels ben ik bereid de gevolgen van dat besluit te accepteren.'

Op onze televisie begon het aftellen naar Nieuwjaar. Terwijl de televisie feestelijke muziek uitzond, omhelsden en zoenden wij elkaar. Om de stemming te verhogen, begonnen we daarna moppen te tappen.

Eigenlijk vertelde ik de moppen en luisterden de drie andere vrouwen. Vreemd genoeg leek ik de enige te zijn die moppen kende, ook al waren die allemaal Iraans. Ik had tientallen moppen gehoord over de Iraanse politiek, kernenergie en gasrantsoenering. Veel ervan bevatten stereotypen over de etnische minderheden in het land en andere mensen uit gebieden buiten Iran. Esfehani's zouden bijvoorbeeld gierig zijn en Azeri's saai, terwijl Rashti's hun vrouwen meer vrijheden gaven dan de meeste Iraanse mannen. Sommige Iraniërs vonden dit soort moppen terecht kwetsend, terwijl anderen vonden dat ze deel uitmaakten van de humor die je wel móést hebben om het in Iran te redden.

Ik vertelde een mop die Bahman me een keer had verteld. Hij maakte de Koerden een beetje belachelijk, maar ik dacht dat als een Koerd die mop kon vertellen ik dat ook wel kon doen.

'Hoe martel je een Koerd?' vroeg ik.

Mijn celgenoten haalden hun schouders op.

'Door hem twee dagen lang een strakke spijkerbroek te laten dragen.'

Ze proestten het uit. Koerdische mannen droegen meestal een wijde broek die deel uitmaakte van hun traditionele kledij.

Op verzoek van mijn publiek vertelde ik nog een mop.

'Op een dag deden drie spionnen – een uit Amerika, een uit Rusland en een derde uit Iran – een wedstrijd,' zei ik. 'Ze moesten een *khar*, een ezel, vinden en daar zo snel mogelijk mee terugkomen. De eerste die met een ezel terugkwam, was de Amerikaanse agent. Hij zei tegen de rechter: "Kijk eens, dit is een ezel."

Een paar uur later kwam de Russische agent bij de rechter. "Kijk eens," zei hij, "dit is een ezel."

Een paar dagen later kwam de Iraanse agent bij de rechter met een konijn. "Kijk eens," zei hij, "Dit is een ezel."

De rechter snapte er niets van. "Maar dat is een *khar-gush*, een konijn," zei hij, "geen khar."

"Dat is echt wel een khar," zei de Iraanse agent. "Vraag hem maar wat hij is, dan zal hij het u wel vertellen."

En inderdaad, toen de rechter het konijn vroeg wat hij was, antwoordde hij dat hij een ezel was.'

Mijn celgenoten schaterden het uit. 'Je bent precies zoals het konijn, Roxana,' riep een van hen en ze gaf me een klap op mijn rug.

'Stilte!' riep iemand in de deuropening. Het was Braces. Ze keek ons fronsend aan en klapte de celdeur weer dicht.

Kennelijk konden we het te goed met elkaar vinden, want in het begin van de week daarop werden Mahvash en Fariba naar een andere cel overgeplaatst.

Elke nacht werd ik een paar keer wakker om Parisa's pols te voelen en te controleren of ze nog ademde.

Ze was weer opgehouden met eten en was steeds zwakker geworden. De bewaaksters keken amper naar haar om. Kennelijk vertrouwden ze erop dat ik het wel zou vertellen als ze op het randje van de dood leek te zweven.

Op een dag ging ik met haar mee naar de dokterspost, waar de arts zei dat hij zich grote zorgen maakte over haar verslechterende gezondheid. Hij zei dat hij haar in een ziekenhuis buiten de gevangenis zou laten onderzoeken. Vergeleken met die van Parisa waren mijn gezondheidsproblemen onbelangrijk, maar toch vertelde ik de arts hoe het met me was. Ik was gedurende de afgelopen vijf weken drie weken ongesteld geweest, mijn hart sloeg sinds mijn hyperventilatie-aanval in eenzame opsluiting een paar keer per dag op hol en ik had huiduitslag door mijn synthetische gevangenistrui. Nadat de arts mijn klachten had aangehoord, bood hij me pillen aan tegen mijn onregelmatige menstruatie, zei dat ik de Koran moest lezen om mijn hart te kalmeren en besloot dat mijn huid uit zichzelf zou moeten genezen.

Daarna vroeg ik hem of hij het goedvond dat ik tandzijde kreeg om mijn gebit te flossen, een haarborstel als vervanging van het dunne kammetje dat de bewaaksters aan de gevangenen gaven en een zachte deken voor onder mijn beurse staartbotje. De arts antwoordde dat de eerste twee dingen in 209 verboden waren en dat ik verder maar moest wennen aan het slapen op een harde ondergrond.

De volgende dag brachten de gevangenisautoriteiten Parisa naar een ziekenhuis buiten Evin. Terwijl ze daar was, viel ze flauw en ze moest in een rolstoel teruggebracht worden.

Parisa vertelde haar ondervragers niet dat ze erge hoofdpijn kreeg. Ze slikte zelfs de pillen niet meer die de bewaaksters haar twee keer per dag brachten: ze stopte ze onder haar tong en spuugde ze uit zodra ze vertrokken waren. Ze maakte zich geen zorgen over haar gezondheid, zei ze. Ze ging nog liever dood dan dat ze opgesloten bleef in Evin.

Toen Parisa zo slap was geworden dat ze niet meer door de gang naar de dokterspost kon lopen, moest de arts naar onze cel komen om haar te onderzoeken.

Ook kreeg ze een keer bezoek van een man die volgens de bewaaksters de directeur van de gevangenis was. Hij zei tegen Parisa dat ze moest gaan eten. Ze antwoordde dat ze dat zou proberen en vroeg toen of ze haar ouders mocht bellen.

Ik maakte van deze gelegenheid gebruik om te vragen of ik mijn ouders ook mocht bellen. Een paar dagen eerder had ik Haj Khanom gevraagd of ze mijn verzoek aan mijn ondervrager wilde doorgeven, maar ze vertelde me dat hij op vakantie was en onbereikbaar was. De directeur zei dat hij over ons verzoek zou nadenken en gauw zou terugkomen.

De volgende dag, dinsdag 24 maart, mocht Parisa haar moeder bellen nadat ze had beloofd een beetje te eten. Ik werd opgehaald door een mannelijke agent om mijn ouders te bellen, deze keer met een telefoon in de gang. Mijn hand trilde toen ik mijn blinddoek optilde om het nummer van mijn ouders in te toetsen. Ik wist dat ik hooguit een paar minuten met hen kon praten en dus alles moest zeggen wat ik wilde zeggen voordat de agent me zou laten ophangen.

Mijn vader nam op.

'Dad,' zei ik, in het Farsi zoals de agent me had opgedragen. 'Ik heb niet veel tijd. Luister alsjeblieft alleen.'

Ik vertelde dat de plaatsvervangend openbaar aanklager had besloten me niet vrij te laten en tegen me had gezegd dat ik misschien wel twee jaar in de gevangenis moest blijven. Ik wist niet zeker of er een rechtszaak zou komen, zei ik tegen mijn vader, maar ik wilde een tweede advocaat. Mijn vader stelde Mohammed Dadkhah voor. Die naam kwam me bekend voor en ik ging ermee akkoord.

Daarna vertelde ik dat ik niet veel hoop meer had en misschien wel in hongerstaking zou gaan.

Toen ik dat zei, zag ik in het glas van het telefoonhokje dat de agent verstijfde.

'Trek je niets aan van wat die mensen tegen je zeggen,' zei mijn vader in een poging me te troosten. 'Wij doen er alles aan om je uit de gevangenis te krijgen. Ga alsjeblieft niet in hongerstaking. Dat kan heel gevaarlijk zijn voor je gezondheid.'

De agent hield zijn hand inmiddels boven de haak en gebaarde woedend dat ik de verbinding moest verbreken.

'Dad, ik moet ophangen,' zei ik snel. 'Ik hou van je.'

'Waarom zei je tegen hem dat je in hongerstaking wilt gaan?' brieste de man toen hij me terugbracht naar de vrouwenvleugel. 'Jouw zaak ligt politiek al bijzonder gevoelig. Zo maak je alles alleen maar erger.'

Parisa's gevangenbewaarders zaten kennelijk niet te wachten op een dode vrouw met suikerziekte. Ze besloten haar eind maart vrij te laten, nadat de gevangenisarts haar in hun bijzijn had onderzocht en de uitslag desastreus was. Om te worden vrijgelaten moest ze net als Samira een verklaring ondertekenen dat ze nooit meer zou deelnemen aan We Exist-activiteiten. Maar haar broer, die ook een aanhanger van deze groepering was, bleef achter de tralies.

Na Parisa's vertrek hoopte ik dat ik een nieuwe celgenote zou krijgen, maar Haj Khanom zei dat dit van mijn ondervrager afhing, maar dat hij nog altijd niet terug was van vakantie.

Misschien had hij zijn gezin meegenomen naar Persepolis, de officiële hoofdstad van het oude Perzische Rijk. Deze plaats in het zuidwesten van Iran was een populaire bestemming voor veel Iraniërs, zelfs voor de meest conservatieve.

Deze keer vond ik het veel minder erg om alleen te zijn dan tijdens mijn eerste twee weken in eenzame opsluiting. Niet alleen wisten mijn ouders nu waar ik was, maar ik had ook mijn boeken. Daarin las ik woorden die me hielpen om mijn situatie in perspectief te zien. Bepaalde passages uit het werk van Will Durant bijvoorbeeld hadden een speciale betekenis voor me, zoals een tekst over Girolamo Savonarola, een vijftiende-eeuwse Italiaanse priester. Hoewel zijn vernietiging van kostbare manuscripten en renaissancekunst verwerpelijk was, raakte zijn ervaring in gevangenschap een snaar bij mij:

Savonarola, zenuwachtig en uitgeput, bezweek algauw onder de martelingen en gaf alle antwoorden die hem werden aangereikt. Toen hij was hersteld, trok hij zijn bekentenis in; weer werd hij gemarteld, weer gaf hij toe. Na drie beproevingen stortte hij in en ondertekende een warrige bekentenis...

Naast Will Durant herlas ik *De zin van het bestaan,* een Farsi-vertaling die Faribe bij me had achtergelaten. Ik had dit boek op de middelbare school gelezen, maar was vergeten wat Viktor Frankl, die de Holocaust had overleefd, had geschreven over 'de laatste van de menselijke vrijheden' – de mogelijkheid om 'te kiezen welke houding je aanneemt ten opzichte van de situatie waarin je verkeert...' Enkele van mijn voormalige celgenoten hadden deze vaardigheid gebruikt door te weigeren zich hun waardigheid, hun moraal en hun innerlijke vrijheid te laten afnemen, ondanks de moeilijke situatie waarin ze zich bevonden. De vrouwen voor wie ik de meeste bewondering had, hadden de uitdagingen waarvoor ze waren gesteld gebruikt om zichzelf te verbeteren, terwijl ze een voorbeeld vormden voor anderen, zowel binnen als buiten de gevangenis.

Tijdens deze periode in eenzame opsluiting was ik ook rustiger omdat ik me realiseerde dat ik niets kon doen om mijn situatie te verbeteren, aangezien het hele land tijdens deze feestdagen min of meer platlag. Ik was nog altijd van plan om na de feestdagen in hongerstaking te gaan, maar alleen als ik zeker wist dat mijn zaak voor de rechter zou komen. Het was prettig dat ik een plan had.

Op een dag hoorde ik vroeg in de middag vrij dichtbij vrouwen in hun handen klappen en fluiten.

Het gejuich werd luider en luider, waardoor ik terugdacht aan een avond bijna twee jaar eerder, toen ik in de buitenwijken van Teheran naar de bruiloft van een vriendin was gegaan. De locatie was zo onopvallend dat de twee vrouwen die me hadden meegenomen twee keer langs het gebouw reden voordat we het ontdekten. We hoorden helemaal geen muziek vanaf de straat en het enige wat we konden zien was een oud pakhuis. Maar zodra we de poort door waren, onze trainingsbroek uittrokken die we onder onze jurk hadden gedragen en het gebouw binnenliepen, kwamen we in een andere wereld. Een live band speelde Iraanse muziek en – in tegenstelling tot de bruiloft van een andere vriendin die ik had bijgewoond, waar de mannen en de vrouwen gescheiden bleven – dansten hier tientallen bezwete mannen en vrouwen onder gekleurde flikkerende lichtjes. Toen de band een nummer begon te spelen dat ik mooi vond, ging ik ook dansen.

Opeens hield de muziek op. De gasten keken verbaasd naar de band, maar toen ze net als de muzikanten naar de deur keken, begrepen ze het. Er waren drie politiemannen in burger binnengekomen.

Toen brak de chaos uit.

'Vrouwen, trek jullie hijab aan!' riep iedereen. De vrouwelijke gasten liepen op hun hoge hakjes naar de garderobe, waar de meeste vrouwen hun hijab hadden afgegeven. De vrouwen achter de balie gaven me snel mijn roopoosh, terwijl de moeder van de bruid riep: 'Ik kan mijn hoofddoek niet vinden!' Een andere vrouw had er twee en gaf eentje aan haar.

De drie ongenode gasten waren gekomen, zo bleek, om een einde aan het feest te maken, omdat ze dat als niet-islamitisch beschouwden. Gelukkig, dacht ik, was er geen alcohol geschonken.

Tegen de tijd dat ik de garderobe uit kwam, hadden de gastheren een dik gordijn in de hal dichtgetrokken. De vrouwen stonden aan de ene kant en de mannen aan de andere. Een gast die door een gat in het gordijn keek, vertelde dat de muzikanten hun installatie hadden ingepakt en waren verdwenen, evenals de beide mannen die de bruiloft hadden gefilmd. Minuten verstreken. Niemand wist wat er hierna zou gebeuren. Als we pech hadden, zouden we worden gearresteerd en gegeseld, net als een van mijn vriendinnen nadat ze was opgepakt tijdens een dansfeest waar de seksen niet gescheiden van elkaar waren.

Een klein meisje begon te huilen. Haar moeder knuffelde haar en zei: 'Het is goed, hoor, azizam, het is maar een spelletje.'

Opeens begon een vrouw te zingen. Een andere klapte in haar handen. Het geklap werd luider toen de bruid opstond en ging dansen. Het islamitische regime kon het leven van deze vrouwen in het openbaar misschien wel beheersen, maar ze waren niet van plan hierdoor hun feest te laten bederven.

Ongeveer een uur later vertrokken de mannen in burger. We namen aan dat de gastheren hen hadden afgekocht. De vrouwen trokken hun hijab weer uit, het gordijn werd opzijgeschoven en de festiviteiten werden hervat.

'Waarom juichen ze?' vroeg ik Skinny toen ze mijn celdeur opende om me mijn lunch te geven.

'Dat zijn de vrouwen in de gewone gevangenis,' zei ze. 'Ze mochten vandaag naar de binnenplaats om Nieuwjaar te vieren.'

Ik nam het eten van haar aan. 'Zijn ze buiten aan het dansen?'

'Dat weet ik niet,' antwoordde Skinny. 'Kun jij op de Iraanse manier dansen?'

'Ja,' zei ik en ik dacht aan mijn vele pogingen om de dansbewegingen van mijn vriendinnen te imiteren. 'Maar ik ben er niet zo goed in.'

De bewaaksters bleven die dagen iets langer treuzelen als ze me mijn eten brachten.

In totaal waren er zes bewaaksters in Sectie 209. Mijn celgenoten en ik hadden hun allemaal een bijnaam gegeven: Haj Khanom, Skinny, Braces, Glasses, Grumpy en Cheeks. Ze draaiden om de dag diensten van vierentwintig uur. Op die manier hadden meestal drie vrouwen tegelijk dienst.

Soms vroegen de bewaaksters naar mijn familie en ik naar die van hen, maar ze vertelden maar heel weinig over zichzelf. Ze vertelden me zelfs niet eens hun eigen naam, alsof hun dat verboden was.

Het enige wat ik over hun privéleven had gehoord, was dat Braces aan vechtsporten had gedaan en hoewel ze jonger leek dan ik, had ze een zoon van in de twintig. Skinny was zesentwintig en de jongste van de zes. Zij was van plan over een jaar ontslag te nemen en had net als veel andere Iraniërs haar neus laten doen.

Haj Khanom had gestudeerd op een *howzeh*, een religieus seminarie. Ze werkte al meer dan tien jaar bij Evin en was dus een veteraan. Ze behandelde de gevangenen meestal als gewone mensen en was de enige bewaakster die geblinddoekte gevangenen een hand gaf in plaats van ons aan onze chador of onze arm mee te trekken. En als mijn lippen zo uitgedroogd waren dat ze barstten als ik mijn mond opendeed om te eten, verkocht Haj Khanom me een in het buitenland gemaakte lippenbalsem. Maar ze wilde niet ingaan op mijn verzoeken om een deodorant, een T-shirt of een bh die volgens haar allemaal verboden waren in 209.

Ik had gezien dat de andere bewaaksters meestal, maar niet altijd, beleefd waren tegen de gevangenen. Ik hoorde een bewaakster een keer schelden tegen een vrouw die na maanden eenzame opsluiting onge-controleerd huilde. Een andere keer kreeg een van mijn celgenoten op haar kop van een bewaakster omdat ze haar haar had gewassen op een niet-douchen-dag. (Op drie vaste dagen van de week mochten we ons douchen en onze kleren met de hand wassen.)

Maar meestal waren de bewaaksters niet grof tegen me. Misschien beschouwden ze me meer als een buitenlandse dan als een Iraanse vrouw, en veel Iraniërs behandelden een buitenlander als hun gast.

Toch leken de bewaaksters te denken dat ik, net als de andere gevangenen, de een of andere misdaad had begaan. Als dat niet zo was, zouden we toch niet in de gevangenis zitten?

Een paar bewaaksters leken te genieten van hun autoritaire positie, zoals hun macht om onze celdeur open of dicht te doen als zij dat wilden of het feit dat zij de enige weg naar de wereld buiten onze cel waren. Voor alles wat we wilden, van een telefoontje tot een bezoekje aan het toilet of de dokter, moesten we eerst hen benaderen. De bewaaksters leken het ook leuk te vinden om onze korte uitstapjes naar de binnenplaats te gebruiken voor het zoeken in elk hoekje en gaatje van onze cel naar verboden pennen of aantekeningen die we misschien hadden gemaakt. Vaak fouilleerden ze ons en op elk willekeurig moment van de dag of de nacht loerden ze door het kijkgaatje in onze celdeur, zo vaak dat we hun aanwezigheid altijd voelden, of ze nu wel of niet naar ons keken.

Misschien dachten de bewaaksters dat ze doordat ze ons in hun macht hadden God, de islam en het regime dienden. Volgens mij hadden ze, net als de ondervragers, een conservatieve, religieuze onder- tot middenklasseachtergrond; anders zouden ze niet in een gevangenis als Evin werken. Geen enkele bewaakster droeg make-up of nagellak, in elk geval niet op hun werk. Ik denk dat ze regelmatig in gebed waren, omdat ze op gebedstijden nooit beschikbaar waren en er stak nooit ook maar een lokje haar onder hun hijab uit.

De vrouwen waren misschien blij dat ze een baan hadden met een vast inkomen en geen onzekerheid. En ook al had ik een afkeer van het beroep dat ze hadden gekozen, ik haatte hen zeker niet.

De muren van mijn cel moesten opnieuw worden geverfd, waarschijnlijk om alle teksten te bedekken van eerdere gevangenen, die daardoor geen woorden van troost of advies konden doorgeven aan nieuwe gevangenen wanneer die daar de meeste behoefte aan hadden.

Nadat ik een paar dagen alleen had doorgebracht, bracht Skinny me daarom naar een andere cel in een hoek waar eerder mannelijke gevangenen hadden gezeten.

Tot mijn grote vreugde werd ik daar herenigd met Fariba en Mahvash. Fariba vertrok om de smerige badkamer te boenen die de mannelijke gevangenen kennelijk zelden hadden schoongemaakt. Mahvish en ik omhelsden elkaar dolgelukkig. Ze had van Haj Khanom gehoord dat mijn ondervrager woedend was geworden toen hij hoorde dat ik zonder zijn toestemming bij de beide bahaïsten was geplaatst, maar om de een of andere reden liet hij ons nu toch bij elkaar zitten. Uit dit bericht maakte ik op dat Javan terug was van vakantie. Het was begin april, de Noroez-vakantie was net afgelopen en het land was weer aan het werk gegaan.

Mahvash liet me een recent krantenartikel zien dat ze had bewaard. Hierin stond dat een Amerikaanse staatsambtenaar tijdens een belangrijke conferentie over Afghanistan een brief aan een Iraanse diplomaat in Den Haag had overhandigd. In de brief werd verzocht om tussenkomst van Teheran bij een paar individuele gevallen die voor Amerika van belang waren. Het artikel was zo vaag dat Mahvash en ik niet konden uitmaken wie deze personen waren, hoewel ik dacht dat een van de mensen op deze lijst de Iraans-Amerikaanse student Esha Momeni was, die wel uit Evin was vrijgelaten maar Iran nog altijd niet mocht verlaten; en de voormalige FBI-agent Robert Levinson, die sinds zijn bezoek aan Iran in 2007 was verdwenen, en misschien ikzelf.

De ontmoeting tussen de Amerikaanse en Iraanse staatsambtenaren was een zeldzame kans op een diplomatieke ontmoeting voor de beide landen, hoewel ze overeen leek te komen met de reportages die ik de laatste tijd op IRIB had gezien die wezen op verminderde spanningen tussen Washington en Teheran. President Obama had het volk en de regering van Iran gelukgewenst met Noroez, en een aantal Iraanse staatsambtenaren suggereerden dat er kans was op betere betrekkingen met de Verenigde Staten. Ik vroeg me af of en, zo ja, hoe dit mijn situatie zou beïnvloeden.

Op maandag 6 april werd ik wakker met de smaak van patat in mijn mond. In de gevangenis hadden we deze westerse delicatesse nooit gehad, maar ik had er de avond ervoor over gedroomd. Ik was een groot schoollokaal vol met voormalige klasgenoten binnengekomen en langs hen heen helemaal naar achteren gelopen. Daar zaten mijn ouders met hun rug naar me toe aan een ronde tafel. Ze hadden me waarschijnlijk horen aankomen, want ze draaiden zich om en glimlachten naar me. Daarna boden ze me zwijgend een bord patat aan. Ik stopte een paar frietjes in mijn mond en kauwde erop. Ze waren verrukkelijk, knapperig vanbuiten en zacht vanbinnen, warm en vers met een vleugje zout.

'Je ouders gaan iets voor je doen,' zei Mahvash, nadat ik mijn droom aan haar had verteld. Fariba was het met haar eens en knikte.

De beide vrouwen waren die ochtend in een goede bui, net als elke maandag op dit tijdstip. Op deze dag van de week mochten hun familieleden hen bezoeken, meestal met een glazen ruit ertussen, maar heel af en toe ook zonder. Na het ontbijt haalde Glasses hen op. Ze liepen de cel uit en keken met een schuldbewuste blik achterom, alsof het hun schuld was dat ik niet net als zij kon genieten van het wekelijkse familiebezoek. Er woonden geen familieleden van me in Iran (hoewel Bahman me wel had kunnen opzoeken als we een tijdelijk huwelijk hadden gesloten).

'Ik red me wel,' zei ik met een bemoedigende glimlach. 'Veel plezier.'

Ik was een boek aan het lezen toen een van de bewaaksters een half uur later de celdeur openmaakte en me opdracht gaf me te kleden voor een ontmoeting.

'Met wie?' vroeg ik verbaasd.

'Dat weet ik niet,' antwoordde ze.

Ik dacht dat het mijn advocaat wel weer zou zijn. Nadat ik me had omgekleed, werd ik in een auto gezet. Maar deze keer sloegen we niet rechts af naar het gebouw waar ik Khorramshahi de laatste keer had gesproken, maar links af naar een ander gebouw op het gevangenisterrein. Een bewaker nam me mee naar binnen, waarna we een trap af liepen naar de kelder. Daar zag ik Mahvash, Fariba en vijf mannen in gevangenisuniform, waarschijnlijk hun bahaicollega's. Ik realiseerde me dat hun familiebezoek net afgelopen was en dat ik me in het gebouw bevond dat voor deze bezoeken bestemd was. Mijn twee celgenoten keken me met opgetrokken wenkbrauwen aan.

'Ik weet niet waarom ik hier ben,' zei ik zonder geluid te maken.

De bewaker leidde me langs hen heen een grote hal in. Daar zaten gevangenen met hun families aan ronde plastic tafels, die eruitzagen als goedkoop tuinmeubilair. We liepen langs hen heen naar het uiteinde van de gang. Daar stond Tasbihi op me te wachten met in zijn ene hand zijn gebedskralen en zijn andere om de knop van een dichte deur achter hem.

Met een uitdrukkingsloos gezicht draaide hij de knop om en duwde de deur open.

Daar, midden in een kamertje, stonden mijn moeder en mijn vader.

18

Heel even kon ik me niet bewegen.

De eerste woorden die ik zei, waren: 'Zijn jullie hier helemaal naartoe gekomen om mij te zien?'

En de eerste gedachte die door mijn hoofd raasde, was: stel dat de autoriteiten mijn ouders iets aandoen?

Ze liepen snel naar me toe en sloegen hun armen om me heen. Ik wilde hen nooit meer loslaten.

'Het spijt me zo,' zei ik, met een door hun kleren gedempte stem. Ik probeerde niet te huilen. 'Ik heb jullie zo veel problemen bezorgd.'

'Het is jouw schuld niet, Roxana,' zei mijn vader teder.

'We moesten wel komen omdat wij de enigen waren die je mochten bezoeken,' voegde mijn moeder eraan toe en ze drukte een vochtige zoen op mijn wang.

Tasbihi zei dat we op een bank moesten gaan zitten. Mijn ouders zaten naast me en namen mijn handen in die van hen. De agent ging tegenover ons staan en zei dat we luid moesten praten. Voor zover ik wist, kende Tasbihi geen Engels en daarom nam ik aan dat onze stemmen werden opgenomen door een verborgen apparaat, misschien onder het salontafeltje dat voor ons stond.

'Hoe heet u?' vroeg mijn vader beleefd aan Tasbihi.

'Dat doet er niet toe,' antwoordde hij bars. Arme dad, dacht ik en ik streelde zijn hand. Hij wist niet dat dit soort mensen zich nooit met hun naam voorstelden, en als ze dat wel deden dat het dan een alias was. Mijn vader had in de laatste decennia maar vier korte reisjes naar dit land gemaakt en ik ging ervan uit dat hij niet goed op de hoogte was van de gewoontes in de Islamitische Republiek. Maar hij wist kennelijk wel dat hij geen stropdas moest dragen, omdat het regime een stropdas beschouwde als een decadentie uit het tijdperk van de sjah.

Mijn moeder was gekleed in een lange, vormeloze, donkere jas. Haar grijze krullen staken onder haar paarse hoofddoek uit. Ze leek zich even onwennig te voelen in haar hijab als op deze plek. Ik had altijd gewenst dat mijn moeder me in Iran zou opzoeken, maar zeker niet in deze omstandigheden. Ze had steeds excuses bedacht om niet te komen: in Teheran was te veel luchtvervuiling, te veel verkeer... Nu, zonder de zuivere lucht van North Dakota, had ze waarschijnlijk last van hoofdpijn en haar allergieën.

'Na je laatste telefoontje besloten we te komen,' vertelde mijn moeder. Mijn vader zei dat ze ongerust waren geworden door de toon van mijn stem en doordat ik had gedreigd in hongerstaking te gaan.

'Luider praten,' zei Tasbihi.

Mijn vader, die van nature een zachte stem had, deed zijn best iets harder te praten. Hij vertelde dat hij en mijn moeder twee avonden daarvoor in Teheran waren geland. Bahman had hen van het vliegveld gehaald. Ik probeerde me dat voor te stellen, mijn vriend en mijn ouders die elkaar voor het eerst ontmoetten, samengebracht door mijn gevangenschap.

Bahman had mijn moeder en vader naar mijn appartement gebracht, waar ze nu logeerden, en mijn buurvrouw, de weduwe, had hen gezelschap gehouden en hun maaltijden bereid.

'Weet je zeker dat het hier wel goed met jullie gaat?' vroeg ik mijn vader, omdat ik me zorgen maakte over hun veiligheid.

'De Iraanse ambassadeur bij de Verenigde Naties heeft ons welzijn gegarandeerd,' antwoordde hij.

Dat stelde me gerust. Het leek logisch dat het regime niet wilde dat mijn ouders werden gearresteerd of gedood bij een van die geheimzinnige auto-ongelukken in Iran nu mijn zaak zo veel internationale aandacht had getrokken.

'Hoe lang zijn jullie van plan te blijven?' vroeg ik hun.

'Tot je bent vrijgelaten,' zei mijn vader en hij nam mijn handen in die van hem. Mijn moeder voegde eraan toe dat ze een paar weken verlof van haar werk had gekregen en dat Jasper had besloten zijn bruiloft uit te stellen tot ik was vrijgelaten.

'Maar dat kan nog wel heel lang duren,' zei ik. 'Ik weet niet eens zeker of ik op borgtocht word vrijgelaten of voor de rechter moet verschijnen.'

Mijn ouders wisten dat ook niet en Khorramshahi evenmin.

'Luider praten,' zei Tasbihi weer.

'Als ik voor de rechter moet verschijnen,' zei ik iets harder, 'moet ik eerst met de advocaat praten. In mijn dossier staan dingen die niet waar zijn. Onder dwang heb ik een paar onjuiste verklaringen afgelegd en daarom moet ik daar eerst met hem over praten.'

Mijn ouders knikten. Daarna vroeg ik of ze een tweede advocaat voor me hadden gevonden.

'Nee,' antwoordde mijn vader. 'Daar heeft meneer Khorramshahi bezwaar tegen.'

'Wat?' vroeg ik. 'Waarom?'

'Hij zegt dat hij met niemand kan samenwerken,' vertelde mijn vader.

'En we gingen naar zijn kantoor en zagen dat hij heel veel nieuwe artikelen aan de muur van zijn kantoor heeft opgehangen,' voegde mijn moeder eraan toe. 'Hij heeft heel veel belangrijke zaken vertegenwoordigd. Hij is ook heel aardig.'

Ik wist dat hij aardig was, zei ik tegen mijn moeder, maar ik had niet genoeg aan een aardige man. Ik had iemand nodig met meer ervaring in zaken als die van mij.

Mijn ouders vertelden me over de actie die mensen in de hele wereld in gang hadden gezet om mijn vrijlating te bewerkstelligen. De Japanse ambassade was erbij betrokken, evenals de Amerikaanse regering en de Zwitserse ambassade. Het Committee to Protect Journalists had in één weekend meer dan tienduizend handtekeningen verzameld op een Facebook-petitie die via de Iraanse gezant bij de Verenigde Naties naar president Ahmadinejad was gestuurd. De gouverneur van North Dakota en een afvaardiging van het Congres hadden zich sterk voor me gemaakt, enkele lokale kerken baden voor me tijdens hun diensten en veel vrienden vroegen in de media aandacht voor mijn zaak.

'Mensen uit allerlei landen staan achter je, Roxana,' zei mijn moeder.

Ik was verbaasd, voelde me nederig en een beetje beschaamd dat zo veel mensen zo veel deden ter wille van mij. Tegelijkertijd stond dat alles vrij ver van me af, omdat het zo ver van me vandaan gebeurde dat het veel minder reëel leek dan mijn omgeving.

Tasbihi viel ons in de rede met de mededeling dat onze tijd op was en dat ik terug moest naar mijn cel.

Maar ik wilde nog heel veel zeggen. 'Neem alsjeblieft wat boeken uit mijn appartement voor me mee: *Lives* van Plutarchus, Ghandi, mijn woordenboek Frans-Engels,' zei ik snel terwijl ik probeerde boeken op te noemen waar mijn ondervragers toestemming voor zouden geven. 'Koop als het kan een boek van Tolstoi in het Engels – hoe dikker hoe beter – en neem dat ook mee.

En zeg tegen Bahman,' zei ik, 'dat ik hem mis. Maar ik wil dat hij doorgaat met zijn werk, ik wil niet dat ik een obstakel ben zodat hij zijn doelen niet kan bereiken.'

Mijn vader boog zich naar me toe en fluisterde tegen me dat het beter was om hier niet over Bahman te praten, maar mijn moeder vertelde dat hij samen met Khorramshahi buiten Evin stond te wachten. Ze hadden allebei binnen willen komen, maar de gevangenisautoriteiten hadden dat niet goedgevonden. Ze vertelde me ook dat Khorramshahi een paar weken eerder naar Evin was gekomen om me te bezoeken, maar dat hij te horen had gekregen dat ik er niet was.

'Tijd om te gaan, juffrouw Saberi,' zei Tasbihi ongeduldig en hij stond op.

Mijn vader omhelsde me en zijn oor bevond zich in de perfecte positie om iets tegen hem te fluisteren wat de agent niet mocht horen: 'Ik ben onder druk gezet om op een video te liegen dat ik voor Amerika had gespioneerd.'

'Dat weet ik,' fluisterde hij terug. Dat had Khorramshahi hem al verteld.

'We zijn van plan hier elke maandag te komen,' zei mijn moeder toen Tasbihi me meenam de kamer uit.

Mijn ouders keken me met een geruststellende glimlach aan, maar onder hun glimlach zag ik bezorgdheid en verdriet.

Ik zwaaide naar hen en liep vervolgens achter Tasbihi aan de grote hal in. Ik had gedacht dat ik mijn ouders heel lang niet zou zien. Opeens betwijfelde ik of ik hen ooit zou terugzien. Maar om de een of andere reden had ik toen ik weer in mijn cel was een gevoel van leegte dat ik een paar minuten daarvoor niet had gehad.

Mijn vader vertelde me het nieuws toen ik hem die donderdag mocht bellen: de week daarna zou ik voor de rechter moeten verschijnen op beschuldiging van spionage.

Dat was dus mijn loon voor het vertellen van de waarheid.

Ik had nog niet eens met Khorramshahi over mijn dossier kunnen praten, zei ik tegen mijn vader. Hij zei dat ik me geen zorgen hoefde te maken, dat mijn advocaat om uitstel zou vragen.

Ik wist dat de conservatieve rechterlijke macht van Iran onder leiding stond van ayatollah Mahmoud Hashemi Shahroudi, een in Irak geboren sjiitische geestelijke die door de Allerhoogste Leider was benoemd. Ik had gelezen dat Shahroudi druk had uitgeoefend voor enkele juridische hervormingen, maar hardliners zoals de openbaar aanklager van Teheran, Mortazavi en zijn plaatsvervanger Haddad werkten onder hem. Misschien had Shahroudi niet veel macht over hen. Hoe dan ook, ik twijfelde er niet aan dat mijn zaak zou worden gesloten, zonder jury.

Ik begon te bidden voor een eerlijke rechter. Dat was mijn enige kans.

Toen ik Khorramshahi op zondag 12 april zag, zat hij over een tafeltje gebogen. Hij schreef iets over uit een dik dossier.

Hij keek op, glimlachte en begroette me. We gingen op twee stoelen zitten en mijn bewaker bleef ernaast staan luisteren. Khorramshahi vertelde me dat hij mijn dossier had zitten lezen. Het was de eerste keer dat hij dat had mogen inzien. 'Je zaak komt morgen voor,' vertelde hij me. 'Maar ik zal uitstel aanvragen.'

'Goed,' zei ik, 'want er staan voornamelijk leugens in dat dossier en ik heb tijd nodig om ze met u te bespreken.'

Daarna vertelde ik hem dat ik graag een tweede advocaat wilde, omdat twee advocaten effectiever waren dan één.

Khorramshahi's gezicht betrok. 'Als u dat doet, trek ik me terug.'

'Waarom?'

'Omdat ik uitsluitend alleen werk.'

Ik wist niet wat ik moest zeggen. Ik kon niet helemaal opnieuw beginnen met een nieuwe advocaat die van de autoriteiten misschien weer niet mijn dossier mocht zien, of mij, of allebei. Ik wist ook niet of Khorramshahi het weinige wat hij al wist over mijn zaak aan een nieuwe advocaat zou vertellen.

'Weet u,' zei hij en hij herhaalde wat hij tijdens onze vorige ontmoeting ook al had gezegd, 'ik sta onder veel druk, heel veel druk.'

Op dat moment kwam een bebaarde man het vertrek binnen en vertelde ons dat de rechter, mr. Moqiseh, bereid was ons te zien. Hij vertelde niet wat het doel van het gesprek was, maar Khorramshahi en ik liepen achter hem aan naar de kamer ernaast.

Ik herkende die kamer meteen. Dit was de rechtszaal waar ik twee weken na mijn arrestatie naartoe was gebracht, en de man achter het verhoogde bureau aan de andere kant van het vertrek was dezelfde rechter met zijn witte baard en witte tulband die had gevraagd of ik contact met buitenlanders had gehad. Ik voelde me duizelig worden. Hier had ik geen goed gevoel over.

De klerk gebaarde tegen Khorramshahi en mij dat we een meter van zijn bureau vandaan moesten gaan zitten, in de voorste van de twee rijen stoelen die daarvoor stonden.

'U wordt beschuldigd van spionage,' zei hij terloops, waarbij hij me nauwelijks aankeek. 'Wat hebt u ter verdediging hierover te zeggen?'

Ik keek naar Khorramshahi om te zien of hij zou reageren. Maar hij keek strak voor zich uit, alsof hij verwachtte dat ik iets zou zeggen. Ik keek de rechter aan en zei: 'Ik ben geen spion, maar ik heb een valse bekentenis afgelegd waarbij ik zei dat ik dat wel was.'

'Hoe moet ik weten dat die bekentenis vals is?' vroeg hij sceptisch.

'Ik was onder druk gezet om die verklaringen af te leggen en in ruil daarvoor is me beloofd dat ik werd vrijgelaten.'

De rechter keek me met een hatelijke blik aan. 'Hoe kon u zich bereid verklaren om voor de vs te spioneren?' vroeg hij. 'Houdt u niet van de Islamitische Republiek?'

'Maar ik ben geen spion!' protesteerde ik. 'Ik heb een valse bekentenis afgelegd!'

Ik kon dit niet geloven. Hij leek al te hebben besloten dat ik schuldig was zonder me zelfs maar te ondervragen. Schuldig tot je onschuld is bewezen; hoewel ik aannam dat hier maar van heel weinig mensen de onschuld was bewezen.

Khorramshahi viel ons in de rede met de vraag of de rechtszaak uitgesteld kon worden. De rechter wilde weten hoeveel tijd we nodig hadden.

'Twee weken,' antwoordde Khorramshahi.

'Dat is goed,' zei de klerk. 'Schrijf uw verzoek maar voor me op.' Daarna gaf hij ons opdracht weg te gaan.

Terug in mijn cel sloeg ik de lunch en het avondeten over. Toen Mah-vash en Fariba vroegen waarom ik niets at, vertelde ik hun dat de rechter al helemaal vooringenomen leek te zijn en dat ik geen andere uitweg uit mijn ellendige situatie zag dan een hongerstaking.

'Blijf geloven,' zeiden ze. 'God waakt over je.'

DEEL III
De rechtszaak

19

'Ik wist niet dat het schrijven van een boek in Iran verboden was,' zei ik de volgende dag tegen de rechter.

Zijn bovenlip krulde minachtend omhoog. 'Dat is ook niet zo,' snauwde hij.

'Nou, dat is wel wat ik aan het doen was,' zei ik.

Die ochtend had rechter Moqiseh Khorramshahi en mij naar de rechtbank laten komen, waar we ons verzoek tot uitstel van mijn zaak hadden voorgelegd. Tot onze verrassing zei de rechter vervolgens dat we moesten gaan zitten en kwamen er drie mannen binnen.

Een van hen was de bewaker die me naar de rechtbank had gebracht. Hij ging op een stoel rechts in de zaal zitten. Na hem kwam een onbekende man binnen die er met zijn mollige, kale gezicht jonger uitzag dan hij waarschijnlijk was, begin veertig misschien. Door zijn ontspannen gedrag nam ik aan dat Baby Face geen gewone gevangenisbewaker was. Ten slotte kwam een slanke, bebaarde man naar binnen gewankeld. Heidarifard, de assistent met de kraaloogjes van de plaatsvervangend openbaar aanklager Haddad, die ik vijf weken eerder allebei had gezien.

Heidarifard had een aantal loodzware dossiers bij zich, liet ze op een bureau rechts van de rechter vallen en ging zitten. Daarna sloeg hij een dossier open en begon hardop voor te lezen. De zinnen waren lang en ingewikkeld, zodat ik me afvroeg of ik moest vragen of ik tijdens mijn proces over twee weken een tolk mocht hebben. Maar die gedachte schoof ik algauw terzijde. Ik zou geen enkele tolk die de rechter me zou toewijzen, kunnen vertrouwen. Het zou veiliger zijn me op mijn eigen kennis van het Farsi te verlaten.

'U wordt beschuldigd,' zei Heidarifard nu, 'van activiteiten die de nationale veiligheid in gevaar brengen door spionage voor de Verenigde Staten.'

'Aanvaardt u deze beschuldiging?' vroeg rechter Moqiseh aan mij en hij keek op van zijn verhoogde bureau.

'Ik aanvaard dat híj zegt dat ik hiervan word beschuldigd,' antwoordde ik met een knikje naar Heidarifard.

Daarna somde Heidarifard een waslijst met beschuldigingen op. Hij las een paar verklaringen voor uit mijn valse bekentenis, onder andere dat ik vijftienduizend dollar van meneer D had gekregen om informatie voor hem te verzamelen en mijn boek daarbij als dekmantel te gebruiken. Bovendien vertelde hij dat de openbaar aanklager als bewijs hiervan in het bezit was van twaalfduizend dollar, geld dat in mijn appartement was gevonden.

De rechter vroeg wat ik hierop te zeggen had.

Ik keek naar Khorramshahi. Hij had zijn lippen stevig op elkaar geperst en leek helemaal verdiept in het maken van aantekeningen in een schrijfblok dat hij op zijn schoot had liggen. Ik vroeg of hij van plan was antwoord te geven en hij fluisterde dat ik dat zelf moest doen. Toen ik het weer vroeg, herhaalde hij dat ik zelf iets moest zeggen en dat ik hem moest vertrouwen omdat hij wist wat het beste voor me was.

Daarom haalde ik diep adem en zei: 'Mijn ondervragers hebben me met hun insinuerende vragen onder druk gezet om dat verhaal over meneer D te verzinnen. Dat heb ik gedaan nadat ze hadden beweerd dat ze de waarheid niet geloofden: dat ik alleen maar onderzoek deed, een paar mensen interviewde voor een boek over Iran dat ik aan het schrijven was en dat het een persoonlijk project was dat ik zelf financierde.'

'Maar waarom zou u Amerikaanse ambtenaren interviewen voor een boek over de Iraanse samenleving?' vroeg Heidarifard uitdagend.

Ik begreep niet waarom we daar nu over moesten praten, maar ik nam aan dat het in Iran gebruikelijk was om dit tijdens een gerechtelijk vooronderzoek te doen.

Ik vertelde dat de Amerikaans-Iraanse betrekkingen en het Amerikaanse beleid ten opzichte van Iran de Iraanse samenleving op verschillende manieren beïnvloedden.

'En waarom hebt u in Libanon een lid van Hezbollah geïnterviewd?' vroeg Heidarifard sarcastisch. 'Moeten we soms geloven dat dit ook voor uw boek was?'

'Dat was voor een nieuwsreportage.'

'Natuurlijk,' zei hij op een toon waaruit bleek dat hij me niet geloofde. 'Laten we het nu over meneer D hebben. U kende hem en u hebt hem informatie gegeven.'

'Ik heb meneer D helemaal niets gegeven,' antwoordde ik. 'Hij heeft me nooit gevraagd ook maar iets voor hem te doen en hij heeft me nooit geld gegeven.'

Heidarifard gromde. 'Ik wil u eraan herinneren dat u tijdens uw verhoor hebt bekend dat u vijftienduizend dollar van hem hebt ontvangen omdat u hem informatie hebt verstrekt.'

Toen hij dat zei, liep er een rilling over mijn rug. Iets aan de manier waarop hij me het vuur aan de schenen legde, voelde niet goed.

Toen drong het tot me door.

Dit was geen gerechtelijk vooronderzoek. Dit was de rechtszaak! De rechter had geweigerd me uitstel te verlenen, maar hij had niet eens verteld dat de rechtszaak al was begonnen. Mijn advocaat had niets gezegd en ik was dan ook totaal onvoorbereid. Maar ik begreep dat ik geen keus had en zelf verder moest ploeteren.

'Dat waren allemaal leugens,' zei ik, 'die ik heb verteld onder...'

'Maar u hebt dat hier allemaal opgeschreven!' riep Heidarifard uit, zwaaiend met een stapeltje papieren. Dat zou de valse bekentenis wel zijn die ik een paar weken daarvoor samen met Javan had verzonnen.

'Die valse verklaring heb ik onder dwang afgelegd,' zei ik, gefrustreerd. 'Mij was verteld dat ik als ik meewerkte...'

'Wat heeft ze nog meer opgeschreven?' vroeg de rechter en hij boog zich naar voren om Heidarifards papieren te kunnen zien.

Heidarifard sloeg een ander dossier open en las hardop voor: 'Juffrouw Saberi heeft geschreven: "Ik ben onlangs uitgekozen als fellow voor het Middle East Leadership Initiative van het Aspen Institute."' Daarna wendde hij zich tot de rechter en zei zacht, maar zo hard dat ik het kon horen: 'Iedereen weet dat het Aspen Institute tot doel heeft de Islamitische Republiek door middel van een zachte revolutie omver te werpen. En zoals u zich misschien herinnert, zijn de gebroeders Alaie naar een door dat instituut georganiseerd seminar geweest.'

Heidarifard nam een slokje water en ging door met voorlezen: '"Ik heb nog geen seminar van Aspen bijgewoond. Ik zal geen geld van het instituut ontvangen en fellows moeten zelfs hun eigen tickets naar de seminars betalen. Daarna moeten we in ons eigen land vrijwilligerswerkprojecten opzetten."'

'Vrijwilligerswerk,' herhaalde Heidarifard. 'We weten allemaal wat dat betekent.'

Ik nam aan dat hij hiermee bedoelde: een manier om het regime door middel van een zachte revolutie omver te werpen.

De rechter trok een wenkbrauw op en vroeg aan mij: 'Wat voor vrijwilligerswerk?'

'Ze hebben me verteld dat dit bijvoorbeeld het opzetten van een voetbalteam voor kinderen kan zijn,' antwoordde ik. 'Of programma's om de armoede te bestr...'

Heidarifard legde me met een nieuwe grom het zwijgen op, keek weer naar het vorige dossier en scande een paar bladzijden. '"Meneer D wilde dat ik topambtenaren interviewde, leden van de Revolutionaire Garde en mensen bij beleidsbepalende instellingen."'

Hij legde het dossier neer en wendde zich tot de rechter, die zijn kin in de lucht stak en me met een blik vol walging aankeek.

Mijn valse bekentenis werd dus gebruikt als 'bewijs' van spionage. 'Wat u hebt voorgelezen,' begon ik, 'is...'

Heidarifard viel me in de rede met een paar nieuwe zinnen uit het meneer-D-verhaal. Toen hij even zweeg, probeerde ik mezelf te verdedigen, maar de rechter viel me met een nieuwe vraag in de rede. En toen ik daar antwoord op wilde geven, viel Heidarifard me weer in de rede.

Uitgeput hief ik mijn handen en vroeg: 'Maakt het eigenlijk iets uit wat ík hier zeg?'

Rechter Moqiseh knipperde. 'Natuurlijk, natuurlijk,' zei hij en hij boog zich zogenaamd geïnteresseerd naar voren.

'Waarom valt u me dan steeds in de rede?'

'Ga uw gang,' zei de rechter met een knikje.

'Dank u,' zei ik. 'Ik wilde zeggen dat die bekentenis vals was. Dat ik die bekentenis heb afgelegd omdat ze dreigden dat ik nog vele jaren in de gevangenis zou moeten doorbrengen als ik dat niet deed en omdat ze beloofden me vrij te laten als ik dat wel deed. Die bekentenis heb ik ingetrokken toen ik me realiseerde dat ik beter laat dan nooit de waarheid kon vertellen, en de Koran zei me dat ik de waarheid moest vertellen omdat je, zelfs als je moet lijden, uiteindelijk zult zegevieren.'

'Eh-eh!' zei Khorramshahi goedkeurend; het enige geluid dat hij tot dan toe had gemaakt.

Heidarifard sperde zijn neusvleugels open en perste zijn lippen op elkaar. Daarna begon hij door een ander dossier te bladeren. Een paar seconden later keek hij op en zei: 'Saberi heeft ook een ontmoeting gehad met de Amerikaanse journalist C toen hij in Teheran was.'

'Is het illegaal om een ontmoeting met een Amerikaanse journalist te hebben?' vroeg ik. 'We hebben alleen maar samen koffiegedronken.'

Rechter Moqiseh vroeg waar we over hadden gepraat. Ik vertelde hem dat we het even over de aanstaande presidentsverkiezingen in Iran hadden gehad. De rechter keek me met een wazige blik aan.

Toen ik uitgesproken was, begon de rechter ergens mee te zwaaien. Vanaf mijn zitplaats leek dit het researchartikel over de Amerikaanse oorlog in Irak. Zwijgend zwaaide hij een paar seconden met dat papier naar mij. Daarna zei hij: 'Dit is een van de véle geheime documenten die u in uw bezit had.'

'Dat is niet geheim,' antwoordde ik. 'Er staat niet op dat het geheim is. Er staat geen stempel op met het woord "geheim". Ik had helemaal geen geheime documenten in mijn bezit.'

'Maar hier,' zei Moqiseh en hij wees naar iets wat met een pen op de omslag van het artikel was geschreven, 'hier staat *mim.*' Mim was de letter m in het Farsi.

'Wat betekent dat?' vroeg ik.

'"Mim" betekent "mahramâneh",' antwoordde hij, het Farsi-woord voor "topgeheim".

Ik kon het niet zien vanaf mijn zitplaats. Toen de rechter me toestemming gaf om naar voren te komen, zag ik een kleine handgeschreven letter die op een mim leek.

'Ik heb nog nooit gehoord dat een artikel met een handgeschreven letter als geheim werd gemerkt,' zei ik.

Daarbij, wilde ik schreeuwen, wist ik immers niet of mijn ondervragers die letter er achteraf zelf op hadden geschreven. Bovendien kon 'mim' van alles betekenen. Ik keek weer naar Khorramshahi, die zwijgend zat toe te kijken. Ik hoopte dat hij zich ermee zou bemoeien.

Moqiseh negeerde mijn opmerking en bladerde door de getypte bladzijden. Hij zei: 'U moet dit document hebben gelezen.'

Ik zag dat geen enkel document als geheim was aangemerkt.

De rechter beval me terug te gaan naar mijn plaats. Daarna draaide hij het papier om en wees naar een paar aantekeningen op de achterkant ervan. Op een bepaald moment had ik dat papier kennelijk als kladpapier gebruikt.

'*Kolli naghshe keshidi poshtesh,*' verklaarde hij. 'Op de achterkant hebt u een heel complot geschetst.'

Ik kon mijn oren niet geloven. 'Dat is geen complot,' brieste ik. 'En zelfs als dat artikel inderdaad zo geheim is als u beweert en zelfs als ik echt een spion zou zijn zoals u beweert, dan zou ik wel heel stom moeten zijn om in mijn appartement een geheim document met op de achterkant een geheim complot te bewaren.'

Iemand grinnikte. Ik keek naar rechts. Het was de gevangenisbewaker. Toen hij zag dat ik naar hem keek, keek hij onmiddellijk weer met een sombere blik voor zich uit.

De rechter hield een dik, groen dossier omhoog. Door de gedeeltelijk doorzichtige omslag zag ik dat er een paar pamfletten in zaten. 'Deze map zit vól met geheime documenten uit uw appartement,' riep hij uit.

'Maar voor zover ik weet, heb ik nooit geheime documenten in mijn bezit gehad,' zei ik, ook al begon ik aan mezelf te twijfelen door de overtuiging in Moqisehs stem.

Hij haalde een paar artikelen uit het dossier en vroeg hoe ik er aan was gekomen. Ook daarop stond geen stempel met het woord 'geheim'. Ik zei dat ik dacht dat het de documenten waren die ik van het Center for Strategic Research had ontvangen. Hij vroeg wat ik bij dat centrum had gedaan en dat vertelde ik hem.

'Juffrouw Saberi heeft bekend dat ze geheime documenten aan de Amerikanen heeft gegeven,' voegde Heidarifard eraan toe. 'In feite reisde ze naar de vs om geheime informatie te overhandigen en niet om haar ouders te bezoeken.'

'Dat is niet waar!' riep ik. 'Ik heb niets aan wie dan ook overhandigd!'

Toen deed Baby Face voor het eerst zijn mond open. 'Edelachtbare, we hebben meneer V ondervraagd en hij heeft bekend dat hij verschillende geheime documenten aan juffrouw Saberi heeft overhandigd.'

Ik voelde dat ik kippenvel op mijn armen kreeg. Meneer V was een Iraanse kennis met wie ik sinds enige tijd geen contact meer had. Zijn naam was tijdens een van de eerste verhoren ter sprake gekomen, maar ik had nooit verwacht dat mijn ondervragers hem onder druk zouden zetten om een valse verklaring over mij af te leggen. Hij had me een keer een paar onderzoeksartikelen gegeven die ik mocht lezen, maar hij had nooit gezegd dat ze geheim zouden zijn.

'Meneer V zei dat hij juffrouw Saberi geheime documenten heeft ge-

232

geven omdat hij verliefd op haar was en zij beloofde met hem te trouwen als hij haar bepaalde informatie gaf,' vervolgde Baby Face.

Ik wist niet of ik moest lachen of huilen. Dat verhaal was baarlijke nonsens, maar ik had ontzettend veel medelijden met meneer V, die waarschijnlijk zo zwaar onder druk was gezet dat hij dit verhaal had verzonnen.

'Bovendien,' zei Baby Face, 'was juffrouw Saberi's bekentenis over meneer D waar, en ze heeft zowel voor de camera als in een geschreven verklaring bevestigd dat ze niet onder druk is gezet. Ze heeft zelfs de maaltijden opgegeten die haar ondervragers haar hadden voorgezet.'

Daarna zei hij, met een blik op Khorramshahi: 'We verzoeken u ook om Saberi's advocaat te verbieden weer interviews aan de pers te geven. Dit is een zaak die betrekking heeft op de nationale veiligheid en die brengt hij met die interviews in gevaar.'

Khorramshahi sprong overeind. 'Maar, Edelachtbare,' zei hij, waarmee hij voor het eerst bezwaar aantekende, 'ik heb alleen maar met de pers gepraat om die valse verklaringen te ontkrachten, zoals die nieuwsreportages waarin werd beweerd dat juffrouw Saberi in hongerstaking was, terwijl dat niet zo is.'

Eerlijk gezegd had ik sinds de vorige ochtend niets meer gegeten.

'We kunnen allemaal zien dat er niets mis is met haar gezondheid,' zei de rechter met een minachtende blik op mij. 'U hebt geen enkele reden om met de pers te praten.'

'Maar...' sputterde Khorramshahi. Hij leek eindelijk een beetje nijdig te worden.

'En de BBC en Voice of America zijn onze rode lijnen,' zei Baby Face, waarmee hij bedoelde dat die lijnen niet overschreden mochten worden.

De rechter was het met Baby Face eens en verbood Khorramshahi interviews te geven aan welke media dan ook, behalve de door de overheid geleide Iraanse nieuwsagentschappen.

Khorramshahi ging met een verslagen blik op zijn gezicht zitten.

'Neem me niet kwalijk, meneer,' zei ik tegen de rechter. 'Mag ik reageren op de beschuldigingen van die man?' vroeg ik met een knikje naar Baby Face,

'Ga uw gang.'

'Ten eerste,' zei ik met een felle blik op Baby Face, 'bied ik mijn verontschuldigingen aan voor het feit dat ik in de gevangenis iets heb gegeten. Die eerste dagen heb ik niet veel gegeten, maar ik dacht dat het niet verkeerd zou zijn om iets te eten om in leven te blijven. Ten tweede heb ik meneer V nooit beloofd dat ik met hem zou trouwen. En hij is niet iemand die me geheime documenten zou overhandigen. Ten derde zouden mijn ondervragers me nooit hebben vrijgelaten als ik in mijn valse bekentenis had gezegd of geschreven dat ik onder druk was gezet.'

'Een juiste bekentenis!' riep Baby Face.

'Nee. Een valse bekentenis.'

'Die was waar, Edelachtbare,' zei hij.

De man begon me te irriteren. 'Wie bént u eigenlijk?' snauwde ik.

De rechter lachte even en zei toen in plaats van Baby Face: 'Hij is een vertegenwoordiger van het ministerie van Veiligheid.'

'Dan moet ú weten dat mijn bekentenis vals was,' zei ik tegen de agent, 'omdat uw collega, mijn bâzju, nadat ik hem had verteld dat ik mijn valse bekentenis had ingetrokken, zei dat hij vanaf het begin had geweten dat die niet waar was.'

'Als dat zo is, kunnen we dat aan uw bâzju vragen,' zei de rechter grijnzend.

'Alsof hij dat tegenover u zou toegeven,' mompelde ik. Daarna zei ik: 'Mijn ondervragers hebben me onder druk gezet om te zeggen dat ik mijn boek als dekmantel gebruikte om voor de Amerikaanse regering te spioneren. Dat was niet waar, maar ik ging ermee akkoord om dat te zeggen omdat ze beloofden me vrij te laten als ik zou "meewerken".'

'Met "meewerken",' zei de rechter, 'bedoelden ze "uw misdaad bekennen".'

'Daarmee bedoelden ze een misdaad bekennen die ik niet had gepleegd,' zei ik. 'En ze bedoelden ook... iets anders.'

Ik was niet van plan geweest die woorden uit te spreken, omdat ik de rechter daardoor nog meer tegen me in het harnas zou jagen. Maar die woorden stroomden gewoon uit mijn mond. En ook al had ik niet expliciet gezegd dat mijn ondervragers me hadden gevraagd om voor hen te spioneren, iedereen in het vertrek leek precies te begrijpen wat ik bedoelde.

Khorramshahi ging opeens rechtop zitten. Ik keek opzij en zag dat hij op zijn onderlip beet, iets wat mijn vader toen ik nog jong was altijd deed als ik me had misdragen.

Er hing een zware stilte in de zaal. Ik keek de zaal rond. Iedereen had zijn blik neergeslagen, alsof we allemaal wachtten tot iemand anders als eerste iets zou zeggen. Kennelijk had ik een verboden onderwerp ter sprake gebracht.

Ten slotte sprak de rechter als eerste. 'Juffrouw Saberi's werk hier is klaar,' zei hij op kille toon en hij keek langs me heen naar Khorramshahi. 'U hebt twee dagen om uw pleidooi voor haar te schrijven.'

Ik vroeg me af wat Khorramshahi zou opschrijven. We hadden nooit tijd gekregen om mijn zaak te bespreken. Toen we de rechtszaal uit liepen, vroeg ik hem of hij de 'getuige', meneer V, aan een kruisverhoor kon onderwerpen, maar hij zei dat dit niet was toegestaan, net zoals hem was verboden om het zogenaamde bewijs tegen mij te bestuderen. De bewaker scheidde ons voordat ik Khorramshahi nog iets kon vragen.

Op de terugweg naar Evin rammelde mijn maag luidruchtig, maar ik had geen trek. Het was vroeg in de middag en ik was het wekelijkse bezoek van mijn ouders misgelopen. Ik zou bij mijn bâzju een verzoek moeten indienen om hen te mogen bellen.

Ik leunde met mijn hoofd tegen de rugleuning van mijn stoel en sloot mijn ogen. De rechtszaak had zo kort geduurd, in mijn beleving nog geen half uur. Ook al had ik niet veel verwacht, toch had ik niet gedacht dat het zo onrechtvaardig zou zijn en dat ik mezelf zou moeten verdedigen terwijl mijn advocaat aantekeningen zat te maken. Maar ik dacht ook dat het niet veel uitmaakte wat er die dag was gebeurd. De rechter had zijn vonnis al bepaald voordat de rechtszaak zelfs maar was begonnen.

Die nacht lag ik lang te woelen en te draaien op de stenen vloer, nog lang nadat Mahvash en Fariba in slaap waren gevallen. Mijn blinddoek, die ik elke avond voordeed om het felle neonlicht van onze cel buiten te sluiten, gleed steeds naar beneden. Eindelijk viel ik, iets na zonsopgang, in slaap.

In een smalle straat staat een groepje mensen. Ze praten opgewonden met elkaar en wijzen naar de overkant. Als ik bij hen ben, zie ik wat hun aandacht heeft getrokken: een grommende en schuimbekkende zwarte hond met een gouden bril op.

De hond staat naast een slungelige man die onbedaarlijk lacht en
zijn armen woest op en neer zwaait alsof hij denkt dat hij een vogel
is. Het lijkt alsof hij door de hondsdolle hond is gebeten en daardoor
met rabiës is besmet.
Mijn maag verkrampt. Ik loop met gebogen hoofd door en ik hoop
dat de hond mij niet ziet als ik niet naar hem kijk. Ik passeer het
groepje mensen en net als ik een opgeluchte zucht slaak, voel ik dat
de hond naar me kijkt. Even later rent het beest me achterna. Ik wil
rennen, maar hij haalt me algauw in, stort zich op me en hapt in
mijn mouw. De hond hangt als een schommel aan een boomtak aan
mijn uitgestrekte linkerarm.
'Alsjeblieft!' roep ik. 'Help me!'
Een man, wiens gezicht ik niet kan zien, maakt zich los uit de me-
nigte en rent naar me toe. De hond valt op de grond en drentelt weg.
Ik zie dat er vier gaten in mijn mouw zitten.
'Trek uw jas uit,' zegt de man tegen me, 'dan kan ik uw arm even be-
kijken.'
Het is een zonnige en windstille dag, en bovendien sneeuwt het niet,
maar toch draag ik een dikke winterjas. Voorzichtig helpt de man me
hem uit te trekken. Ik kijk niet naar mijn arm, ik wil de wond niet
zien.
'Verbazingwekkend,' zegt hij bewonderend en hij tilt mijn arm om-
hoog zodat ik ernaar kan kijken.
Vreemd genoeg is er geen wond te zien. Geen bloed, geen blauwe
plekken, geen bijtwonden. Mijn jas was zo dik dat de tanden van de
hond mijn arm niet konden bereiken.
De jas, dat realiseer ik me nu, is de jas van mijn vader. Die had hij
me twee jaar geleden meegegeven voor een van zijn familieleden in
Iran.

'Als u iets eet, mag u uw ouders bellen,' zei Tasbihi de volgende ochtend
tegen mij. Kennelijk had hij van de bewaaksters gehoord dat ik mijn
maaltijden niet had opgegeten. 'Als u dat niet doet, mag dat niet.'

Als dit de prijs was voor een telefoontje naar mijn ouders, dacht ik,
kon ik misschien voor het eerst in bijna twee dagen iets eten. Ik ging terug naar mijn cel en at twee dadels. Tasbihi bracht me weer naar de hal
buiten de vrouwenvleugel.

'Als u uw lunch opeet, mag u uw ouders zíén,' zei hij toen. 'Als u dat niet doet, mag dat niet.'

Ik ging ermee akkoord en at mijn lunch op. Daarna, terwijl Tasbihi boven me uittorende, belde ik mijn ouders en vroeg hun naar Evin te komen.

In de auto, tijdens de korte rit naar het bezoekgebouw, zei Tasbihi dat ik een boodschap aan mijn vader en moeder moest doorgeven: 'Zeg tegen hen dat ze moeten ophouden met de pers te praten, omdat dit niet in uw belang is. Maar u hoeft hun niet te vertellen dat wij dat tegen u hebben gezegd.'

Ik was blij toen ik hoorde dat mijn ouders nu ze in Iran waren interviews aan de pers hadden gegeven. De Iraanse autoriteiten leken zich zorgen te maken over alle media-aandacht voor mijn zaak en in tegenstelling tot wat Tasbihi nu zei, was ik gaan geloven dat deze media-aandacht me meer goed deed dan kwaad. Als mijn ouders gedurende mijn eerste maand gevangenschap hun mond hadden gehouden, zouden de autoriteiten de zaak getraineerd hebben. Ik was tot de conclusie gekomen dat zwijgen niet de manier was om mijn gijzelnemers te dwingen me eerder vrij te laten.

Tasbihi beval me achter hem te lopen toen we het bezoekgebouw binnenliepen, maar ik glipte langs hem heen toen ik mijn moeder in de hal zag staan. Ik omhelsde haar en fluisterde snel in haar oor: 'Deze man wil dat ik tegen jullie zeg dat jullie niet meer met de media mogen praten, maar daar moeten jullie wel mee doorgaan. Als ik strak begin te kuchen, betekent dit dat ik lieg.'

Ze knikte en glimlachte.

Tasbihi nam ons mee naar dezelfde bezoekkamer waar we een week eerder hadden gezeten. Mijn ouders en ik bleken een speciale behandeling te krijgen, misschien wel door alle media-aandacht voor mijn zaak of omdat ze ons hier beter in de gaten konden houden.

Nadat we op de bank waren gaan zitten, vertelde ik mijn ouders hoe slecht mijn rechtszaak de vorige dag was verlopen, hoewel ik me omdat Tasbihi erbij was bewust op de vlakte hield.

'Dat weten we,' zei mijn vader. 'Meneer Khorramshahi heeft ons dat verteld.'

Ik zei dat ik wilde dat Khorramshahi me zijn pleidooi liet zien voordat hij dat bij de rechtbank zou inleveren, zodat ik ook invloed had op wat er werd opgeschreven. Maar mijn vader vertelde me dat de advocaat zijn pleidooi al aan de rechter had overhandigd. Ik was stomverbaasd dat hij nog geen dag nodig had gehad om zijn pleidooi te schrijven, en bovendien zonder zelfs maar met me te praten of me te laten weten welke argumenten hij namens mij aanvoerde.

Tasbihi keek af en toe naar me, kennelijk wilde hij dat ik zijn verzoek overbracht.

Daarom nam ik de handen van mijn ouders in de mijne en zei: 'Misschien (uche, uche) is het beter als jullie niet meer met de pers praten (kuche kuche), omdat dit schadelijk voor me kan zijn.'

Mijn ouders knikten, waarna we over iets anders begonnen te praten. Ondertussen kuchte ik af en toe nog een keer, zodat Tasbihi geen argwaan zou krijgen.

'Ik begrijp het niet, Roxana,' zei mijn moeder met een kneepje in mijn hand. 'Wil je nou wel of niet dat we nog met de pers praten?'

'Eh... (kuche, kuche),' stamelde ik, 'beter van niet. Dat zou mijn zaak kunnen schaden.'

Algauw was de tijd op. Tasbihi zei dat ik weer naar mijn cel moest. Toen ik mijn vader een afscheidskus gaf, fluisterde ik tegen hem: 'Hou je rustig tot mijn vonnis bekend is. Als ik een hoge straf krijg, wat ik wel verwacht, moeten jullie weer met de pers gaan praten.'

Ook al had ik Tasbihi's boodschap over de pers min of meer doorgegeven, de volgende dag bleek dat mijn ondervragers nog steeds niet tevreden waren.

Het was woensdag 15 april; weken nadat ik voor het laatst in zo'n verschrikkelijke verhoorkamer in een schoolbankje had gezeten, met mijn gezicht naar de muur, geblinddoekt en niet wetend hoeveel mannen er achter me zaten.

'Hoe gaat het?' hoorde ik Tasbihi vragen. 'Is het eten goed?'

Mijn lichaam ontspande zich een beetje. Van alle agenten die ik had meegemaakt, leek hij de minst doortrapte, een volger in plaats van een leider, ook al was hij wel een van hén.

'Prima,' antwoordde ik kortaf. Ik wist niet waarom ik hiernaartoe was gebracht en ik had geen zin in weer een verhoor.

'En uw havâ-khori? Gaat het goed met uw oefeningen in de buitenlucht?'

Ik zweeg even en zei toen: 'Tja, ik zou geen rechten moeten hebben die de andere gevangenen niet hebben.'

'En voelt u zich goed?'

Ik begon me af te vragen of mijn stem werd opgenomen om later te worden uitgezonden, zodat het zou lijken alsof ik me prima vermaakte in de Evin-gevangenis.

'Neem me niet kwalijk,' zei ik, 'maar ik dacht dat mijn verhoor was afgelopen.'

'Ja, dat is ook zo,' zei Tasbihi.

'Waarom ben ik hier dan?'

Hij gaf geen antwoord.

'Hallo, juffrouw Saberi.'

Mijn hele lichaam verstijfde. Alleen mijn hart sloeg op hol.

Die stem kende ik maar al te goed. Ik had al meer dan een maand niets van Javan gehoord, sinds ik hem had verteld dat ik mijn valse bekentenis had ingetrokken. Ook al had ik me uiteindelijk tegen hem verzet, ik was nog altijd een beetje bang voor hem.

'Ik ben niet erg tevreden over u,' zei hij.

De woorden uit de Bijbel begonnen door mijn hoofd te spoken. *Wees niet bang voor hen die het lichaam maar niet de ziel kunnen doden.*

'Ik ben ook niet erg tevreden over u,' zei ik.

Het werd doodstil. Toen schraapte Javan zachtjes zijn keel en zei: 'U moet weten dat de media veel aandacht aan uw zaak besteden. Het is niet in uw voordeel dat uw zaak zo politiek is geworden.'

Ik hoorde dat hij opstond, naar me toe liep en iets op mijn bureau liet vallen, zo te horen een stapel papieren.

'Kijk hiernaar,' zei hij.

Ik tilde mijn blinddoek iets op en keek even naar de stapel papieren. Bovenop lag een internetartikel van de BBC in het Farsi. Ik keek weer op en staarde naar de muur.

Javan stond nog steeds naast me. 'Wilt u ze niet lezen?' vroeg hij.

Ik zei niets. Ik wilde geen enkele serieuze reactie laten zien en niet met hem in gesprek raken. Inmiddels had ik geleerd dat, als je met je ondervragers in gesprek raakte, je mensen zoals Javan de kans gaf om dat te doen waar ze voor waren opgeleid: de gevangene beledigen, intimideren en voorliegen, zijn geest breken en hem verleiden zich instinctief te verweren en in een woordenvloed uit te barsten.

'Ja, het zou inderdaad veel tijd kosten ze allemaal door te lezen,' zei Javan minachtend, 'en daarom zal ik ze u voorlezen.'

Vanuit mijn ooghoek zag ik dat hij door de papieren bladerde zonder ze op te pakken. 'BBC, VOA, CNN, de Associated Press,' zei hij. 'Ik heb de belangrijke passages met geel voor u gemarkeerd.'

Hij stopte bij één artikel en begon hardop voor te lezen: 'Roxana's vader zei dat haar advocaat haar vandaag voor het eerst had gezien. De advocaat zei dat ze geen tekenen van fysieke marteling vertoonde, maar eerst erg depressief leek. Nadat ze even hadden gepraat, verbeterde haar stemming.'

Javan begon weer te bladeren en af en toe vertelde hij welke groeperingen voor me opkwamen, zoals de in Amerika gevestigde Council on American-Islamic Relations.

'En dan heb je deze nog,' zei hij smalend. 'De Europese Unie heeft een verklaring over u afgelegd.' Hij zweeg even. 'U bent geen Europese. Wat hebt ú met de Europese Unie te maken?'

Ik bleef zwijgen, probeerde mijn opluchting te verbergen. Dit was de eerste keer dat ik me bewust werd van de volle omvang van de internationale media-aandacht en hun pogingen me vrij te krijgen.

'Waarom zegt u niets?' vroeg Javan.

'Praat ú maar,' zei ik zacht. 'Ik luister wel.'

'Waarom? Wilt u niet praten?'

Ik haalde mijn schouders op.

'Goed dan,' zei hij. Hij begon zich te ergeren, maar las hardop voor: 'Minister van Buitenlandse zaken Hilary Clinton heeft aangekondigd dat de VS "alle middelen zullen inzetten" om u vrij te krijgen. Weet u wat dat betekent?'

Ik betwijfelde of Clinton dat echt had gezegd, maar toch zei ik niets.

Javan bleef door de paperassen bladeren en de koppen voorlezen. Op een bepaald moment keek ik ernaar en zag een foto van de voormalige president Khatami en mij. Die foto was gemaakt in 2005, toen de journalisten zich hadden verdrongen om naast hem te kunnen zitten tijdens een dinertje dat hij vlak voor zijn aftreden voor ons had georganiseerd. Ik hoopte maar dat hardliners hem niet zouden afkraken omdat hij met zijn bekende glimlach naast me stond op deze foto.

'Wilt u niet meer praten?' vroeg Javan, in een poging gekwetst te klinken.

Weer haalde ik mijn schouders op. Ik wist wat hij probeerde te doen. Dezelfde man die me eerder had verteld dat de kranten nog geen alinea aan me zouden wijden, wilde me nu bang maken door te insinueren dat al deze media-aandacht slecht voor me was. Maar al deze krantenartikelen maakten me juist zelfverzekerder, niet bang. Ik voelde me niet meer zo alleen. Vrienden en onbekenden stonden aan mijn kant en ik hoefde mijn gijzelnemers niet langer in mijn eentje tegemoet te treden. Door deze overvloedige steun voelde ik me nóg nederiger dan eerst en deze zorgde er ook voor dat ik me verbaasde over de goedheid van de mens.

'Kunt u niet ten minste ja of nee zeggen?' vroeg Javan, die een beetje van slag klonk.

Het gaf me een vreemd prettig gevoel dat ik hem had gefrustreerd.

Hij slaakte een diepe zucht en liep naar zijn stoel die achter me stond. 'Hebt u nog iets anders nodig?' vroeg hij terloops, alsof het hem niet echt interesseerde maar hij het wel móést vragen.

'Ja,' zei ik eindelijk, met luide stem. 'Ik wil graag, net als de andere gevangenen die ik heb gesproken, het recht om mijn ouders één keer per week op een vaste dag te bellen zonder dat ik daar elke keer toestemming voor moet vragen.'

Javan zweeg even. Toen zei hij: 'We zullen zien. Nog iets?'

'Ja, ik wil graag tandzijde hebben.'

'Dat kunnen we niet toestaan,' antwoordde hij. 'Weet u waarom?'

'Omdat u denkt dat gevangenen zich hiermee van het leven beroven.'

'Ja, lang geleden is er iets gebeurd...'

'Nou, als iemand echt zelfmoord wil plegen, zou ze daar de bandjes van haar blinddoek voor kunnen gebruiken,' zei ik.

'Onmogelijk. Die stof is niet sterk genoeg.'

Ik vroeg me af hoe hij dat kon weten. 'En een bh dan? Waarom is die dan niet toegestaan?'

Javan wilde iets zeggen, maar hield zich in. Even was het stil, maar toen begonnen hij en twee andere mannen in de kamer schor en uitbundig te lachen. Ik voelde dat ik begon te blozen. Ik had misschien niet over dit vrouwelijke ondergoed moeten beginnen in de Islamitische Republiek tegenover een man, en al helemaal niet tegenover dit soort mannen. Maar deze mensen hadden tijdens een van mijn verhoren heel expliciet over seks gepraat. Konden ze er dan niet tegen dat iemand het over een bh had?

241

'En een pen?' vroeg ik, in een poging een ander onderwerp aan te snijden.

De mannen werden weer ernstig.

'Waar hebt u een pen voor nodig?' vroeg Javan.

Ik wilde belangrijke passages in mijn boeken markeren, zei ik tegen hem, zonder eraan toe te voegen dat ik in de marges ook aantekeningen over mijn rechtszaak wilde schrijven, in de hoop dat mijn bewaaksters daar niet zouden kijken.

'We zullen zien.'

Ik hoorde de twee mannen opstaan en vertrekken. Tasbihi zei dat ik mijn blinddoek moest laten zakken voordat ik opstond en naar de deur liep om terug te keren naar mijn cel.

'Wacht,' zei hij tegen me. 'Is er nog iets anders wat u wilt zeggen?'

'Nee.'

'Weet u dat zéker?' vroeg hij weer.

'Het leek erop dat u wilde dat ik tegen mijn ouders zei dat ze niet met de pers moesten praten,' zei ik. 'Dat heb ik al tegen hen gezegd. Wat kan ik nog meer doen om hen daarvan te overtuigen?'

Mahvash en Fariba begonnen onbedaarlijk te lachen toen ik hun vertelde dat ik mijn bâzju om een bh had gevraagd. 'Roxana,' riep Mahvash, 'ik kan gewoon niet geloven dat je dat tegen hem hebt gezegd!'

Ik was terug in mijn cel, waar ik mijn celgenoten vertelde over mijn laatste gesprek met Javan. Ik had hun ook verteld dat het me enorm bemoedigde toen ik had gehoord hoeveel steun ik kreeg.

Een paar van de groepen die volgens Javan mijn vrijlating eisten, hadden banden met Iraniërs die in het buitenland woonden. Ik was ontzettend blij met de steun van deze mensen, want dankzij mijn research over de braindrain in Iran wist ik dat zich onder hen enkele van de beste en slimste Iraniërs ter wereld bevonden.

Elk jaar weer emigreerden veel hoogopgeleide Iraniërs, hoewel de schattingen ver uiteenliepen en varieerden van vijftigduizend tot minstens honderdvijftigduizend per jaar. Uit een Amerikaans onderzoek bleek dat Iraans-Amerikanen de best opgeleide etnische groepering in Amerika vormden en dat deze vijf keer zo veel promovendi bevatte als het landelijk gemiddelde.

In de afgelopen decennia hadden in Iran drie grote emigratiegolven plaatsgevonden: de eerste begon halverwege de jaren vijftig, de tweede in de aanloop en nasleep van de Islamitische Revolutie en de derde halverwege de jaren negentig. Sommige emigranten waren asielzoekers die beweerden dat ze waren gevlucht om te ontkomen aan vervolging wegens hun politieke activiteiten, hun religie of verboden gedrag zoals homoseksualiteit. Vele anderen waren jonge mensen die een goede opleiding en een goed inkomen wensten.

Hoewel ik ook Iraniërs had gesproken die zeiden dat ze last van heimwee zouden krijgen als ze te lang in het buitenland zouden vertoeven, waren een aantal vrienden van me in de zes jaar dat ik daar had gewoond voorgoed uit Iran vertrokken. Misschien hadden een paar van deze mensen het nieuws van mijn gevangenschap wel bekendgemaakt, tenminste, als ze niet te bang waren voor mogelijke repercussies voor hun familieleden in Iran.

Rechter Moqisehs assistent overhandigde me het vonnis.

Het was zaterdag 18 april en ik was weer naar de rechtbank gebracht. Khorramshahi en ik zaten tegenover de rechter, die nu een tulband droeg.

Het vonnis was vrij lang en ik wist dat het me een paar minuten zou kosten om het te lezen. Daarom vroeg ik mijn advocaat om een samenvatting. Terwijl hij de twee getypte pagina's doornam, keek ik over zijn schouder mee. Ik was op zoek naar een getal – één, twee, hoeveel jaar ik nog in de gevangenis zou moeten blijven. Op de eerste bladzijde kon ik geen cijfer ontdekken en daarom besloot ik te wachten tot Khorramshahi begon te praten.

Enige tijd later was hij klaar met de eerste bladzijde en begon aan de tweede. Zijn ogen werden steeds groter. Hij schudde zijn hoofd, begon weer van voren af aan en las de beide bladzijden opnieuw. Daarna schudde hij zijn hoofd weer en deze keer klakte hij ook met zijn tong. Ik schoof heen en weer in mijn stoel, tikte met mijn voet op de vloer en ademde luidruchtig uit. Nog steeds zei Khorramshahi niets.

'En?' vroeg ik ongeduldig. 'Hoe luidt het vonnis?'

Zonder me aan te kijken, mompelde Khorramshahi: 'Acht jaar.'

20

'Wat?' vroeg ik. Misschien had ik mijn advocaat niet goed verstaan. 'Zei u "acht jaar"?'

Hij knikte vaag.

Acht jaar! Veel meer dan ik had verwacht. Maar ondanks mijn verbijstering voelde ik dat ik begon te grijnzen. Wat had ik dan verwacht na die zogenaamde rechtszaak? 'Dat is belachelijk,' zei ik.

Khorramshahi leek me niet te horen. Hij zat in elkaar gedoken voor zich uit te staren.

'Het is een *shoo*,' fluisterde hij, meer in zichzelf dan tegen mij.

'Een wat?' vroeg ik. Dat Farsi woord kende ik niet.

'Een shoo.'

'Wat is een shoo?'

'Show, show,' zei Khorramshahi in het Engels.

'O.' Kennelijk beschouwde hij dit vonnis als een zuiver politiek vonnis.

'U hebt genoeg tijd gehad het vonnis te lezen,' brulde rechter Moqiseh. 'U moet het ondertekenen.'

'Ik weiger dit te ondertekenen,' zei ik fel.

'Waarom?' vroeg de rechter fronsend.

Dat kon ik hem net zo goed vertellen, dacht ik, ik had nu immers niets meer te verliezen. Maar ik wist amper waar ik moest beginnen. 'Omdat u me niet de gelegenheid hebt gegeven mijn zaak met mijn advocaat te bespreken en hij mijn dossier pas één dag voor de rechtszaak heeft mogen inzien. Ik wist pas een paar minuten nadat de rechtszaak was begonnen dat dit het geval was en u hebt ons ondanks uw belofte geen uitstel gegeven. Bovendien hebt u mijn afgedwongen valse bekentenis als bewijs gebruikt.'

Toen ik uitgesproken was, zei de rechter met een vertrokken gezicht: 'Goed, dan ondertekent u het vonnis niet.' Daarna knikte hij tegen

Khorramshahi en zei: 'Meneer Khorramshahi, u bent haar advocaat, u moet het dus ondertekenen.'

Ik keek hem snel aan. 'Onderteken het niet,' zei ik.

Khorramshahi keek me met een verontschuldigende blik aan. Zijn pen hing boven de lege ruimte onder aan bladzijde twee.

'Ik moet wel,' fluisterde hij en hij zette zijn handtekening.

'Waarom zet u uw handtekening niet?' vroeg de rechter me, zogenaamd heel vriendelijk.

'Omdat ik bezwaar maak tegen dit hele proces.'

Hij gromde: 'Onderteken dan een verklaring dat u bezwaar maakt.'

Dat klonk acceptabel.

Ik maak bezwaar, schreef ik naast Khorramshahi's handtekening. Daarna ondertekende ik met mijn naam.

Voordat we de rechtszaal verlieten, liet Khorramshahi me een kopie zien van het korte pleidooi dat hij na mijn rechtszaak had ingeleverd. De gevangenisbewaker zei tegen me dat ik moest vertrekken en daarom vertelde Khorramshahi me snel dat hij had aangevoerd dat ik geen geheime documenten in mijn bezit had gehad, dat mijn bekentenis vals was en dat ik alleen maar een boek had geschreven. Net toen ik hem het vel papier terug wilde geven, zag ik dat hij had opgeschreven dat ik zeshonderd interviews had gehouden voor mijn boek.

'Het waren er zestig,' zei ik. 'Geen zeshonderd.'

'Oeps,' zei hij. 'Een typefout. Niet belangrijk.'

De bewaker gebaarde dat ik moest vertrekken. Ik stond op. 'Wat wilt u dat ik Bahman vertel?' vroeg Khorramshahi fronsend. 'Hij staat buiten te wachten. Hij maakt zich grote zorgen om u.'

'Zeg tegen hem en mijn familie dat ze zich geen zorgen hoeven te maken,' antwoordde ik. 'Zeg maar tegen hen dat ik van hen hou en dat het goed met me gaat.'

Toen ze me het gerechtsgebouw uit brachten, keek ik snel de parkeerplaats rond in de hoop dat ik Bahman zou zien. Maar ik kon hem niet ontdekken.

'Stap in de auto,' zei mijn bewaker. Ik gehoorzaamde met tegenzin, waarna hij me handboeien omdeed. De chauffeur startte de auto en reed weg.

Ik wilde Bahman zo graag zien en ik was zo teleurgesteld dat ik hem niet zag dat mijn hele lichaam er pijn van deed.

Voor mijn raampje zag ik iets bewegen. Ik keek snel opzij en zag Bahman. Hij was alleen, zijn blik schoot heen en weer. Kennelijk zocht hij mij. Opeens zag hij me en hij begon fanatiek naar me te zwaaien.

De auto schokte naar voren en Bahman verdween uit het zicht. Ik draaide me snel om, zodat ik hem door de achterruit kon zien. Hij had een verdrietige, hulpeloze blik op zijn gezicht. Mijn handboeien rinkelden toen ik mijn handen naar mijn lippen bracht en zonder geluid te maken zei: 'Ik hou van je.'

Bahman sloeg met zijn handen op zijn hoofd en rende onze auto achterna, maar hij kon hem niet bijhouden. Toen we een zijstraat insloegen, verdween hij uit het zicht.

In gedachten kon ik hem op de terugweg naar Evin steeds weer zien. Hij had zichzelf aan groot gevaar blootgesteld door eerst naar Evin en nu naar de rechtbank te komen. En nu ik hem voor het eerst sinds weken weer had gezien, werd ik overmand door emoties die ik had onderdrukt om mijn gevangenschap beter te kunnen doorstaan.

Ik had geen idee hoe hij, mijn familie en mijn vrienden het nieuws van mijn veroordeling en straf zouden opnemen.

Mahvash en Fariba deden sit-ups toen ik terugkwam. Zodra ze me zagen, sprongen ze overeind.

'We hebben de hele ochtend voor je gebeden,' zei Mahvash opgewekt.

'En toen we Hafez voor je openden,' voegde Fariba eraan toe, 'vonden we een heel erg goed gedicht.'

Ik grinnikte en vertelde hun het vonnis.

'O, Roxana!' riepen ze tegelijk, vol medeleven.

Ik glimlachte. 'Het gaat goed met me, hoor!'

Ze keken me aan alsof ik gek was geworden.

'Echt waar,' zei ik. 'Het gaat goed met me. Eigenlijk heb ik me nog nooit zo dicht bij God gevoeld.'

Khorramshahi geloofde me ook niet toen ik hem dat die ochtend had verteld. Hij kon natuurlijk niet weten dat ik eindelijk vertrouwen had in God, die echt moest hebben geweten wat Hij deed. Ik was dankbaar voor het vonnis. Dat bewees dat mijn gevangenbewaarders woedend waren omdat ik had geweigerd met hen samen te werken en ik was er trots op dat ik me tegen hen had verzet. Ik was er ook van overtuigd dat een gevangenisstraf van acht jaar zelfs nog meer internationale ophef zou kunnen veroorzaken dan wanneer ik één of twee jaar had gekregen. Bovendien wist ik nu zeker dat ik niet fair was behandeld. Ik twijfelde niet meer aan wat ik moest doen, ik moest fel verzet plegen.

'Nu zal de hele wereld zich realiseren wat de rechtszaak tegen mij in feite is geweest,' had ik tegen Khorramshahi gezegd. 'Een schijnvertoning.'

Die avond vertelde ik mijn celgenoten in vertrouwen wat ik van plan was.

Rechter Moqiseh had mijn advocaat twintig dagen gegeven om tegen het vonnis in beroep te gaan. Ondertussen zou ik een paar extra advocaten inschakelen, een wens die Khorramshahi deze keer had gerespecteerd zonder te dreigen zich terug te trekken. Voordat we de rechtbank hadden verlaten, had ik hem verteld dat ik wilde samenwerken met Shirin Ebadi en haar collega Abdolfattah Soltani, die de bahaïsten verdedigden. Beide advocaten hadden door hun werk zelf gevangengezeten, maar na hun vrijlating waren ze doorgegaan met het aannemen van moeilijke, politiek getinte zaken. Advocaten zoals zij, dacht ik, zouden ook de moed hebben om voor mij op te komen.

Khorramshahi zei dat Ebadi het land uit was, maar dat hij Soltani zou benaderen, ook al gaf hij de voorkeur aan Saleh Nikbakht. Ik had wel eens van die advocaat gehoord, maar eigenlijk wist ik niets over hem. Daarom zei ik tegen Khorramshahi dat hij moest proberen Soltani in te schakelen.

Maar hoewel ik opgelucht was omdat ik een tweede advocaat zou krijgen, realiseerde ik me wel dat ik voor mijn vrijlating op niemand moest rekenen, zelfs niet op extra advocaten.

Het hof van beroep zou mijn acht jaar gevangenisstraf echt niet verminderen tot nul, vermoedde ik. Dat zou de rechterlijke macht en het ministerie van Veiligheid in een kwaad daglicht stellen. Die rechtbank zou me hoogstens tot een paar jaar gevangenis veroordelen en daarna zou ik weer in beroep moeten gaan, maar dan bij de Hoge Raad. En wie wist hoe lang dat allemaal zou duren of wat het resultaat zou zijn?

Inmiddels begreep ik dat ik vooral op mezelf moest vertrouwen, op mijn vermogen om niet alleen mijn gedrag maar ook mijn lichaam onder controle te houden. Ik zou in hongerstaking gaan en deze keer beslist volhouden. Dat was het enige wapen dat ik bezat om de Iraanse autoriteiten onder druk te zetten in de volgende, beslissende fase van mijn zaak. Die actie zou nog meer aandacht trekken. Het was ook een vorm van protest die absoluut redelijk leek na het vonnis dat ik had gekregen.

Maar als ik er meteen mee begon, gaven de autoriteiten me misschien geen toestemming om mijn ouders of Soltani te spreken. Daarom besloot ik te wachten tot ik hen had gesproken en pas daarna in hongerstaking te gaan.

'Vandaag hebben de westerse media zich uitgesproken tegen het feit dat Roxana Saberi tot acht jaar gevangenisstraf is veroordeeld wegens spionage voor de Verenigde Staten,' hoorde ik de nieuwslezer die zondagavond tot mijn verbazing zeggen. Dit was de eerste keer dat ik op IRIB iets over mijn zaak hoorde.

Mijn celgenoten en ik hadden die avond het nieuws aangezet, vanwege iets wat een agent van de veiligheidspolitie die dag had gezegd. Hij had me meegenomen naar een verhoorkamer en me gevraagd of ik de vorige avond naar het nieuws had gekeken. Ik schudde mijn hoofd. Hij vroeg me steeds weer hoe bang ik was nu ik tot acht jaar gevangenisstraf was veroordeeld, en steeds weer citeerde ik een Farsi-gezegde: *Har chi khodâ salâh bedoone*, Wat God ook maar raadzaam acht. Uit zijn woorden maakte ik op dat IRIB de avond tevoren over mijn vonnis had bericht en bovendien op een manier die me volgens de agent had moeten intimideren.

Na de introductie door de nieuwslezer volgde die avond een reportage van ongeveer drie minuten met daarin korte fragmenten van westerse tv-reportages over mijn vonnis en een geluidsfragment van een Europese vriend, Coco, die ooit in Iran had gewoond en nu zei dat het jammer was dat ik een politieke marionet was geworden. Ook lieten ze voorbeelden zien van mijn oude tv-reportages en fragmenten van interviews van buitenlandse zenders met mijn ouders. Volgens de Farsi voice-over zou mijn vader iets hebben gezegd in de trant van: 'Ze is misleid en gedwongen valse verklaringen af te leggen,' en mijn moeder voegde er iets aan toe als: 'Ze is echt ziek, heel zwak. Ik maak me zorgen over haar.' Ik hapte naar adem toen president Obama in beeld verscheen en zijn bezorgdheid over mijn welzijn uitsprak.

Ik keek naar Mahvash en Fariba. Hun ogen waren even groot als die van mij waarschijnlijk waren.

Na die uitzending werd ik verscheurd door tegenstrijdige gevoelens. Ik was helemaal van slag door het griezelige gevoel dat ik zojuist naar een reportage had gekeken die over iemand anders ging, niet over mij. Misschien was dit wat mensen bedoelden wanneer ze zeiden dat ze het gevoel hadden dat ze hun eigen begrafenis hadden gezien. Maar ik was ook heel blij dat mijn vonnis zo veel kritiek had opgewekt en ik was trots op mijn ouders, die zo openlijk voor me opkwamen. Mijn vaders verklaring, waarin hij suggereerde dat ik onder druk was gezet om valse verklaringen af te leggen, was precies wat ik de wereld had willen laten weten. Hij fungeerde als mijn woordvoerder en hij verdedigde mij tegen de leugens die de Iraanse propagandamachine uitbraakte. Ik dacht terug aan mijn droom over de hondsdolle hond. Mijn vaders winterjas beschermde me echt.

Mijn ouders stonden in de hal van het bezoekgebouw op me te wachten en ik zag meteen hoe bezorgd ze waren. Mijn vader praatte met een oudere vrouw, kennelijk de moeder van een andere gevangene. Familieleden van gevangenen, had ik ontdekt, leerden elkaar kennen tijdens hun bezoeken aan de gevangenis en de rechtbank, en ze vormden een groeiend netwerk van mensen met dezelfde afkeer van de gevangenbewaarders van hun geliefden.

Die maandag, twee dagen na mijn veroordeling, verving Javan Tasbihi om toezicht te houden bij het wekelijkse bezoek van mijn ouders. Hij droeg een shirt met lange mouwen zonder zijn leren jasje; het was nu ook te warm geworden. Hij was ook een paar kilo aangekomen sinds ik hem de laatste keer had gezien, ongeveer anderhalve maand eerder. Misschien had hij met Nieuwjaar te veel lekkernijen gegeten.

Javan begroette mijn moeder en vader beleefd, leidde ons vervolgens naar de privékamer en gebaarde dat ze mochten plaatsnemen. Ik hoopte dat ze zich niet voor de gek lieten houden door deze zogenaamde hartelijkheid. Kennelijk wilde Javan iets van hen, maar ik had nog geen idee wat.

Ik was van plan geweest de weinige kostbare minuten met mijn ouders te gebruiken om met hen over mijn zaak te praten, maar voordat ik iets kon zeggen trok Javan zijn stoel naar mijn vader toe en begon in het Farsi met hem te praten. De agent deed net alsof hij geen Engels verstond en zei dat ik alleen Farsi mocht spreken, hoewel hij me toestemming gaf dit te vertalen voor mijn moeder, die maar heel weinig Farsi woorden kende. Voordat ik kon zeggen dat Javan eigenlijk heel goed Engels kende, begon hij een verhandeling die wel twintig minuten leek te duren. Zijn belangrijkste punten waren deze:

1 De Islamitische Republiek was de afgelopen dertig jaar haar eigen gang gegaan en trok zich niets aan van wat de buitenlandse media daarover zeiden.
2 Interviews met de pers hadden geen invloed op de besluiten van het regime en konden me bovendien meer kwaad doen dan goed.
3 Daarom zou mijn vader tegen de westerse media moeten zeggen dat ze niet meer over mij moesten berichten.
4 Mijn ouders mochten ook niet vergeten dat ze als Iraanse burgers in Iran waren en dat ze 'God verhoede het, problemen kregen' tijdens hun verblijf in het land.

Ik klemde mijn kaken op elkaar toen ik Javan dit allemaal hoorde zeggen. Deze man deed niets minder dan mijn ouders bedreigen om ervoor te zorgen dat ze hun mond hielden. Hij had ontzettend veel macht over mij gehad en nu wilde hij ook mijn ouders in zijn greep krijgen.

Ik keek naar mijn vader. Hij luisterde beleefd. Zijn houding verbaasde me en ik was bang dat hij zich door Javans dreigementen zou laten intimideren. Ik had zin om woedend tegen mijn bâzju uit te vallen, maar ik dacht aan iets wat ik kort tevoren had gelezen in het Bijbelboek Spreuken: 'Als u kalm blijft, bent u wijs...' De wijzen blijven kalm, zei ik tegen mezelf. Ik moet dus ook kalm blijven.

'Het is beter om geduldig te zijn,' zei Javan nu tegen mijn vader. 'Ik geef alleen de boodschap door die me van boven is gegeven.'

Nu kon ik me niet langer beheersen. 'Dad,' brieste ik en ik nam mijn vaders hand in die van mij, 'geloof alsjeblieft niets van wat hij zegt. Blijf met de media praten.'

Javan keek me fronsend aan. Ik keek precies zo terug; het kon me niets meer schelen of ik hem kwaad maakte en of iets van wat ik zei werd opgenomen. 'Als u niet wilt dat de media over mij berichten,' brieste ik, 'moet u ze dat zelf maar vertellen. Neem zelf maar contact op met de westerse media. Bovendien hebt u meer dan genoeg eigen nieuwsagentschappen die uw boodschappen kunnen verspreiden.'

Heel even keek hij me van onder zijn opgetrokken wenkbrauwen aan. Maar algauw liet hij zijn onaandoenlijke masker vallen, wendde zich tot mijn vader en zei: 'Het betekent meer als het van u en uw vrouw komt. En als u toch met de pers praat, praat dan met de lokale, de Iraanse pers.'

'Iedereen weet dat de lokale media gecensureerd worden,' gromde ik.

'Ik heb het niet tegen u,' zei Javan geïrriteerd. 'Ik heb het tegen uw vader. Ik kan wel zien dat hij veel verstandiger is dan u bent.'

Weer keek ik naar mijn vader. Hij leek nog steeds rustig en aandachtig.

Toen begon hij te praten. 'Ik begrijp uw boodschap,' zei hij zacht tegen de agent, 'maar we hebben u een kans gegeven. We hebben op het vonnis gewacht en gezien wat er is gebeurd.'

'Nee,' zei Javan op harde toon. 'We hebben ú een kans gegeven.'

Javan praatte maar door. Ik deed net alsof ik zijn woorden vertaalde voor mijn moeder. Maar ik fluisterde tegen haar dat deze man mijn ondervrager was geweest, dat hij heel goed kon liegen en heel goed Engels sprak, en dat zij tegen mijn vader moest zeggen dat hij Javans woorden moest negeren en mijn verhaal actueel moest houden. Ze knikte.

Terwijl ik tegen haar praatte, hoorde ik dat Javan tegen mijn vader zei dat ik schuldig was aan alle beschuldigingen tegen mij. Mijn vader antwoordde onverstoorbaar dat hij wist dat zijn dochter geen spion was.

'Hoe weet u dat?' vroeg de agent.

'Omdat wij haar hebben opgevoed en haar karakter kennen,' antwoordde mijn vader op ontspannen toon, alsof hij een van zijn presentaties over Perzische poëzie gaf. 'Zij is geen spion.'

'Maar we hebben een video waarop ze bekent dat ze een spion is,' zei de agent. 'Die zouden we kunnen uitzenden.'

'Ga uw gang, zend die video maar uit,' zei ik uitdagend. Tegen mijn vader zei ik: 'Dad, als ze dat doen, die video zit boordevol leugens die ik onder dwang heb verteld. Ontken ze.'

Javan keek weer naar me. 'U bent hier nooit onder druk gezet.'

'O, nee? En hoe wilt u het dan noemen dat jullie dreigden dat ik in de gevangenis zou blijven tot ik een oude vrouw was of zelfs kon worden vermoord?'

'Dat heeft niemand ooit gezegd,' snauwde Javan. 'En als u dat soort dingen zegt, schetst u een bijzonder negatief beeld van Evin.'

'De wereld heeft gehoord wat hier gebeurt, zoals de dood van Zahra Kazemi,' zei ik. Mijn moeder, die alleen de naam van de journaliste had kunnen verstaan, bevestigde mijn woorden met 'Ja! Dat is waar!'

'Zo gaat het er hier niet aan toe,' zei de agent. 'Hoe dan ook,' zei hij met een valse glimlach tegen mijn vader, 'ik moet u nog vertellen dat we in uw dochters appartement vijftien geheime documenten hebben gevonden.'

Vijftien? Dit was de eerste keer dat ik hoorde dat ze het aantal van deze zogenaamde geheime documenten noemden. Fluisterend zei ik tegen mijn moeder dat ze tegen mijn vader moest zeggen dat hij deze agent niet moest geloven. Ze antwoordde dat ze geen goed gevoel had over deze jongeman.

Javan keek me dreigend aan. 'Als u zo tegen uw moeder blijft praten, mag u vanaf nu geen bezoek meer ontvangen,' waarschuwde hij. 'Hou op met vertalen.'

Toen Javan klaar was met zijn instructies, vertelde hij ons dat onze tijd op was.

Ik omhelsde mijn vader en zei in zijn oor dat hij met de media moest blijven praten. 'Maak je geen zorgen,' zei hij. 'Dat weten we. Inmiddels weten we wat we moeten doen.'

In mijn gebrekkige Japans zei ik tegen mijn moeder: 'Zeg tegen de pers dat ik vanaf donderdag, *tâbemâsen*, niet meer zal eten.' Ik hoopte dat ik tegen die tijd mijn advocaat had gesproken. 'Vertrouw me maar, ik weet wat ik doe.'

Ik kon wel zien dat ze zich zorgen maakte, maar met een bijna onzichtbaar knikje liet ze me weten dat ze begreep dat ik vastbesloten was deze stap te zetten en dat ze niet zou proberen me tegen te houden.

Die avond begon ik met mijn hongerstaking. Ik had besloten niet langer te wachten met mijn protest tegen mijn vonnis, ook al had ik gehoord dat president Ahmadinejad en de leider van de rechterlijke macht zich bemoedigend over mijn zaak hadden uitgesproken.

IRIB rapporteerde dat Shahroudi een 'zorgvuldig, snel en eerlijk' beroep van mijn zaak had bevolen. En Ahmadinejad had gevraagd om een rechtvaardig en eerlijk onderzoek van mijn zaak en dat van de Iraans-Canadese Hossein Derakhshan, die in Iran bekendstond als de *Blogfather* nadat hij had meegeholpen bloggen populair te maken in Iran. Zijn verblijfplaats na zijn arrestatie in november 2008 was onbekend.

Ik hoopte dat de verklaringen van deze hoge leiders een belangrijke rol zouden spelen, maar daar kon ik niet zeker van zijn. Of Ahmadinejad wel of niet al steeds van mijn gevangenschap op de hoogte was geweest, nu beschouwde hij deze misschien als een obstakel op de weg naar verbeterde betrekkingen met de Verenigde Staten.

Maar zelfs als Ahmadinejad en Shahroudi hun woorden hadden gemeend, wist ik niet hoeveel macht ze hadden over de hardliners die kennelijk hoe dan ook wilden dat ik in de gevangenis bleef.

Ik kwam tot de conclusie dat deze hooggeplaatste personen hun eigen agenda konden hebben, maar dat ook ik mijn eigen doelen kon nastreven.

Toen ik Haj Khanom vertelde dat ik had besloten in hongerstaking te gaan, gaf ze me een formulier en zei dat ik de directeur van de gevangenis hier officieel van op de hoogte moest stellen.

Dat deed ik. Haj Khanom haalde het formulier bij me op, maar vergat de pen die ik onder mijn dekens verstopte.

Een paar minuten later was ze alweer terug in onze cel. De directeur wilde me zien.

Haj Khanom bracht me naar een kamer op de eerste verdieping, waar de stem van een man me beval mijn blinddoek af te doen. Ik herkende de directeur van de laatste keer dat ik hem had gezien, toen hij tijdens de nieuwjaarsvakantie naar mijn cel was gekomen om naar mijn celgenote met diabetes te kijken.

Hij liep om zijn bureau heen naar me toe en bood me wat fruit aan, dat ik weigerde. Toen vertelde hij me dat hij mij, als ik in hongerstaking ging, van mijn cel naar een andere afdeling moest overplaatsen, waar ik samen met *nâjur*, onaangepaste vrouwen, zou worden opgesloten. Ik nam aan dat hij de gewone gevangenis bedoelde, waar ik volgens mijn eerste celgenote Roya samen met moordenaars opgesloten zou worden. Dat zou wel eens zo'n uitdaging kunnen zijn waar ik een kans van kan maken, dacht ik, terugdenkend aan Mahvash' kijk op het leven. Misschien kan ik zelfs wel iets van die nieuwe vrouwen leren.

'Doe maar wat volgens u juist is,' zei ik.

De bebaarde man keek een beetje onbegrijpend, maar zei toen waarschuwend: 'Als u niet eet, kunnen we u geen toestemming geven uw ouders te bellen.'

'Dat is goed. Ik ben niet in hongerstaking om telefoontjes te mogen plegen, maar om te protesteren tegen de onrechtvaardige straf die me is opgelegd.'

Hij keek me nieuwsgierig aan. 'Maar u bent al vaker in hongerstaking gegaan en u hebt zelf gezien dat dat u helemaal niet heeft geholpen.'

'Die keren was het geen echte hongerstaking,' zei ik. 'Deze keer is het anders. Deze keer ga ik ermee door tot het einde.'

21

De dagen daarna beperkte ik mijn dieet tot suikerwater en, een enkele keer, een lepel honing. Net als de vorige keren bleken de eerste drie dagen zonder eten het moeilijkst, maar mijn koppige verzet verdoofde de steken in mijn maag.

Langzaam maar zeker begon het vlees op mijn schouders en ribben te slinken. Mijn dijen verschrompelden tot ze even slank waren als in mijn tienertijd, en mijn buik werd platter dan ik ooit had meegemaakt. Maar mijn wangen bleven vrij bol.

Doordat het vet van mijn lichaam verdween, kreeg ik het kouder. Ik sliep opgerold in mijn gevangenistrui, roopoosh, chador en met sokken aan. Bovendien droeg ik extra kleren die Mahvash en Fariba me leenden. Om mijn hoofd warm te houden, droeg ik dag en nacht mijn maqna'e.

Op donderdag 23 april, de vierde dag van mijn hongerstaking, vertelde een van de bewaaksters me dat ik naar de dokterspost moest. Daar controleerde een arts mijn bloeddruk, hartslag en bloedsuikerspiegel. Hij zei dat het allemaal in orde was, maar toen ik op de weegschaal stapte, zag hij dat ik nog maar 47,5 kilo woog. Na mijn vorige bezoek een dag of vijf, zes eerder was ik vier kilo afgevallen. Sinds ik op de middelbare school mijn uiteindelijke lengte van 1,65 m had bereikt, had ik nog nooit zo weinig gewogen.

Inmiddels had ik nog maar net voldoende energie om een paar minuten per dag rechtop te zitten. Liggen was niet langer aangenaam, omdat ik niet wist waar ik mijn handen moest laten. Als ik ze op mijn buik legde deed het pijn, op mijn borstkas belemmerden ze mijn ademhaling en naast me vergrootten ze de druk op mijn staartbotje dat nu helemaal op de harde stenen vloer drukte.

Ik was te zwak om tijdens de havâ-khori te lopen, maar op een dag namen Mahvash en Fariba me mee naar buiten. Daar zat ik naar hen te kijken toen ze op de stenen binnenplaats tegen een lekke plastic bal trapten die een andere gevangene kennelijk had achtergelaten. Terwijl ze hem heen en weer schopten, dacht ik eraan dat ik nog geen drie maanden eerder over een voetbalveld van een Europese school in Teheran had gerend, waar ik mijn hoofddoek kon afdoen en had kunnen voetballen met mannen, zowel Iraniërs als buitenlanders. Hoewel Iran onlangs een eigen vrouwenvoetbalteam had samengesteld, hadden velen van hen hun bewondering geuit voor mijn vaardigheid in wat nog altijd als een mannensport werd beschouwd. Toen ik me realiseerde dat ik niet voor hen onderdeed (ik voetbalde al sinds mijn vijfde), mocht ik meedoen met hun wekelijkse wedstrijden. Als ze me nu konden zien... Ik werd al moe door alleen maar naar de bal die over de stenen rolde te kijken.

Ook al voelde ik me niet prettig, ik vond het bemoedigend dat ik niet werkeloos in mijn cel zat te wachten en alleen maar vertrouwde op mijn supporters die buiten de muren van Evin aan mijn vrijlating werkten. Ook ik deed wat ik kon.

Ik vermoedde dat als ik mijn hongerstaking voortzette, de Iraanse autoriteiten me elke paar dagen intraveneus voedsel moesten toedienen – wat op een publieke nachtmerrie voor hen kon uitdraaien – of me moesten vrijlaten. Ik had geen idee hoeveel dagen iemand het kon volhouden op het weinige wat ik consumeerde, maar ik betwijfelde of mijn gevangenbewaarders me zouden laten sterven. Als ze dat wel deden, dacht ik na alles wat ik hier had meegemaakt, zou de dood in deze omstandigheden niet zonder betekenis zijn. Hij zou in elk geval de aandacht richten op dit onrechtvaardige systeem. Inmiddels was ik niet meer bang voor de dood, maar bereid om voor een nobel doel te sterven; een moeilijk te doorgronden verandering die mijn gijzelnemers over zichzelf hadden afgeroepen.

In deze periode stonden mijn celgenoten erop mijn kleren te wassen. Ze zeiden dat ik zuinig moest zijn op mijn energie. Af en toe zag ik dat Mahvash met vochtige ogen naar me keek en één keer, nadat ik hardop in het Engels voor ons had gebeden, zag ik een traan over Fariba's wang biggelen. Ik verzekerde hun dat het goed met me ging, maar ze leken niet overtuigd.

Verder waren mijn celgenoten even sereen als altijd, zelfs toen Heidarifard, Haddads assistent, hun een keer liet weten dat ze van een nieuw feit werden beschuldigd: het verspreiden van corruptie in de wereld. We lachten om de absurditeit ervan, maar het was heel ernstig. Mijn celgenoten vertelden me dat deze beschuldiging, net als de twee andere beschuldigingen tegen hen, kon leiden tot de doodstraf. In feite waren verschillende bahaïsten in de beginjaren van de revolutie veroordeeld voor het verspreiden van corruptie en geëxecuteerd.

'Worden jullie nooit kwaad op deze mensen omdat ze jullie op deze manier behandelen?' vroeg ik de beide vrouwen.

Ze schudden hun hoofd. 'Natuurlijk missen we onze familie en onze vrijheid,' zei Mahvash, 'maar we geloven in liefde en compassie voor de mensheid, zelfs voor diegenen die ons slecht behandelen.'

Ik vertelde hun dat ik me realiseerde dat je de zonde moest haten en niet de zondaar, zoals het spreekwoord luidde, maar dat het me ontzettend veel moeite kostte om geen haat te voelen jegens Javan, Haddad, Heidarifard, rechter Moqiseh... voor wat ze mij en waarschijnlijk talloze anderen hadden aangedaan, en dat ik niet wist hoe ik van de mensheid moest houden als ik zo veel afschuw voelde voor deze mensen.

'Hoe moet je je gevangenbewaarders níét haten?' wilde ik weten. 'Vooral jij, Fariba.' Ze had me verteld dat haar vader jaren geleden in de gevangenis was gemarteld en kort na zijn vrijlating was overleden.

'We vergeven hen,' antwoordde Fariba. 'We willen niet net zo worden als zij.'

'Maar hoe zit het dan met rechtvaardigheid?' vroeg ik. 'Deze mensen behandelen je toch onrechtvaardig? Vraag je je nooit af of zíj ooit voor hun misdaden zullen moeten boeten?'

Ze glimlachte en antwoordde zacht: 'We hopen dat God ons zal helpen om hun een betere manier te laten zien.'

In de loop van die week werd ik steeds ongeduldiger. Ik wilde mijn nieuwe advocaat spreken, maar ik hoorde niets. Mahvash en Fariba brachten hun dagen door zoals altijd en ik lag het grootste deel van de dag te rusten. Lezen was te vermoeiend voor mijn armen, die te zwak waren geworden om een boek vast te houden; dit gold zelfs voor de lichte paperbacks die mijn ouders voor me hadden meegenomen. Ik keek dus de hele dag naar de televisie. We keken naar het nieuws en waren gespitst op reportages die ons iets konden vertellen over ons eigen lot.

De uitzendingen van IRIB gingen steeds vaker over de komende presidentsverkiezingen van Iran. Mir-Hossein Mousavi, in de jaren tachtig premier van Iran, werd beschouwd als de belangrijkste voorman van de hervormingsgezinden en grootste concurrent van de zittende premier Ahmadinejad. Mousavi genoot de steun van de voormalige president Mohammad Khatami, die zich in maart had teruggetrokken.

Ik dacht aan Ahmadinejads overwinning in 2005, die voor veel waarnemers als een schok was gekomen. Toen de voormalige burgemeester van Teheran zich dat jaar bij het ministerie van Binnenlandse Zaken als kandidaat had aangemeld, werd hij als zo'n kansloze deelnemer beschouwd dat veel journalisten liever een kop thee gingen drinken dan zich met hem bezig te houden. Tijdens zijn persconferenties in de aanloop naar de verkiezingen kwam altijd maar een handjevol journalisten opdagen. Nadat hij de verkiezingen had gewonnen, buitelden we over elkaar heen om hem te kunnen interviewen.

Veel Iraniërs vertelde me later dat ze niet de moeite hadden genomen om te gaan stemmen. 'Ze zijn allemaal hetzelfde,' was de gebruikelijke verklaring voor hun apathische houding.

Toch bleek Ahmadinejad veel steun te hebben op het arme platteland, waaronder het zuiden van Teheran.

Leden van de basiji die ik had geïnterviewd, zeiden dat ze op hem hadden gestemd omdat ze bewondering hadden voor zijn eenvoud, eerlijkheid en strijd tegen corruptie. Enkelen gaven ook toe dat hun leiders erop hadden aangedrongen op hem te stemmen.

Als Ahmadinejad dit jaar weer zou winnen, zouden de basiji, de leden van de Revolutionaire Garde en de hardliners die hem steunden, tijdens zijn tweede termijn waarschijnlijk nóg meer macht krijgen dan ze tijdens zijn eerste termijn hadden gehad. De Garde, die naar schatting 125.000 actieve leden had, was de machtigste militaire organisatie van de Islamitische Republiek en had de supervisie over het nucleaire programma van het land. De Garde had ook invloed op de politiek en de economie, en had veel bedrijven opgezet op economische terreinen als de bouw en de olie- en gaswinning.

Een overwinning van Ahmadinejad zou deze machtige organisaties in staat stellen de binnenlandse vrijheden te beperken onder het mom van 'bescherming van de nationale veiligheid'. Dat zou niet veel goeds betekenen voor politieke gevangenen zoals wij. Maar ondertussen hoopten mijn celgenoten en ik dat Ahmadinejads regering tijdens de aanloop naar de verkiezingen in juni enkele gevangenen zou vrijlaten als een gebaar van goede wil.

Eind april kregen we gezelschap van een nieuwe celgenote. Eerst stelde ze ons allerlei vragen over onszelf, waardoor ik me afvroeg of ze een informante was die door onze gijzelnemers bij ons in de cel was gezet. Dat gebeurde wel eens in de gevangenis, hadden eerdere celgenoten me verteld. Maar nadat ik Mahshid Nafaja had leren kennen, realiseerde ik me dat ze na anderhalve maand eenzame opsluiting een wanhopige behoefte had gehad aan een gesprek.

Mahshid, een aantrekkelijke vrouw van in de veertig met lang, dik haar, was de woordvoerster van de El-Yasin Community in Iran, die ze beschreef als een coalitie van individuen, ngo's en uitgaven die tot doel hadden de mensen bewust te maken van 'de interpretatie van het woord van God' en 'andere manieren van denken'. Mahshid noemde het een spiritueel-culturele organisatie, maar haar ondervragers beweerden dat het een anti-islamitische sekte was van de zesendertigjarige leider Peyman Fattahi.

Fattahi was voorstander van vrijheid van godsdienst en bekritiseerde het gebruik van geweld in naam van het geloof, vertelde Mahshid. Ze zei dat hij zo populair was geworden dat grote aula's boordevol Iraniërs hadden gezeten die hem wilden horen praten en dat hij er mede voor had gezorgd dat de aanhang van El-Yasin, die vooral uit Iraniërs bestond, na de oprichting in 2005 was gegroeid tot ongeveer tweehonderdduizend. Veel van deze volgelingen waren jonge mensen die op zoek waren naar een dieper begrip van spiritualiteit en religie, waaronder de islam.

Tijdens de research voor mijn boek had ik eenzelfde trend in de Iraanse samenleving ontdekt. Hoewel talrijke Iraniërs de door het regime gepropageerde islam steunden, waren er ook veel Iraniërs die zich hiervan distantieerden. Velen waren de politieke manipulatie van de geestelijkheid beu en hadden hun geloof tot een persoonlijkere ervaring gemaakt of waren op zoek gegaan naar andere vormen van religie. Sommige Iraniërs hadden alleen de geestelijken de rug toegekeerd en anderen zelfs hun hele geloof.

Eén Iraniër die ik had ontmoet en die afstand had genomen van de ideologische islam van het regime was een jonge vader, Farzad. Hij beschouwde zichzelf als gelovig, maar hij bad liever in zijn eigen huis dan tijdens de door de staat gesponsorde vrijdaggebeden of in de moskee, instrumenten die hij beschouwde als vertoon van steun aan het regime.

'In naam van de islam,' had Farzad tegen me gezegd, 'verbiedt het regime satelliettelevisie en dwingt jonge mensen hun versie van islamitische kleding te dragen. In naam van de islam hebben de autoriteiten vele leugens verteld. Ze hebben economische voorspoed beloofd, maar in plaats daarvan hebben ze corruptie, inflatie en meer armoede en prostitutie veroorzaakt. Dat is niet de ware islam.'

Enkele van mijn voormalige celgenoten hadden diezelfde overtuiging. Een van hen had tegen haar ondervragers gezegd dat hun fundamentalistische islam niet te vergelijken was met de gematigde islam die zij steunde. Een andere was atheïst.

Gezien de rigide versie van de islam van de hardliners verbaasde het me niet dat Mahshid zei dat de autoriteiten de afgelopen jaren de activiteiten van El-Yasin hadden beperkt. Ze hadden de ngo's en uitgaven van de Community stopgezet en enkele aanhangers van de groep gevangengezet. Ook het onderwijzen van de ideeën van El-Yasin was onlangs verboden.

Mahshid vertelde dat de leider van de groep, Fattahi, nu gevangenzat in Evin. Hij had de afgelopen maanden in eenzame opsluiting doorgebracht en de leden van El-Yasin waren bang dat hij werd gemarteld, net als tijdens zijn eerdere gevangenschap in 2007.*

Mahshids uitgeverij, die een boek van Fattahi en vele andere boeken over religie had gepubliceerd, werd ook gedwongen te sluiten. Ze werd nu beschuldigd van propaganda tegen de staat, een beschuldiging die volgens haar vooral werd gebaseerd op haar interviews met buitenlandse media, onder andere met de Voice of America.

---

* Volgens Paris Keynezhad, woordvoerster van El-Yasin Human Rights and International Affairs, is Fattahi tijdens zijn eerste gevangenschap slachtoffer geweest van marteling door elektrische schokken en giftige injecties die inwendige bloedingen veroorzaakten. Hij zei dat zijn ondervragers, die hem beschuldigden van ketterij en atheïsme, hadden beweerd dat hij een geheime circulaire in zijn bezit had en hem onder druk hadden gezet om te bekennen dat hij 'mensen misbruikte' en illegale seksuele relaties had. Hij ontkende alle beschuldigingen.

Nadat Mahshid en haar zoon zonder arrestatiebevel op 2 maart waren gearresteerd, hadden ze geen enkel contact gehad met elkaar of met hun familie. Haar ondervrager zette haar onder druk om valse verklaringen af te leggen over zichzelf en Fattahi. Dat had ze geweigerd, ook al zou ze in ruil voor een valse bekentenis zijn vrijgelaten, zoals ten minste twee andere leden van El-Yasin was overkomen.

'Ik zal nooit liegen, zoals zij me willen laten doen,' bezwoer Mahshid. 'Ik zal mijn waardigheid nooit verkopen, tegen welke prijs dan ook.'

Mahshid had een bijzonder positieve houding ten opzichte van haar gevangenschap. Zij was van mening dat je elke dag wel iets kon vinden waar je gelukkig van werd, zelfs in de gevangenis, bijvoorbeeld als je door onze vieze ruit een zeldzame glimp van de maan opving of een bepaalde maaltijd at, ook al bestond die uit in olie geweekte rijst met een dun plakje courgette erop. Ze genoot van elk hapje en deed er soms wel een uur over om haar bord leeg te eten. Met dezelfde concentratie poetste Mahshid haar tanden, vijf minuten 's ochtends en vijf minuten 's avonds. Ze maakte er grapjes over dat ze toen ze nog vrij was nooit de tijd had gehad om haar gebit zo zorgvuldig te reinigen. 'We kunnen een paradijs voor onszelf creëren,' zei ze vaak, 'zelfs in de hel.'

'Til je voeten op!' schreeuwde een bewaker op een avond in de gang achter ons. 'Was ze met koud water! Zielig doen heeft geen zin!'

Het was al laat en we werden er alle vier wakker van. Het klonk alsof de bewaker tegen een gevangene schreeuwde wiens voeten met de zweep waren afgeranseld. We hoorden geen reactie van de gevangene. Hij kon of wilde niet praten.

We hebben nog uren wakker gelegen. We zeiden niets, maar we wisten dat we allemaal op onze eigen manier meeleefden met de onbekende man aan de andere kant van onze muur.

Skinny drukte me een gemengd boeket in handen.

Het was zondag 26 april, vroeg in de avond, en zij en een bewaker hadden me naar een ander gebouw op het gevangenisterrein gereden, waar ik nooit eerder was geweest. Daarna, zonder enige uitleg, had ze me het boeket gegeven en gezegd dat ik naar binnen moest gaan.

De laatste keer dat ik bloemen had gekregen was een jaar eerder, voor mijn verjaardag, toen meer dan dertig vrienden zich in mijn flatje hadden verzameld. Daar hadden we tot diep in de nacht samen gegeten, gezongen en gedanst.

Ik liep aarzelend een kleine kamer binnen, waar ik tot mijn verbazing mijn ouders zag. Ik wilde hen net glimlachend omhelzen toen ik een videocamera op me gericht zag. Ik zag geen rood lampje dat aangaf dat hij draaide, maar ik was op mijn hoede. Ik weigerde de autoriteiten de kans te geven een video-opname van me te maken terwijl ik dolgelukkig en met bloemen in mijn hand mijn ouders omhelsde. Dat konden ze gebruiken als propaganda om te laten zien dat ze op mijn verjaardag heel aardig voor me waren geweest.

Ik was die dag tweeëndertig geworden en mijn ouders hadden uren gewacht op toestemming om op een niet-bezoekdag langs te mogen komen. Ik gaf het boeket aan mijn moeder en probeerde somber te kijken toen zij en mijn vader me omhelsden. Daarna gingen we op een bank zitten. Javan stond buiten beeld in een hoek met een koele blik naar ons te kijken.

Het was de zevende dag van mijn hongerstaking en mijn vader vertelde me dat leden van de in Parijs gevestigde organisatie voor persvrijheid, Reporters Without Borders, als teken van solidariteit ook in hongerstaking wilden gaan.

Ik kon bijna niet geloven wat mijn vader me vertelde. Waren mensen die me helemaal niet kenden van plan niet meer te eten ter wille van mij?

'Zeg alsjeblieft tegen hen dat ze moeten eten,' smeekte ik hem. 'Ze hebben energie nodig om te werken en te leven. In de gevangenis kan ik de hele dag op mijn rug liggen, zodat ik vrijwel geen calorieën verbrand.'

'Zij gaan net zo lang door tot je wordt vrijgelaten,' zei hij. 'Zij doen het zodat jij het niet hoeft te doen.'

'Maar ik ben helemaal niet van plan ermee op te houden,' zei ik vastbesloten.

Mijn ouders krompen in elkaar. Ze maakten zich kennelijk grote zorgen om mijn gezondheid, hoewel ze dat niet toegaven.

Toen onze tijd op was, gaven mijn ouders me een boeket verse rode rozen. Ik snoof hun zoete geur op tot ik de ingang van Sectie 209 had bereikt. Daar nam een bewaker ze in beslag.

'Dit is het begin van wereldharmonie,' zei Mahvash met glanzende ogen toen ik mijn celgenoten die avond vertelde dat andere mensen ter wille van mij in hongerstaking wilden gaan.

Ik glimlachte. Inmiddels wist ik dat bahaïsten geloofden dat de wereld ooit vrede en eenheid zou kennen.

'Met alle aandacht die jouw zaak heeft opgewekt,' zei Fariba, 'heb je een kans gekregen het onderwerp "mensenrechten in Iran" aan te zwengelen.'

'Roxana,' voegde Mahvash er met een ernstig gezicht aan toe, 'als je teruggaat naar Amerika, moet je iedereen laten weten dat ons land niet alleen van belang is vanwege de kernwapenkwestie. Maar ook vanwege mensen zoals wij.'

Mijn vader begon te praten, maar mijn moeder viel hem in de rede.

Het was maandag, een gewone bezoekdag en de dag na mijn verjaardag. Ik zat aan een ronde tafel met mijn ouders. Braces zat tussen mijn moeder en mij in geprop. Braces had me gezegd dat ik alleen Farsi mocht praten en ze had erop aangedrongen dat mijn vader en niet ik voor mijn moeder vertaalde. Vlakbij zat nog een mannelijke agent, maar verder was de gang leeg.

'Deze keer wil ik eerst iets zeggen,' zei mijn moeder.

Mijn vader knikte en zij begon: 'Roxana, we maken ons ernstige zorgen over je gezondheid. We willen dat je gaat eten.'

Ik keek naar mijn moeder en daarna naar mijn vader. Ze waren bleek en de lijnen in hun gezicht waren dieper dan ik me kon herinneren. Ze hadden wallen onder hun ogen en hun kleren hingen losjes om hen heen, een teken dat ze de afgelopen weken waren afgevallen.

'Ik begrijp dat jullie je zorgen maken,' zei ik in het Farsi tegen mijn vader, die mijn woorden voor mijn moeder vertaalde. 'Maar deze keer ben ik vastbesloten mijn hongerstaking vol te houden.'

Ik zweeg even. Mijn volgende woorden zouden mijn ouders angst aanjagen, maar ik wilde ze uitspreken in het bijzijn van Braces en de andere agent, zodat zij ze in hun verslag aan hun bazen konden opnemen.

'Ik ben zelfs bereid te sterven,' verklaarde ik.

Mijn moeder wachtte tot mijn vader dit had vertaald en begon toen te huilen. Ze legde haar voorhoofd op het plastic tafelblad en snikte luid. Haar schouders schokten heftig elke keer als ze naar adem hapte.

Ik zat er houterig bij en wist niet wat ik moest doen. Ik had mijn moeder nooit eerder zien huilen. Ze was altijd zo nuchter en beheerst. Ik had zelfs nog nooit een traan in haar ogen zien blinken. Elke snik sneed door mijn hart, maar ik kon nu niet ophouden met mijn hongerstaking.

'Ik wil niet dat je doodgaat, Roxana!' jammerde mijn moeder, nog steeds met haar hoofd op het tafelblad.

Ik begon haar haar te strelen en probeerde haar te kalmeren terwijl ik mijn best deed niet ook te gaan huilen. Ik wilde dat ik haar kon vertellen dat ik misschien wel bereid was te sterven, maar dat de autoriteiten dat waarschijnlijk niet zouden laten gebeuren. Maar ik wilde niet dat mijn gijzelnemers wisten dat ik dat dacht. Daarom kon ik alleen maar zeggen: *Negarân nabâsh, negarân nabâsh*, 'Maak je maar geen zorgen, maak je maar geen zorgen'. Ik streelde haar haren, gefrustreerd omdat ik een taal moest gebruiken die ze amper verstond.

Mijn vader pakte haar hand en Braces zat met een ijzige blik voor zich uit te kijken.

Uiteindelijk keek mijn moeder op en droogde haar tranen. 'Het spijt me,' snotterde ze. 'Dit is de eerste keer na je arrestatie dat ik huil. Je vader is heel sterk geweest. Hij heeft maar één keer gehuild en dat was thuis.'

Haar woorden deden pijn. Ik wist dat mijn ouders leden onder mijn gevangenschap, maar tot nu toe hadden ze dat niet laten merken. Een dochter mocht haar ouders nooit zo veel pijn doen, zei ik vermanend tegen mezelf. Maar toch had ik er behoefte aan dat ze mijn hongerstaking goedkeurden.

'Alsjeblieft, mom,' zei ik. 'Begrijp het alsjeblieft. Ik moet ermee doorgaan.'

Ze slaagde erin een melancholieke glimlach tevoorschijn te toveren en ze nam mijn handen in die van haar.

22

Skinny controleerde mijn haar, broek en sokken toen ze me uit mijn cel haalde, zoals de bewaaksters altijd deden als gevangenen Sectie 209 in of uit gingen. Maar deze keer keek ze zelfs in mijn ondergoed.

'Sorry,' zei ze.

'Het is goed,' zei ik. 'Ik weet dat je gewoon je werk doet.'

Gelukkig schoof ze mijn mouw niet omhoog om naar mijn linkerarm te kijken.

Ik was die dinsdagochtend al vroeg wakker geworden en had nagedacht over wat ik tegen mijn nieuwe advocaat Soltani zou zeggen. Mijn vader had me verteld dat ik hem die dag in het kantoor van de plaatsvervangend openbaar aanklager zou ontmoeten. Ik wist dat dit waarschijnlijk mijn enige kans was om vóór mijn beroepszaak met Soltani te praten en daarom had ik me goed voorbereid. Met de pen die Haj Khanom een week eerder was vergeten, had ik op mijn arm een paar aantekeningen gemaakt. Dat deed ik onder mijn deken, voor het geval een van de bewaaksters door het kijkgaatje in de celdeur naar me keek, en daarna rolde ik de mouw van mijn gevangenistrui naar beneden. Toen ik mijn broek aantrok, moest ik de tailleband drie keer om me heen wikkelen om te voorkomen dat hij afzakte.

Twee bewakers brachten een mannelijke gevangene en mij naar de Revolutionaire Rechtbank. Toen we uit de auto stapten, zag ik dat mijn medegevangene mank liep. Ik vroeg me af of hij de man was in de cel naast die van ons, wiens voeten waren gegeseld. We schuifelden ongeveer even snel, ik verzwakt op de negende dag van mijn hongerstaking en hij zichtbaar met pijn.

Een van de bewakers nam me mee naar de tweede verdieping. Tot mijn grote vreugde zag ik daar Bahman, samen met mijn vader, Khorramshahi en een man van wie ik aannam dat hij Soltani was. Ze zaten in de gang met elkaar te praten.

Bahman was de eerste die me zag. Hij hield op met praten, zijn ogen lichtten op en heel even leek het alsof hij overeind wilde springen om naar me toe te rennen. Daarna keken de andere mannen op. Soltani schonk me een warme, geruststellende glimlach. Ik mocht hem meteen. Ik wilde net iets tegen Bahman zeggen toen mijn vader opstond en me omhelsde. Snel fluisterde ik: 'Zeg tegen mom dat ze zich geen zorgen hoeft te maken. Ik denk niet dat ze me dood laten gaan.'

De bewaker stapte naar voren, gaf me een standje omdat ik had gepraat en bracht me naar het kantoor van Haddads secretaris, waar ik moest wachten tot de plaatsvervangend openbaar aanklager verscheen. Uitgeput liet ik me in een stoel bij de deur vallen.

Het was benauwd in het vertrek en ook al had ik het steeds koud gehad tijdens mijn hongerstaking, nu begon ik te zweten. Mijn maag rammelde omdat hij wakker was geschud doordat ik die ochtend één dadel had gegeten om voldoende energie te hebben voor deze belangrijke ontmoeting. Ik werd duizelig en mijn mond was droog. Vlak bij mijn stoel stond een waterkoeler, maar ik was te trots om de bewaker iets te drinken te vragen. Ik was het liefst gaan liggen.

Na een paar minuten smeet Bahman de deur open en rende naar binnen. Hij beende naar de bewaker, hield hem zijn identiteitsbewijs onder de neus en zei smekend: 'Laat me alstublieft met deze vrouw praten. Ik moet haar ervan overtuigen dat ze moet gaan eten.' De bewaker sprong op, pakte Bahman bij de arm en trok hem het vertrek uit.

Ik keek verbijsterd toe.

Na wat wel een uur leek, beende Haddad langs me heen zonder me te begroeten en liep zijn kantoor binnen. Even later zei zijn secretaris dat ik naar binnen moest gaan.

Haddad keek op en gebaarde zonder iets te zeggen dat ik moest gaan zitten. 'Hoe gaat het met u?' vroeg hij ongeïnteresseerd.

'Goed,' zei ik.

'Ik heb gehoord dat u in hongerstaking bent.'

'Ja.'

Met zijn ogen half dichtgeknepen keek hij naar me en zei: 'Zo ziet u er niet uit. Ik heb veel mensen gezien die in hongerstaking waren, maar aan uw gezicht is niet te zien dat u niets hebt gegeten.'

Ik had mijn chador omhoog kunnen trekken zodat hij mijn broodmagere lichaam kon zien of hem kunnen vertellen dat hij de gevangenisarts kon vragen hoeveel ik was afgevallen, maar ik wist dat het geen zin had om met zo'n man in discussie te gaan.

'Een hongerstaking heeft geen invloed op onze besluiten,' vervolgde Haddad. Daarna pakte hij zijn telefoon en gaf zijn secretaris opdracht tegen mijn vader en Khorramshahi te zeggen dat ze binnen moesten komen. Toen ze binnenkwamen, zei Haddad tegen mij: 'Ik heb gehoord dat u een andere advocaat wilt.'

Dat zei hij op venijnige toon, alsof hij daarmee wilde zeggen dat ik me ondankbaar gedroeg ten opzichte van Khorramshahi.

'Ik wil geen ándere advocaat,' vertelde ik, 'maar een twééde advocaat.'

'Waarom?'

'Omdat ik ervan overtuigd ben dat een plus een meer is dan drie, en niet twee.'

Haddad klemde zijn kaken op elkaar. 'Dus, wie wilt u er dan bij?'

Ik wist zeker dat hij het antwoord al kende, maar toch vertelde ik het hem. 'Meneer Soltani.'

Hij trok één kant van zijn bovenlip op, waardoor zijn mond een boze trek kreeg. 'Dat is onmogelijk,' zei hij op scherpe toon. 'U mag iedere andere advocaat uitkiezen, maar hem niet.'

'Waarom niet?' vroeg ik verbaasd.

'Omdat hij in het verleden een klacht tegen me heeft ingediend.'

Ik had geen idee waar Haddad het over had. 'Maar dat heeft toch niets met mij te maken,' protesteerde ik, 'en meneer Ahmadinejad heeft gezegd dat mijn juridische rechten gewaarborgd moeten worden.'

'Uw rechten wórden gewaarborgd,' snauwde Haddad. 'U mag iedere andere advocaat uitkiezen, maar meneer Soltani niet.'

Ik was niet van plan het zo gemakkelijk op te geven. 'Maar ú hebt een probleem met hem, niet ik,' voerde ik aan.

'Ik heb geen probleem met hem,' snauwde Haddad terug. 'Hij heeft een probleem met mij.'

'Maar ik dacht dat mijn dossier naar het hof van beroep was gestuurd,' drong ik aan. 'Waarom bent u dan degene die beslist wie mijn advocaat kan zijn?'

Haddad zweeg even en zei met een blik vol afkeer: 'Als u Soltani uitkiest als uw advocaat, dan zal ik ervoor zorgen dat hij u nooit kan spreken en als het hof van beroep in uw voordeel beslist, dan zal ik *e'terâz*, bezwaar aantekenen.'

Ik keek hem niet-begrijpend aan. Na alles wat Haddad me in het verleden had aangedaan, twijfelde ik geen seconde aan de ernst van zijn bedreiging. Ik begon me weer machteloos te voelen. Soltani zat maar een paar meter achter me, maar toch was hij buiten mijn bereik.

Mijn vader boog zich naar me toe en fluisterde in mijn oor: 'Roxana, we zullen moeten doen wat hij zegt. Kies maar iemand anders uit.'

Ik was woedend omdat het allemaal zo oneerlijk was. Maar ja, waarom zou ik nú rechtvaardigheid verwachten terwijl ik in het verleden al zo onrechtvaardig was behandeld?

Ik wreef over mijn slapen. 'Goed dan,' zei ik met tegenzin. 'Dan neem ik meneer Dadkhah en mevrouw Ebadi.'

Nadat mijn vader vóór mijn eerste rechtszaak Dadkhahs naam had genoemd, had ik van mijn celgenoten gehoord dat hij bij het Center for Human Rights Defenders een collega was van Soltani en Ebadi. De autoriteiten hadden het kantoor van dit centrum in december 2008 gesloten, maar de advocaten namen nog altijd nieuwe zaken aan. En ook al was Ebadi in het buitenland, ze kwam misschien toch terug om mij te verdedigen.

'Mensenrechtenadvocaten zijn bijzonder ontactisch,' zei Haddad. 'Ze zullen uw zaak geen goed doen.' Daarna voegde hij eraan toe, met de nadruk op elk woord: 'Ze – zullen – u – alleen – maar – schade – berokkenen.'

Ik bleef aandringen. Hij herhaalde zijn waarschuwing. Weer fluisterde mijn vader tegen me dat ik iemand anders moest kiezen.

'Wat vindt u van meneer Nikbakht?' suggereerde Khorramshahi, waarmee hij dezelfde advocaat voorstelde als de vorige keer dat we elkaar hadden gesproken.

Ik antwoordde dat ik niets van deze advocaat wist. Khorramshahi zei dat Nikbakht hem al had geholpen met het voorbereiden van mijn volgende rechtszaak.

'Meneer Nikbakht is heel goed,' zei Haddad. 'De rechtbanken hebben veel waardering voor hem.'

Er móést een reden voor zijn dat Haddad Nikbakht wel acceptabel vond en Soltani, Ebadi, Dadkhah en alle andere mensenrechtenadvocaten niet. Maar toen somde Khorramshahi de namen op van een paar beroemde hervormingsgezinden die Nikbakht een paar jaar eerder had verdedigd. Als hij die mannen had vertegenwoordigd, dacht ik, moest hij wel goed zijn.

'Als ik Nikbakht neem, mag ik dan vóór mijn rechtszaak met hem praten?' vroeg ik Haddad.

'Natuurlijk,' antwoordde hij.

Ik leunde naar achteren en ademde langzaam uit. Deze nieuwe en onverwachte dreigementen krioelden door mijn hoofd, dat toch al wazig was na al die dagen zonder eten. Ik kon alleen nog maar tegen mijn vader zeggen dat hij met Nikbakht en met Dadkhah moest praten en maar moest doen wat volgens hem het beste was.

Een paar minuten nadat mijn vader en Khorramshahi het vertrek hadden verlaten, zei Haddad tegen me dat ik ook moest vertrekken. Bahman stond in de hal op me te wachten. Mijn bewaker had gezegd dat ik onderweg naar buiten met niemand mocht praten. Ik gehoorzaamde, maar Bahman liep met een bezorgde en wanhopige blik op zijn gezicht naar me toe.

'Alsjeblieft, hou alsjeblieft op met je hongerstaking,' smeekte hij. 'Ik vind het verschrikkelijk je zo te zien lijden. Alsjeblieft.'

De bewaker draaide zich om om hem te waarschuwen, zodat ik zonder geluid tegen Bahman kon zeggen: 'Het is goed, hoor. Ik ben sterk.'

Bahman bleef smekend tegen me praten tot ik de lift in stapte. Ik zocht zijn blik en hield die vast tot de deuren dichtgingen.

Toen ik terugkwam, zat Mahshid in haar eentje in onze cel. Mahvash en Fariba waren naar een andere cel overgebracht, vertelde ze. Het speet ze dat de bewakers hun niet de kans hadden gegeven afscheid van me te nemen. Dat speet mij ook.

Ik ging op mijn dekens liggen en bleef daar urenlang liggen, futloos en teleurgesteld.

Die avond verslechterde mijn stemming nog meer, toen op IRIB de volgende Engelstalige tekst onder langs het scherm rolde: 'Iraanse rechtbankofficial ontkent dat Amerikaanse journaliste in hongerstaking is.'

Ik werd woedend en als ik er de kracht voor had gehad, was ik op de muren gaan bonzen. Deze rechtbankofficial was natuurlijk Haddad. Hoe dúrfde hij me als leugenaar neer te zetten en de enige manier waarop ik me kon verzetten te verloochenen? Ik voelde me ontzettend hulpeloos, gevangen in deze stinkende cel zonder ook maar één manier waarop ik de buitenwereld de waarheid kon vertellen. Ik kon alleen maar hopen dat mijn vader Haddads leugen zou ontkennen.

Haddad had al eerder leugens over me verteld. Dat had ik een paar weken eerder ontdekt, toen mijn celgenoten in de krant *Keyhan* lazen dat hij had beweerd dat ik de beschuldiging van spionage had aanvaard en dat de rechtbank geen enkel bewijs had dat ik buiten mijn Iraanse nationaliteit nog een andere nationaliteit had. Ook al wist ik zeker dat veel mensen aan deze beweringen zouden twijfelen, ik was nog steeds kwaad om deze leugens.

'Ik ga ook geen suikerwater meer drinken,' zei ik hardop tegen Mahshid.

'Doe dat niet,' zei ze en ze probeerde me te kalmeren. 'Je hebt geen idee wanneer je rechtszaak is en je hebt genoeg energie nodig om het tot die tijd vol te houden.'

Daar had ze gelijk in. Maar ik was vastbesloten. Ik zou helemaal geen suiker meer nemen, maar alleen nog zuiver water.

Een paar keer per dag werd ik misselijk. Dan stond Mahshid op en gaf een klap tegen de zwarte knop, waar ik zelf al bijna niet meer bij kon. Dan moest ik wachten tot een bewaakster rustig door de gang kwam aanlopen en onze celdeur opende. Daarna krabbelde ik overeind, heel even verblind door de kleurige lichtflitsen achter mijn oogleden, en wankelde door de hal naar de badkamer. Daar ging ik met mijn hoofd boven de toiletpot hangen en begon ik te kokhalzen. Toen ik een keer opkeek, zag ik dat Skinny in de deuropening naar me stond te kijken.

'Sorry,' zei ik. 'Heb ik te veel lawaai gemaakt?'

Ze knikte.

'Ik wil overgeven,' zei ik. 'Maar dat kan ik niet.'

'*Ma'lume*,' antwoordde ze, 'dat is wel duidelijk. Je maag is leeg. Je kunt wel wat honing eten, weet je, of een beetje thee drinken. We zullen het tegen niemand zeggen.'

'Nee,' zei ik schor en ik strompelde terug naar mijn cel.

Op vrijdag, de twaalfde dag van mijn hongerstaking, zei Glasses tegen me dat de dokter me wilde zien. Ik zei tegen haar dat ik hem niet wilde zien. Ze vertrok, kwam een paar minuten later terug en zei dat ik geen keus had. Het kostte me ontzettend veel moeite me aan te kleden en daarna wankelde ik achter haar aan naar de dokterspost. De arts zei tegen me dat ik was afgevallen en nog maar een kleine vijfenveertig kilo woog, zodat ik sinds het begin van mijn hongerstaking dus bijna zeven kilo was afgevallen, en dat mijn bloeddruk tot een gevaarlijk niveau was gedaald. Hij wilde me aan het infuus leggen, maar ik weigerde. Hij zei ook dat ik mijn hongerstaking maar beter kon beëindigen.

De volgende dag moest ik weer naar de dokterspost en toen vond ik het goed dat de arts me aan het infuus legde. Hij leek beledigd toen ik om een schone naald vroeg, maar gezien de grote aantallen drugsverslaafden in de gevangenis en daardoor het grote risico op een hiv-besmetting, had ik het gevoel dat dit geen overbodig verzoek was. Hij injecteerde mijn linkerarm en liet me daarna achter in gezelschap van Cheeks. Ik zag dat een gelige vloeistof uit een doorzichtige plastic zak in een buisje en vervolgens in mijn arm druppelde.

Na wat wel een uur leek, kwam de arts terug. Als hij nog later was teruggekomen, dacht ik, zou mijn blaas zijn geknapt.

Die avond voelde ik dat mijn lichaam weer wat energie kreeg. De arts had me gewaarschuwd en gezegd dat ik algauw weer een gedwongen infuus zou krijgen als ik mijn hongerstaking zou voortzetten. 'Uw hongerstaking is zinloos,' had hij gezegd. 'We zullen u in leven houden, net als vele anderen voor u, hoe dan ook.'

Ik wenste dat Javan en ik niet eerder dan mijn ouders waren gearriveerd. Het was maandag 4 mei en hij zat tegenover me op een stoel in de bezoekkamer. We zwegen.

Ik kon niet eens naar mijn bâzju kíjken en ik wilde maar dat mijn moeder en mijn vader snel zouden komen zodat ik niet langer alleen met hem hoefde te zijn. Maar toen realiseerde ik me dat dit een goede kans was hem een vraag te stellen waar ik al weken mee rondliep.

'Waarom hebt u mijn bekentenis laten vastleggen terwijl u me zelf hebt verteld dat u vanaf het begin al wist dat die vals was?' vroeg ik.

Zonder te aarzelen antwoordde hij: 'Omdat liegen tegen de autoriteiten op zichzelf al een misdaad is.'

'Wat een belachelijk antwoord,' mompelde ik. Ik wilde net zeggen dat hij en zijn collega's me immers hadden gedwongen om te liegen, toen mijn moeder het vertrek binnenkwam. Tasbihi en mijn vader liepen achter haar. Ze huilde alweer.

'Ga alsjeblieft weer eten,' snikte ze toen ze naast me ging zitten.

'Anders ga ik vandaag ook in hongerstaking.'

Ik nam haar hand in die van mij en zei dat ze moedig moest zijn zodat ik sterk kon blijven. Uiteindelijk kalmeerde ze, waarna mijn vader me op de hoogte bracht van de stand van zaken.

Hij en Khorramshahi hadden met Nikbakht gesproken. Hij had ermee ingestemd mij te verdedigen onder voorwaarde dat hij geen media-interviews zou doen.

Mijn vader vertelde me ook dat hij een brief aan de Allerhoogste Leider had geschreven en die via een 'hooggeplaatste vriend' aan hem had laten overhandigen. In het bijzijn van de beide agenten kon ik niet vragen wie deze vriend was of wat er in die brief stond.

Daarna vertelde mijn vader dat hij Haddads bewering dat ik niet in hongerstaking was had tegengesproken en hij voegde eraan toe dat Haddad tegen hem had gezegd dat er verborgen camera's in de vrouwencellen hingen, die bewezen dat ik de maaltijden van mijn celgenoten had opgegeten.

Ik lachte. Javan ook. 'In de cellen hangen geen verborgen camera's,' zei hij. 'Degene die dat heeft gezegd, is een leugenaar.' Kennelijk had hij niet gehoord dat mijn vader zei dat Haddad dit had gezegd, anders zou hij de woorden van de plaatsvervangend openbaar aanklager niet hebben tegengesproken.

'Waarom bent u eigenlijk in hongerstaking?' vroeg Javan met een spottende blik. 'Dat is niet logisch als u in afwachting bent van uw beroep. Een hongerstaking geeft aan dat u geen hoop meer hebt, terwijl in beroep gaan aangeeft dat u nog wel hoop hebt.'

Ik antwoordde in het Engels, met een vrije vertaling van een les die ik van Plutarchus had geleerd: 'Omdat ik geloof dat je altijd het beste moet hopen, maar het ergste moet verwachten.'

Javan deed net alsof hij het niet begreep. 'Sorry,' zei hij in het Farsi, 'maar ik spreek geen Engels.'

'Hoe komt het dat u de taal nu niet begrijpt, maar mijn Engelse verklaring tijdens mijn verhoor hebt verbeterd?' vroeg ik hem, nog steeds in het Engels.

Hij glimlachte onschuldig.

'En vertel me dan ook eens,' zei ik in het Farsi, 'waarom u aan mijn bekentenis vasthoudt terwijl u vanaf het begin al wist dat die vals was.'

'Ik weet niet waar u het over hebt,' beweerde hij. Hij was dus niet bereid zijn eerdere antwoord in het bijzijn van mijn ouders te herhalen. 'Hoe dan ook, het is onmogelijk te hopen en tegelijkertijd het ergste te verwachten,' sneerde hij, nog steeds in het Farsi.

Mijn ouders vielen ons in de rede en vroegen Tasbihi of hij me een lunch kon laten brengen. Ik zei dat ik niets wilde eten, maar het eten werd toch gebracht en mijn vader hield een lepel yoghurt voor mijn mond tot ik toegaf en een paar hapjes nam. Mijn moeder keek toe, begon te glimlachen en mijn rug te masseren.

'Dit betekent niet dat ik nu weer ga eten,' waarschuwde ik.

Ik moest algauw weer terug naar mijn cel. Voordat Tasbihi me meenam, zei Javan tegen me dat ik, als ik besloot mijn hongerstaking te beëindigen, mijn ouders die avond mocht bellen om hun dat nieuws te vertellen.

Die avond vroeg ik me wanhopig af wat ik moest doen. Volgens mij meende mijn moeder het echt toen ze had gezegd dat ze ook in hongerstaking zou gaan. Ik moest er niet aan denken dat ze ter wille van mij nog meer ellende moest doormaken. Bovendien had mijn vader me eraan herinnerd dat veel mensen in het buitenland hadden aangeboden hun hongerstaking voort te zetten als ik ermee zou stoppen. Maar ik had nu al twee weken gevast en ik was bang dat niemand me nog serieus zou nemen als ik er nu mee ophield en er na de beroepszaak weer mee moest beginnen

Ik besprak dit met mijn celgenote. Ze drong erop aan dat ik ermee zou stoppen zodat ik niet zou instorten vóór mijn rechtszaak.

Ik besloot op te houden met mijn hongerstaking door het avondeten te nuttigen. Daarna mocht ik mijn vader bellen zodat ik hem dat kon vertellen. Op de achtergrond hoorde ik dat mijn moeder in haar handen klapte. Ook mijn vader klonk opgelucht. Ik had al mijn krachten nodig voor mijn rechtszaak, zei hij. Hij had net gehoord dat die over acht dagen zou plaatsvinden, op 12 mei.

Haddad legde zijn gevouwen handen op zijn bureau, hield zijn hoofd schuin en vroeg: 'Wat is uw relatie precies met Bahman Ghobadi?'

Die vraag had ik dus echt niet verwacht.

'We... overwogen een huwelijk,' zei ik. Dat was hetzelfde antwoord als ik tijdens het verhoor had gegeven.

'Hm,' zei Haddad en hij knikte langzaam. 'Meneer Ghobadi is hier de afgelopen tijd elke dag geweest omdat hij u wilde zien. Wilt u hem zien?'

'Ja,' antwoordde ik, hoewel ik niet begreep waarom Haddad opeens zo vriendelijk tegen me was. Het was woensdagochtend, 6 mei, en hij had me naar zijn kantoor laten komen. Ik had gedacht dat ik hiernaartoe moest komen voor de beloofde ontmoeting met mijn nieuwe advocaat Nikbakht. Maar alleen Haddad was hier, gezeten achter zijn bureau. Ik zat een eindje van hem af op een van de plastic stoeltjes die in een rij tegen de muur stonden.

Haddad zei tegen zijn assistent dat Bahman binnen mocht komen. Een paar seconden later rende Bahman naar binnen. De tranen stroomden over zijn wangen.

Mijn hart deed pijn. Ik wilde hem omhelzen, zijn hand vastpakken of in elk geval zijn arm aanraken. Maar ik betwijfelde of Haddad, die met opgetrokken wenkbrauwen toekeek, dat goed zou vinden. Daarom glimlachte ik alleen maar vriendelijk.

'Ga daar zitten,' zei Haddad tegen Bahman en hij wees naar een stoel een klein stukje van me af.

Bahman gehoorzaamde en bedankte Haddad huilend voor deze kans met me te praten. Haddad knikte en gaf hem toestemming te beginnen.

'Het spijt me ontzettend dat ik ophing toen je me belde over Zahedan,' zei hij en hij droogde zijn gezicht met zijn mouw. 'Dat zal ik mezelf nooit vergeven.'

'Het is wel goed, *azizam*,' probeerde ik hem gerust te stellen. 'Ik begrijp het wel.'

Hij haalde een velletje papier uit zijn overhemdzakje. 'Ik heb een paar dingen opgeschreven, zodat ik niets zou vergeten van wat ik tegen je wilde zeggen,' vervolgde hij.

Ik keek hem zwijgend aan, verbaasd dat de autoriteiten het goedvonden dat Bahman en ik elkaar eindelijk ontmoetten.

'Dagenlang,' zei Bahman en hij keek op van zijn aantekeningen, 'heb ik talloze ambtenaren bezocht en gevraagd of zij me konden helpen je vrij te krijgen, en een van hen heeft Haddad zover gekregen dat we elkaar vandaag mochten zien.'

Ik begon te blozen. Gezien Bahmans eigen problemen met het regime wist ik dat hij deze mensen nooit zomaar zou hebben benaderd.

Bahman bleef praten, nam amper de tijd om adem te halen. Hij had zich ook gevangen gevoeld, omdat hij niet kon rusten zolang ik achter de tralies zat. Om zich dichter bij me te voelen, had hij elke avond een half uur voor Evin heen en weer gelopen.

Weer stroomden de tranen over zijn wangen. Zo had ik hem nog nooit zien huilen. Ik wilde hem ontzettend graag onder vier ogen spreken. Ik had hem zo veel te vertellen en ik wist zeker dat hij zich inhield omdat Haddad meeluisterde.

Ik wendde me tot Haddad. 'Mogen we iets dichter bij elkaar zitten?' Hij knikte.

Bahman ging in de stoel naast me zitten. Ik tilde mijn hand op, raakte zijn gezicht aan en veegde voorzichtig zijn tranen weg. Hij leek zich te verbazen over mijn kalme houding. Ik huilde inderdaad niet, ook al was ik ontzettend ontroerd doordat ik hem zag. Ik was mijn belofte vóór Noroez niet vergeten, dat ik niet zou huilen voordat ik vrij zou zijn.

'Het lijkt wel alsof hij meer van u houdt dan u van hem,' zei Haddad met een lachje.

Zonder hierop in te gaan, nam ik Bahmans handen in die van mij en verborg ze voor Haddad in de vouwen van mijn chador.

'Roxana,' fluisterde Bahman, 'ik wil je niet ongerust maken, maar je moet weten dat agenten van de veiligheidspolitie me een tijdje terug achterna zijn gekomen, me hebben mishandeld en me vier dagen lang in een woning in het noorden van Teheran hebben opgesloten.'

Ik gaf een kneepje in zijn handen.

Hij vertelde dat de agenten hadden beweerd dat ik achter zijn rug om met andere mannen had geslapen en dat ze hem hadden aangeraden mij te vergeten. Dergelijke beweringen had mijn bâzju ook over Bahman geuit. De agenten wilden ook dat hij zei dat ik een spion was, een beschuldiging die hij had ontkend. Ze waarschuwden hem dat hij niets ten gunste van mij zou moeten zeggen. Bahman had zijn mond gehouden in de hoop dat ik algauw zou worden vrijgelaten. Maar nadat ik tot acht jaar was veroordeeld, was hij naar de pers gegaan en had een open brief geschreven waarin hij mijn vrijlating eiste.

Ik kneep nog harder in zijn handen. Ik wilde net iets zeggen, toen Haddad vroeg: 'Juffrouw Saberi, waarom vertelt u tijdens de rechtszaak niet gewoon de waarheid?'

Woedend zei ik tegen hem: 'Ik heb de waarheid verteld. Als u bedoelt dat ik zou moeten zeggen dat ik een spion ben, dan doe ik dat niet omdat ik geen spion bén!'

'Nee, nee,' zei Haddad. 'Dat bedoelde ik niet. Maar u kunt wel zeggen dat u een geheim document in uw bezit had – dat document over Irak – dat u niet wist dat het geheim was en hiervoor uw verontschuldigingen aanbieden.'

Ik keek hem aan, verbijsterd door zijn woorden. Haddad leek te zeggen dat hij wist dat ik geen spion was en hij leek me nu te vertellen wat ik in de rechtbank moest zeggen.

'Roxana,' zei Bahman dringend maar zachtjes, 'ik weet hoe dit regime is. Je verliest als je je ertegen verzet. Deze mensen zijn gevaarlijk en ze hebben geen medelijden met mensen zoals jij. Als je niet doet wat ze zeggen, zullen ze je jarenlang gevangenhouden, en wie weet wat er dan met je gebeurt. Als ze het willen, kunnen ze je kwaad doen en je zelfs vermoorden.'

Hij glimlachte toen hij deze woorden uitsprak, om te voorkomen dat Haddad begreep wat hij zei.

'Ik denk dat je gewoon moet doen wat hij zegt,' zei Bahman, zo zacht dat ik hem amper kon verstaan. 'De hele wereld weet dat dit regime leugens vertelt. Je ouders maken zich zorgen om je. Zorg dat je uit de gevangenis komt en het land kunt verlaten nu het kan en vertel dán pas jouw kant van het verhaal.'

Misschien, dacht ik, moest ik mijn nieuwe advocaat maar eens vragen wat hij van Haddads suggestie vond. Eerder die dag had Haddad me een formulier laten ondertekenen waarin ik Nikbakht aanstelde als mijn tweede advocaat. Dat had ik gedaan, maar ik had nog altijd twijfels.

'Uw tijd is om,' zei Haddad tegen ons.

'Neem me niet kwalijk,' zei ik, 'maar ik wil een derde advocaat, meneer Dadkhah.'

Haddad fronste, herhaalde toen zijn eerdere waarschuwing dat mensenrechtenadvocaten de zaak *shologh*, ingewikkeld, maakten en mijn zaak kwaad zouden doen. Hij drong erop aan dat ik genoegen nam met Nikbakht.

Ik keek naar Bahman.

'Je kunt maar beter doen wat hij zegt, Roxana,' herhaalde hij. 'Als hij zegt dat meneer Dadkhah nadelig voor je is, dan meent hij dat.'

Ik besloot Bahman maar te geloven. Bovendien, nu mijn zaak al over een kleine week voorkwam, twijfelde ik eraan of ik voor die tijd iemand anders zou vinden die Haddads goedkeuring kon wegdragen.

Die zaterdag rolde er weer een Engelstalige tekst onder in beeld. Deze voorspelde mijn toekomst: 'Zondag behandelt het hof van beroep de zaak van de gevangen Amerikaanse journaliste.'

Ik schrok. Mijn zaak zou toch pas twee dagen na die zondag voorkomen? Ik had nog niet eens met Nikbakht mogen praten. Ik wilde uitstel aanvragen, maar ik besloot mijn eigen verdediging voor te bereiden voor het geval mijn verzoek net als de vorige keer zou worden afgewezen.

De bewaaksters hadden mijn pen in beslag genomen. Daarom nam ik in gedachten de belangrijkste punten door en vormde acroniemen om ze te onthouden. Meer kon ik volgens mij niet doen om me voor te bereiden op een rechtszaak waarvan het vonnis, net als tijdens mijn eerdere rechtszaak, van tevoren al vaststond.

Ergens na middernacht ging ik liggen, maar ik kon niet in slaap komen. Ik heb urenlang naar het plafond liggen kijken. Eindelijk, toen de luidsprekers de ochtendgebeden al uitbraakten, viel ik in een droomloze slaap.

23

'Roxana!' riep een van de journalisten geschrokken uit. Ik begreep eerst niet waar ze zo van schrok, maar vervolgens realiseerde ik me dat ik er natuurlijk niet uitzag: nog steeds heel broos na mijn hongerstaking, klepperend op mijn plastic teenslippers en gekleed in een chador die mijn voorhoofd niet verhulde en dat nu onder de opgezwollen, rode pukkels zat.

Die dag had men me met een auto naar een eenvoudig gerechtsgebouw in het zuiden van Teheran gebracht. Daar, op de tweede verdieping, had ik tot mijn verbazing niet alleen mijn vader gezien, maar ook twee Iraanse journalisten met wie ik bevriend was en een goede vriend van mijn familie. Ze sprongen allemaal overeind toen ze me zagen aankomen.

'Dad,' riep ik terwijl mijn bewaker me snel langs het groepje leidde. 'Ik ben nog niet klaar voor deze rechtszaak. Ik heb meneer Nikbakht nog niet gesproken.'

De bewaker bracht me via een gang naar een kamer links. Het was een kleine rechtszaal met een paar rijen stoelen voor een iets verhoogd platform waar drie bureaus op stonden. Twee mannen van middelbare leeftijd met een keurig geknipte baard zaten ieder achter een bureau. Ik nam aan dat dit rechters waren.

De man die rechts zat, de langste van de twee, gebaarde dat ik moest gaan zitten. Terwijl ik dat deed, kwam Heidarifard binnen met een heleboel dossiers, precies zoals de laatste keer dat ik hem had gezien. Hij ging achter het derde bureau zitten, rechts van de rechters. Daarna kwam Baby Face binnen, de vertegenwoordiger van het ministerie van Veiligheid die ook bij mijn eerste rechtszaak aanwezig was geweest. Hij ging op een van de rijen stoelen achter me zitten.

Ik zat op het randje van mijn stoel naar deze processie te kijken, bezorgd door het feit dat al die stukken op hun plek werden gezet voor alweer een rechtszaak waar ik nog niet klaar voor was.

Algauw kwam Khorramshahi binnen, vergezeld van een bebrilde man met grijs haar en een grijze baard. Khorramshahi ging rechts van me zitten en de andere man links van me. Hij stelde zich aan me voor als meneer Nikbakht.

'Edelachtbare,' zei ik tegen de lange rechter. 'Mogen we deze rechtszaak alstublieft uitstellen? Ik heb nog niet de kans gekregen met mijn nieuwe advocaat te spreken.'

'Nee,' zei hij bruusk. 'Maar u kunt met hem praten gedurende de paar minuten die de openbaar aanklager nodig heeft om zich voor te bereiden.'

Protesteren leek zinloos. Ik wendde me tot Nikbakht en vroeg of hij toestemming had gekregen mijn dossier in te zien. Hij zei dat dit niet het geval was en dat hij daarom zijn verdediging had gebaseerd op een paar aantekeningen die Khorramshahi hem had laten zien. Daarna haalde Nikbakht enkele papieren uit zijn aktetas en las me vlug zijn voornaamste pleidooi voor. De rechtbank, zou hij aanvoeren, had geen enkele reden gehad me te veroordelen voor 'samenwerking met een vijandig land', in dit geval de Verenigde Staten, omdat Washington en Teheran niet vijandig tegenover elkaar stonden.

Ik luisterde met een half oor naar dit formele argument. Daarna vertelde ik Nikbakht wat Haddad een paar dagen eerder in zijn kantoor tegen me had gezegd: dat ik mijn excuses moest aanbieden voor het feit dat ik een geheim document in mijn bezit had gehad, dat ik niet wist dat het geheim was, hoewel het, vertelde ik Nikbakht, helemaal geen geheim document wás.

Nikbakht knikte en fluisterde: 'Ja, doe dat maar.'

Voordat we nog iets konden zeggen, vroeg de rechter: 'Wat is uw relatie met Bahman Ghobadi?'

Ik begreep niet wat dit met mijn rechtszaak te maken had, maar ik gaf hem het antwoord dat ik altijd had gegeven: 'We overwogen te trouwen.'

Daarna kondigde de rechter aan dat de rechtszaak begon. Ik vroeg om pen en papier, waar ik deze keer wel toestemming voor kreeg.

Heidarifard begon de beschuldigingen tegen mij voor te lezen. Ik probeerde alles zo goed mogelijk te volgen.

'Juffrouw Saberi gebruikte haar boek en haar journalistieke werk als dekmantel om te spioneren voor meneer D, die haar betaalde om dat te doen en die banden heeft met de CIA,' verklaarde Heidarifard. Dit was de eerste keer dat ik hoorde dat ze de term 'journalistiek werk' aan mijn beschuldiging hadden toegevoegd. 'Ze had alle kwalificaties die nodig waren om spion te zijn,' voegde Heidarifard eraan toe. 'Want ze was bekend met Iran en Amerika, ze is een vrouw en ze had contact met personen in verschillende politieke en diplomatieke centra van Iran.'

Daarna zei hij, waarmee hij een inmiddels bekend refrein herhaalde, dat ik precies de soort persoon was die de CIA in Iran kon gebruiken: iemand ter plekke die mensen kon interviewen en analyses kon verzamelen.

Heidarifard zette zijn leesbril met één hand goed en ging door. Hij zei dat ik banden had met het Aspen Institute, dat, zo beweerde hij – net als tijdens mijn eerste rechtszaak – tot doel had het islamitische regime door middel van een zachte revolutie omver te werpen.

'Juffrouw Saberi heeft veel interviews gehouden en informatie verzameld, waaronder geheime documenten,' zei hij beschuldigend. 'Het doel van haar activiteiten was het verzamelen van nieuws over de Amerikaans-Iraanse betrekkingen, dat ze vervolgens aan organisaties in de VS wilde geven.'

Ten slotte citeerde Heidarifard meneer V, die Baby Face tijdens mijn eerste rechtszaak te berde had gebracht, die had toegegeven dat hij me heel veel geheime documenten zou hebben gegeven, kennelijk op mijn verzoek, omdat hij verliefd was op mijn 'vrouwelijke aantrekkelijkheid' en ik zou hebben beloofd met hem te trouwen.

'Juffrouw Saberi, aan hoeveel mannen hebt u beloofd dat u met hen wilt trouwen?' vroeg de lange rechter me.

'Maar die verklaring is vals,' zei ik. 'Ten eerste heb ik voor zover ik weet nooit geheime documenten gekregen, niet van meneer V en niet van iemand anders. Ten tweede heb ik niet beloofd met hem te zullen trouwen en waren we gewoon *dust-e-âdi*, gewone vrienden.'

'Wát waren jullie?' vroeg de rechter, alsof hij die uitdrukking nog nooit had gehoord.

'Gewone vrienden,' herhaalde ik.

'Edelachtbare,' zei Heidarifard, 'meneer V heeft verklaard dat ze samen naar een restaurant zijn geweest.'

'Is het dan illegaal om met een vriend te lunchen?'

'In ons land wel,' zei de rechter vastberaden, 'als de man en vrouw *nâ-mahram* zijn.' Hij doelde op mannen en vrouwen die niet met elkaar getrouwd of geen familie van elkaar waren.

Ik was ervan overtuigd dat de rechter heel goed wist dat alle Iraanse restaurants binnenkort failliet zouden zijn als de autoriteiten dat echt zouden afdwingen. Ik vroeg me ook af wat hij zou zeggen als ik hem vroeg waarom vier mannen me in een klein vertrek mochten ondervragen zonder dat er een vrouw bij aanwezig was. En wat hij zou zeggen als ik hem vertelde dat ik onlangs had gehoord dat een vrouwelijke gevangene in Evin was vrijgelaten nadat ze erin had toegestemd om seks met haar ondervrager te hebben.

'Sir,' zei Heidarifard, 'juffrouw Saberi heeft haar vrouwelijkheid ook gebruikt om in contact te komen met bepaalde Iraanse staatsambtenaren...'

Na deze valse beschuldiging deinsde ik achteruit in mijn stoel.

'... om voor haar broer vrijstelling te krijgen van militaire dienst in Iran.'

Ongelooflijk! Jasper had nooit overwogen om naar Iran te gaan. Maar ook al zou hij dat wél hebben gewild, ik had horen vertellen dat de Iraanse regering in het buitenland wonende Iraniërs toestemming gaf het land een paar maanden per jaar te bezoeken zonder ze voor de militaire dienst op te roepen. Bovendien wisten mijn gijzelnemers dat hij in het Amerikaanse leger zat. Deze suggestie was belachelijk.

'Bezwaar, edelachtbare,' zei ik op scherpe toon. 'Ik vind deze beschuldigingen beledigend.' En ik voegde eraan toe, met een verwijzing naar een strofe die ik in de Koran had gelezen: 'En volgens de Koran zijn er vier getuigen nodig om onwettige seksuele praktijken te bewijzen.'

Heidarifard liet zijn papieren zakken en hij liet zijn kleine, ronde oogjes een paar seconden op me rusten. Daarna keek hij weer naar de rechter en verklaarde dat hij uitgesproken was.

Nu was het tijd voor mijn verdediging.

Ik keek naar Khorramshahi en daarna naar Nikbakht en ik vroeg me af wie van hen zou beginnen, maar ze gebaarden dat ik moest beginnen. Weer wenste ik dat ik Iraans recht had gestudeerd.

Ik haalde diep adem en ik sloot mijn ogen. God, bad ik, koester me alstublieft, leid me en zorg voor me. Ik vertrouw erop dat U als ik de waarheid vertel me zult beschermen.

Ik opende mijn ogen en begon de aantekeningen die ik had gemaakt voor te lezen. Het verhaal over meneer D was vals, zei ik. Daarna legde ik uit hoe ik onder druk was gezet om dat verhaal te verzinnen. 'Bovendien,' zei ik, 'weet het ministerie van Veiligheid heel goed dat ik meneer D niet heb gesproken op de data die in mijn valse bekentenis staan omdat, zoals mijn ondervragers me hebben verteld, zij me tijdens mijn reizen naar het buitenland hebben vergezeld.'

'Edelachtbaren,' zei Baby Face achter me, 'we zijn niet overál met haar mee naartoe gegaan.'

De lange rechter knikte zijn kant op, waarmee hij aangaf dat hij mocht doorpraten.

'Maar we weten dat ze meneer D via elektronische weg informatie heeft verstrekt,' zei de agent. 'Ze heeft een cd voor hem gemaakt en hem ook via e-mail informatie gestuurd.'

'Neem me niet kwalijk,' zei ik en ik draaide me iets om naar Baby Face, 'maar ik heb nooit een cd voor meneer D gemaakt. En als ik inderdaad informatie naar hem heb gemaild, moet u die als bewijs kunnen laten zien. Die moet u dan hebben, omdat u al mijn correspondentie hebt gecontroleerd.'

Baby Face sloeg zijn blik neer.

Ik vervolgde mijn pleidooi. Ik had het over het Aspen Institute, ik herhaalde wat ik tijdens mijn eerste rechtszaak had gezegd, en ik vertelde over mijn boek en het soort nieuwsreportages dat ik had gemaakt en die geen van alle hadden gediend als dekmantel voor wat dan ook.

En wat de documenten betreft waar Heidarifard het over had gehad, zei ik, voor zover ik wist was geen enkel artikel dat ik in mijn bezit had geheim en waren ze allemaal openbaar.

Ik was amper uitgesproken toen Heidarifard zijn vuist schudde, het artikel over de Amerikaanse oorlog in Irak oppakte en verkondigde: 'Juffrouw Saberi zei dat ze dit verslag dat ze in het Center for Strategic Research heeft gekregen heeft gekopieerd.'

'Op dat rapport stond nergens dat het om geheime informatie ging,' zei ik zo rustig mogelijk. 'En voor zover ik me kan herinneren, is het oud en staat er niets in wat niet ook al duizenden keren door Iraanse staatsambtenaren in het openbaar is verklaard.'

'Maar u hebt het wel gekopieerd?' vroeg de lange rechter.

'Ja.'

'En wie heeft u opdracht gegeven het te kopiëren?'

Het begon me te duizelen. Ik wilde niet zeggen dat medewerkers van het centrum me dit materiaal hadden laten kopiëren omdat ik, ook al geloofde ik niet dat het een geheim rapport was, niemand daar in de problemen wilde brengen. Niet alleen werkten er heel veel gematigden in het centrum, maar de hardliners hadden in 2007 ook een van de directeuren beschuldigd van spionage, hoewel hij later een voorwaardelijke straf had gekregen voor een minder zwaar vergrijp en al had hij zijn werk daar alweer hervat.

'Niemand,' zei ik. 'Dat heb ik uit mezelf gedaan... uit nieuwsgierigheid.'

De rechter knikte. Daarna wendde hij zich tot mijn advocaten en zei dat ze mijn verdediging mochten voortzetten.

Khorramshahi stond op en begon aan een pleidooi van vijf minuten. De tekst was vrijwel identiek aan de tekst die Nikbakht me had voorgelezen, over dat de Verenigde Staten geen vijandelijk land waren. Daarna stond Nikbakht op en herhaalde dat argument, hoewel hij veel zelfverzekerder praatte en zijn verhandeling zeker drie kwartier duurde. Ik kon zijn verwijzingen naar dit of dat artikel en naar dit of dat precedent niet volgen. Maar ik luisterde aandachtig toen hij over die zogenaamd geheime documenten begon te praten.

'Geen van de documenten die zij in haar bezit had was geheim,' zei Nikbakht met klem.

'Geen van die documenten is geheim,' zei de lange rechter, 'behalve dat document over Irak, over het hof van beroep.'

Ik rolde met mijn ogen.

Nikbakht zei: 'Op dat rapport over Irak staat geen stempel waaruit blijkt dat het geheim is. Uit niets blijkt dat het geheim is. Bovendien is het een achterhaald artikel en staat er geen geheime of gevoelige informatie in. Hoe dan ook, juffrouw Saberi biedt haar verontschuldigingen aan voor het kopiëren ervan, waar ze trouwens geen kwade bedoelingen mee had.'

Maar ik had mijn excuses niet aangeboden.

Nikbakht keek me met opgetrokken wenkbrauwen aan. Kennelijk wachtte hij tot ik zou zeggen wat we voorafgaand aan de rechtszaak hadden besproken.

Ik trok mijn wenkbrauwen ook op.

Hij gaf me een snel maar vastberaden knikje.

Ik slaakte een diepe zucht. Nikbakht leek te weten wat hij deed. Het leek erop dat ik moest herhalen wat hij en Haddad me hadden aangeraden.

'Als het echt een geheim document was,' zei ik langzaam, 'dan wist ik dat niet en dan bied ik mijn excuses aan. Hoe dan ook, ik heb er geen gebruik van gemaakt, ik ben niet van plan geweest er gebruik van te maken en ik heb het aan niemand gegeven.'

Zo. Tot op zekere hoogte had ik gezegd wat iedereen me kennelijk wilde laten zeggen, ook al was ik er nog altijd van overtuigd dat ik geen geheime documenten in mijn bezit had gehad. Ik keek naar Heidarifard. Ik meende een zelfvoldane glimlach op zijn gezicht te zien.

Nu was het Baby Face' beurt om iets te zeggen. De meeste van zijn beschuldigingen van verdachte activiteiten had ik al eens gehoord, zoals mijn interview met de staatsambtenaar van Hezbollah in Libanon en mijn 'gesprek' met de Japanse ambassadeur in Teheran. Ik verdedigde mezelf zo goed ik kon en ik voerde aan dat dit allemaal ongevaarlijke activiteiten waren.

De agent herhaalde ook zijn bewering dat ik helemaal niet onder druk was gezet tijdens mijn verhoren en dat ik in een 'absoluut vriendelijke sfeer' was verhoord. Deze keer herinnerde ik hem eraan dat ik twee weken lang in eenzame opsluiting had doorgebracht, geen toestemming had gekregen voor een advocaat, was geblinddoekt, door vier mannen was verhoord, herhaaldelijk was bedreigd en afgesneden was van de buitenwereld. Baby Face antwoordde alleen maar dat een dergelijke behandeling 'gebruikelijk was voor gevangenen die waren beschuldigd van staatsgevaarlijke activiteiten'.

De lange rechter stelde vervolgens een aantal vragen over mijn boek en wilde weten waarom ik 'zo veel mensen' had geïnterviewd.

De tijd vloog voorbij en toen de rechtszaak afgelopen was, ontdekte ik dat hij ongeveer vier uur had geduurd. Net als tijdens mijn eerste rechtszaak was het een farce: mijn advocaten noch ik hadden de kans gekregen de zogenaamde getuige meneer V te ondervragen of om te controleren wat de openbaar aanklager bewijs noemde (hoewel mijn advocaten daar niet eens toestemming voor hadden gevraagd), maar de beide rechters hadden mijn verklaring in elk geval niet afgekapt zoals rechter Moqiseh had gedaan.

Toen ik naar mijn advocaten keek, kon ik niet zien wat zij van deze rechtszaak vonden. Ze zeiden tegen me dat we het vonnis maar moesten afwachten, dat over een week of twee zou worden uitgesproken.

Terwijl ik de rechtszaal verliet, hield de kleinste rechter, die er het grootste deel van de tijd zwijgend bij had gezeten, me met een handgebaar tegen. 'Uw volgende boek,' zei hij met een zacht, sinister lachje, 'zou over Guantánamo Bay moeten gaan.'

De bewaker leidde me door de verlaten gang. Mijn vader en vrienden waren nergens te zien.

Wat de uitkomst van mijn beroepszaak ook is, zei ik die nacht in mijn cel tegen mezelf, ik móét proberen die met kracht, moed en geduld te accepteren.

Ik verwachtte dat ik strafvermindering zou krijgen, maar ik had geen idee met hoeveel jaar. Ik nam me voor om mijn ervaringen met de vrouwen in de gewone gevangenis zo veel mogelijk uit te buiten als ik een korte straf zou krijgen. En als ik een lange straf zou krijgen, zou ik weer in hongerstaking gaan.

24

Ik spitste mijn oren toen ik iemand met zijn vingers hoorde knippen. Het was Mahshid. De volgende ochtend kwam ze onze cel binnen, knipte met haar vingers boven haar hoofd en maakte een Iraans dansje. Nog nahijgend vertelde ze me dat ze net haar eerste familiebezoek had gehad. Ze had haar man, haar broer en haar zus gezien, en haar zoon, die een paar dagen eerder was vrijgelaten.

'En,' voegde ze er met glinsterende ogen aan toe, 'mijn zus heeft op internet gelezen dat je binnenkort wordt vrijgelaten.'

Ik trok haar naast me op de grond. Ik kon het niet geloven, Mahshids zus had het vast niet goed gelezen. Misschien had er een citaat van Khorramshahi in gestaan, dat hij hóópte dat ik binnenkort werd vrijgelaten. En hoe zou de rechtbank al zo snel een beslissing hebben kunnen nemen? Mahshid antwoordde dat haar zuster heel zeker van haar zaak was geweest.

Het was al twaalf uur geweest en ik had nog niet gehoord of mijn ouders hun wekelijkse maandagochtendbezoek brachten. Daarna, om een uur of één, zei Skinny dat ik mijn chador moest aantrekken en mijn blinddoek moest voordoen. Inmiddels was ik er al zo aan gewend om met een blinddoek voor te lopen dat ik probleemloos achter haar aan naar buiten naar een Peykan liep. Ik werd echter niet naar het bezoekgebouw gebracht maar kreeg handboeien om, waarna we de gevangenis uit reden. We reden naar het hof van beroep waar ik de vorige dag ook was geweest. Mijn chauffeur van vandaag was mijn bewaker van de vorige dag. Hij reed als een gek, scheurde van de ene rijbaan naar de andere en negeerde de verkeerslichten alsof ze alleen maar als versiering dienden. Toen een ijverige politieagent onze auto aanhield, gromde de bewaker dat hij zich met zijn eigen zaken moest bemoeien. Ik ging snel op zoek naar een gordel, maar zoals in de meeste Iraanse auto's waren die er niet of ze zaten zo diep in de smerige kussens begraven dat ik maar besloot mijn lot in handen van de chauffeur te leggen.

Toen we een hoek om scheurden, schreeuwde de chauffeur tegen me: 'Hebt u een missverkiezing gewonnen?'

Dit was de eerste keer sinds mijn arrestatie dat iemand het daarover had gehad. 'Ja,' zei ik, een beetje aarzelend, 'maar dat was om een beurs te winnen, dus geen gewone missverkiezing.'

Hij en zijn collega stelden me een paar vragen over die verkiezing. Het leek hen te fascineren en dus vertelde ik twee Iraanse gevangenbewaarders hoe een jonge vrouw ertoe kwam mee te doen aan een missverkiezing.

Toen ik de rechtszaal binnenkwam, was alleen de lange rechter aanwezig. Hij zei tegen de beide bewakers dat ze achterin moesten gaan zitten. Khorramshahi en Nikbakht kwamen ook algauw, waarna de rechter met een luide, monotone stem het vonnis voorlas.

Het weinige wat ik kon verstaan, klonk afschuwelijk. Nikbakht bleef stoïcijns voor zich uit kijken, maar Khorramshahi had een gespannen blik op zijn gezicht. De rechter bleef doorpraten. Ik wilde dat hij me gewoon vertelde hoe lang ik nog in de gevangenis moest blijven.

Eindelijk kwam hij kennelijk bij de laatste bladzijde. De terminologie was zo ingewikkeld dat ik het niet goed kon volgen, hoewel de toon van de tekst en de stem van de rechter iets positiever leken te zijn geworden. Ik hoorde hem iets zeggen over 'islamitische vergevingsgezindheid', een voorwaardelijke straf en een verbod de komende vijf jaar als journaliste in Iran te werken.

Ik keek naar Khorramshahi. Er was een vage glimlach op zijn gezicht verschenen.

'Betekent dit dat ik vrij ben?' fluisterde ik toen de rechter bleef doorpraten.

Khorramshahi's glimlach werd een grijns.

'Goddank!' zei ik zacht en ik hief mijn handen in de lucht. Het liefst was ik op de grond geknield om die woorden uit te schreeuwen, maar ik beheerste me.

Toen de rechter klaar was met voorlezen, keek hij me aan. 'Wees goed voor de islam en voor Iran,' zei hij. Daarna zei hij tegen mijn advocaten dat ze mijn ouders konden vertellen dat ze me over twee uur bij de gevangenis konden ophalen.

Nikbakht bedankte de rechter uitvoerig en ik zat daar maar, niet in staat me te verroeren of iets te zeggen. Werd ik dan echt vrijgelaten? Dat wilde ik niet geloven tot ik buiten de gevangenis bij mijn ouders was. Khorramshahi belde hen op om hun het nieuws te vertellen, terwijl twee bewakers me naar de auto brachten; deze keer zonder handboeien.

'We kunnen niet geloven dat u wordt vrijgelaten,' zei de chauffeur toen we naar Evin reden.

'Ja,' zei zijn collega, 'we hadden niet gedacht dat acht jaar zou worden verminderd tot een voorwaardelijke straf.'

Ik ook niet.

De chauffeur reed weer als een gek. Nu ik een vrije vrouw zou worden, vroeg ik hem rustiger te rijden.

De twee bewakers wilden weten of ik van Iraans eten hield en of ik de kipkebab de vorige avond had gegeten. Ik zei ja. Een van hen zei dat blank vlees gezonder was dan rood vlees. De ander was het daarmee eens. Ze bleven kletsen tot we bij een smal straatje vlak bij de gevangenis kwamen, waar de chauffeur voor een bakkerij stopte. De bewaker op de passagiersstoel sprong uit de auto, kocht een lang warm witbrood en bood me er iets van aan. De bewakers waren nog nooit zo aardig geweest. Ik had gehoord dat gevangenbewaarders hun gevangenen vaak veel vriendelijker behandelden als ze op het punt stonden te worden vrijgelaten, zodat ze na hun vrijlating minder slecht over hun bewakers spraken. Ik wees hun aanbod af. Ik was toch veel te opgewonden om te eten.

'Ben je vandaag naar de rechtbank geweest?' vroeg Skinny toen we bij de vrouwenvleugel kwamen. Aan haar onderzoekende blik kon ik zien dat zij als eerste de nieuwe ontwikkelingen in mijn zaak wilde horen. Ik had ontdekt dat de bewaaksters mijn zaak even nauwgezet volgden als *De profeet Jozef.*

'Ja,' antwoordde ik zonder meer te vertellen.

Skinny vroeg meteen ongeduldig: 'En, wat is er gebeurd?'

'Het is een heerlijke dag,' zei ik.

'Wat bedoel je?'

'Ik bedoel dat ik word vrijgelaten,' antwoordde ik met een brede glimlach.

'Echt?' Ze keek me met een vreemde blik aan.

Skinny zei niets meer toen ze me naar mijn cel bracht.

Mahshid stond midden in het vertrek in haar chador haar avondgebed op te zeggen. Ze keek op.

Ik hoefde alleen maar te glimlachen.

'Ik heb het je toch gezegd!' riep ze uit.

'Ik kan het nog steeds niet geloven,' zei ik.

Ze omhelsde me en we sprongen blij op en neer. Maar opeens bleef ik stokstijf staan.

'Wat is er?' vroeg Mahshid.

'Ik ben blij dat ik word vrijgelaten,' zei ik, 'maar hoe zit het met jou?'

'Maak je over mij maar geen zorgen,' zei ze en ze streelde mijn arm. 'Ik heb geleerd te accepteren wat me overkomt. Ik realiseer me dat het een doel heeft dat ik hier ben, misschien wel meer dan wanneer ik buiten deze gevangenis zou zijn.'

Ze glimlachte en meende kennelijk echt wat ze zei.

Onze celdeur ging open. 'Pak je spullen,' zei Skinny op dezelfde toon als altijd, 'behalve je dekens.'

Ik had dit haar en haar collega-bewaaksters al zo vaak horen zeggen, en nu zei ze het tegen mij.

Toen ik klaar was, trok Skinny me de cel uit, zonder me de kans te geven Mahshid nog een laatste keer te omhelzen. Ze nam me mee door de gang, langs een paar chadors die aan de muur naast celdeuren hingen waarvan het raampje gesloten was. Ik vroeg me af wanneer de gevangenen die deze kleren droegen, vrijgelaten werden.

Het geritsel van afvalzakken had ik vaak gehoord. Het gaf aan dat andere gevangenen naar huis gingen. En nu gaf Skinny mij de tas waar mijn eigen kleren in zaten. Ik trok ze aan. Ze waren minstens drie maten te groot, maar wat had ik ze gemist!

Ze zei dat ik nog steeds mijn blinddoek moest dragen terwijl ze me meenam naar het kantoor van de gevangenisdirecteur. De man die me had gezegd dat ik niet in hongerstaking moest gaan, wilde nog eens benadrukken dat het niet daaraan te danken was dat ik nu werd vrijgelaten. Ik knikte. Ik wilde gewoon de gevangenis uit.

Skinny liet me in een ander vertrek achter bij een bewaker die terugkwam met mijn boodschappentas, laptop, usb-stick en enkele van mijn boeken en schrijfblokken. Hij zei dat mijn bâzju die dag niet in Evin was, en dat mijn paspoorten en contant geld, evenals de rest van mijn bezittingen in zijn bezit waren. De bewaker zei dat ik over een dag of twee terug moest komen. Ik schoof mijn blinddoek iets omhoog en ondertekende een paar papieren. Daarna werden mijn vingerafdrukken genomen.

'Ga de mensen nu niet vertellen dat we u hier hebben gemarteld,' zei hij toen hij me naar een busje buiten Sectie 209 had gebracht. Daarna zei hij dat ik mijn blinddoek mocht afdoen. Met een snelle beweging trok ik mijn blinddoek los en gaf die aan hem.

Een andere bewaker reed me naar een gevangenispoort die ik nog niet eerder had gezien. 'We brengen u naar een andere uitgang,' zei hij, 'zodat de journalisten bij de hoofdpoort u niet zien.'

De raampjes van het busje waren kennelijk van getint glas, want toen we naast mijn ouders stopten, kon ik zien dat ze wel op mij wachtten, maar niet konden zien dat ik naar hen zwaaide. Toen ons busje tot stilstand kwam, stak mijn moeder haar hoofd naar binnen en zag me achterin zitten. Ze glom helemaal. De bewaker liet me uitstappen en ik omhelsde haar stevig, snoof de geur van haar pasgewassen haar op. Daarna stapte mijn vader naar voren en nam me in zijn armen. Mijn moeder was zo gelukkig dat ze de hand wilde schudden van mijn bewaker, die, blozend om de mogelijkheid dat een nâ-mahram vrouw hem aanraakte, haar zijn pols aanbood.

Mijn ouders namen me mee naar de auto van een vriend, die hij op het gevangenisterrein had mogen parkeren. Ik klom samen met mijn moeder achterin, waarna we de poort uit reden.

Toen we een steeg achter de Evin-gevangenis in reden, keek ik achterom naar de hoge muur en het prikkeldraad. En nadat we een hoek waren omgeslagen, verdwenen ze uit het zicht.

Eindelijk huilde ik.

Epiloog

Ik huilde tranen van blijdschap en verdriet: van blijdschap om mijn vrijheid, maar van verdriet om de gewetensgevangenen die ik achterliet, die alleen maar werden gestraft voor hun vreedzame streven naar basale mensenrechten of voor hun overtuigingen.

Waarom was ik wel vrijgelaten en vele anderen niet? Was dat omdat ik als buitenlandse internationale steun kreeg, terwijl de benarde situatie waarin anderen verkeerden buiten Iran minder bekend was of misschien niet eens buiten hun eigen familie?

Op 11 mei, de dag van mijn vrijlating, logeerde ik bij een vriendin terwijl mijn ouders naar mijn appartement teruggingen, waar volgens een buur verschillende journalisten bivakkeerden. Ik was nog niet in staat hun onder ogen te komen en ik wist dat de autoriteiten me goed in de gaten zouden houden. Het nieuws van mijn vrijlating was wereldwijd op satelliettelevisie uitgezonden en zowel binnen- als buitenlandse journalisten wilden me interviewen.

De volgende dag hoorde ik dat veel Iraniërs mijn verhaal hadden gevolgd. Een chauffeur van het taxibedrijf in mijn wijk weigerde mijn geld aan te nemen en ik was gechoqueerd toen hij me vertelde dat een buurtwinkel 'Roxana-hoofddoeken' verkocht, zoals de blauwe hoofddoek die ik droeg op een foto die in de media circuleerde. De manager van een kantoor waar ik moest zijn, belde zijn vrouw op met de mededeling dat zij en hun kind naar zijn kantoor moesten komen om samen met mij op de foto te worden gezet. En toen ik die dag via de achterdeur mijn flatgebouw was binnengekomen, vertelden mijn buren me dat ze voor me hadden gebeden, zelfs degenen die tijdens mijn gevangenschap te bang waren geweest om mijn ouders op te zoeken. Goede vrienden belden, bestelden bloemen of kwamen op bezoek. Vrijwel iedereen die ik sprak, bood zijn verontschuldigingen aan voor de manier waarop ik was behandeld. Volgens hen stond dat in schril contrast met de manier waarop Iraniërs hun gasten normaliter behandelden.

Het ontroerde me ontzettend dat de propaganda van het regime tegen mij hen niet beïnvloed leek te hebben, en ik vertelde hun eerlijk dat mijn sympathie voor het Iraanse volk totaal niet was verminderd.

Buiten deze korte ontmoetingen en een kort woord van dank tegen de journalisten de volgende dag, hield ik me gedeisd omdat ik de autoriteiten geen enkel argument wilde geven mijn twee paspoorten in bezit te houden. Mijn vader is twee keer naar Evin gegaan om ze op te halen, maar hij kreeg te horen dat mijn bâzju niet bereikbaar was. Ondertussen zei de minister van Veiligheid van Iran tegen de pers dat ik volgens hem nog altijd een spion was. Hierdoor werd mijn behoefte het land te verlaten alleen maar groter.

Bahman en ik hebben urenlang met elkaar gepraat over alles wat er tijdens mijn gevangenschap was gebeurd. We praatten heel zacht, voor het geval er afluisterapparatuur in zijn appartement was aangebracht, en heel snel, alsof we bang waren dat we elk moment weer gescheiden konden worden. Hij was het ermee eens dat ik Iran zo snel mogelijk moest verlaten en hij nam contact op met een hooggeplaatste staatsambtenaar, die een paar telefoontjes over mijn paspoorten voerde. Ook Bahman bereidde zich voor op vertrek naar het buitenland. De film die hij in het geheim had opgenomen, *No One Knows About Persian Cats*, zou binnenkort in Frankrijk worden vertoond. Deze film was openlijk kritisch over de sociaal-culturele beperkingen in Iran en Bahman verwachtte dat de Iraanse autoriteiten hem daarna zelfs nog slechter zouden behandelen.

Op 13 mei vertrok Bahman naar het Filmfestival van Cannes. Toen ik afscheid van hem nam, wist ik dat we elkaar algauw buiten Iran zouden terugzien. De volgende avond vertrok ik, in het bezit van mijn beide paspoorten, samen met mijn ouders en een vriend van de familie naar het vliegveld nadat ik de koran van mijn buren had gekust en er drie keer onderdoor was gelopen voor bescherming tijdens onze reis.

Ik was helemaal opgewonden toen ik op het Imam Khomeiny International Airport door de paspoortcontrole was. Maar net toen mijn ouders achter me aan kwamen, begon een in burger geklede man met een walkietalkie mijn naam te schreeuwen.

'Juffrouw Saberi,' hijgde hij, 'u mag het land niet verlaten!'

Mijn moeder viel flauw en de man beval ons naar een lounge te gaan om te voorkomen dat er midden op het vliegveld een scène ontstond. Nadat hij zijn meerderen thuis wakker had gebeld, realiseerde hij zich dat wij hem de waarheid hadden verteld, dat de rechter me niet had verboden Iran te verlaten.

Nadat ons vliegtuig van Austrian Airlines was opgestegen, slaakte ik een zucht van opluchting. Toch vroeg ik me af of ik misschien door een Iraanse agent een paar rijen verderop in de gaten werd gehouden. Een paar uur later landden we in Wenen. Daar hebben we ongeveer een week bij een vriend gelogeerd om uit te rusten voordat we teruggingen naar Amerika.

Nu kon ik genieten van alle vrijheden die ik voor mijn gevangenschap normaal had gevonden. Ik slenterde door de straten, at friet en floste mijn tanden. Ik sliep met het licht uit en met mijn hoofd op een kussen. Ik praatte met mijn ouders, belde mensen op en schreef e-mails wanneer ik dat wilde en zonder bang te hoeven zijn dat ze door derden werden gelezen.

Een van de eerste mensen met wie ik contact opnam, was meneer D. Toen ik hem vertelde welke vreselijke leugens ik onder druk over hem had verteld, reageerde hij heel begrijpend. 'Als dat verhaal heeft geholpen uw leven te redden,' zei hij tegen mij, 'dan ben ik blij.'

Sinds die tijd heb ik een nieuwe kijk op mijn ervaringen gekregen door toespraken te houden voor voormalige gevangenen, mensenrechtenadvocaten, advocaten, analisten en andere mensen die mijn zaak hebben gevolgd.

Ik heb ontdekt dat wat mij is overkomen opvallend veel overeenkomsten vertoonde met wat veel mensen in Iraanse gevangenissen meemaken. Mensenrechtenactivisten noemen de mix van intimidatie en overreding die ik heb ervaren 'witte marteling': het laat geen fysieke sporen achter, maar het ruïneert je ziel en je geweten. Heel veel gevangenen hebben een wredere behandeling ondergaan; sommigen hebben ongeveer net zo gereageerd als ik, maar anderen ook weer niet.

Veel mensen die in Iran gevangenzitten, worden vastgehouden zonder dat ze zijn berecht, zonder dat iemand weet waar ze zijn, zitten in eenzame opsluiting en hebben zelden of nooit contact met hun familie of advocaat. Vaak ondergaan ze psychologische, en in sommige gevallen fysieke, marteling die tot doel heeft hun een bekentenis af te dwingen en hen iets over hun vrienden of collega's te laten vertellen. Sommigen, zoals de Iraans-Canadese journaliste Maziar Bahari, die in 2009 honderdachttien dagen gevangen heeft gezeten, zijn net als ik onder druk gezet om voor het regime te gaan spioneren. Hun familie krijgt vaak opdracht niet met de pers te praten.

De wereld heeft veel meer over het gebruik van dergelijke methoden gehoord tijdens de nasleep van de veelbesproken presidentsverkiezingen in Iran op 12 juni 2009, toen tijdens de opvallendste burgeropstand na de Islamitische Revolutie duizenden mensen gevangen zijn gezet en tientallen mensen zijn vermoord. Een presidentskandidaat vertelde dat gevangenen klaagden over verkrachting en seksueel misbruik. De autoriteiten hebben erkend dat ten minste drie mensen die gevangenzaten zijn overleden, hoewel mensenrechtengroeperingen beweren dat het werkelijke dodental hoger was. Journalisten, hervormingsgezinde politici, studentenactivisten en dissidenten die tijdens massale showrechtszaken zijn berecht, hebben volgens de Iraanse media misdaden tegen de Islamitische Republiek bekend. Meer dan tachtig mensen zijn veroordeeld tot gevangenisstraffen tot wel vijftien jaar, en meerdere verdachten die werden beschuldigd van deelname aan demonstraties na de herverkiezing van Ahmadinejad zijn ter dood veroordeeld, van wie minstens twee mensen zijn geëxecuteerd. De veiligheidstroepen traden keihard op tegen demonstraties waarin steun werd betuigd aan de oppositiebeweging Green Movement, die desondanks nog maanden hebben geduurd.

Veel gevangenen hebben net als ik te horen gekregen dat ze, als ze niet bekenden en berouw toonden, niet zouden worden vrijgelaten en dat hun geliefden hieronder zouden lijden. Sommige voormalige gevangenen hebben verteld dat ze werden gedwongen een bekentenis te ondertekenen die ze niet eens mochten lezen, terwijl anderen net als ik door hun ondervragers werden geïnstrueerd of met hen over de inhoud van hun verklaringen moesten onderhandelen. De schrijver en geschiedkundige Ervand Abrahamian vertelde me dat ondervragers gevangenen vaak een lijst met onderwerpen geven die ze moeten noemen, maar dat ze hen zelf hun bekentenis laten opschrijven in een poging de tekst van het slachtoffer geloofwaardig te laten klinken, waardoor ze die kunnen gebruiken om de publieke opinie te beïnvloeden.

Omid Memarian, een voormalige Iraanse journalist die gevangen heeft gezeten en in 2004 werd gedwongen een valse bekentenis af te leggen, vertelde me dat ondervragers de bekentenissen die ze gevangenen afdwingen zelden geloven, net zoals mijn bâzju uiteindelijk toegaf dat hij vanaf het begin had geweten dat mijn bekentenis niet waar was. 'Als ze die bekentenissen zouden geloven,' zei Memarian, die zijn bekentenis na zijn vrijlating introk, 'zouden ze niemand vrijlaten. Het is een feit dat ze een aantal zogenaamde spionnen hebben vrijgelaten, maar ook mensen die hebben bekend dat ze activiteiten hebben uitgevoerd die de nationale veiligheid in gevaar brachten. Ze zijn niet in staat echte spionnen te vinden, als die er al zijn, en door onschuldige mensen te arresteren willen ze anderen intimideren.'

'Zelfs als je tot de ontdekking komt dat ze je bekentenis niet geloven,' voegde hij eraan toe, 'weet je dat ze je dankzij die valse bekentenis nog jarenlang gevangen kunnen houden. Hun dreigementen zijn heel echt. Ze geven je het gevoel dat je geen controle hebt over je eigen leven. Uiteindelijk kun je je eigen angst zelfs ruiken.'

Maar niet alle gevangenen worden onder druk gezet om te bekennen. Het is vaak zo dat de bekentenis van iemand die iets vertegenwoordigt, zoals een groepering, een ideologie of een ander land, een propagandistische, symbolische of andere waarde heeft voor zijn ondervragers. Bekende activisten, politieke figuren en mensen zoals Silva Harotonian en ik, die contacten met Amerikanen hebben, zullen eerder onder druk worden gezet om een bekentenis af te leggen dan minder bekende gevangenen, zoals de meeste vrouwen met wie ik in een cel heb gezeten.

Sommige gevangenen worden na hun bekentenis relatief snel vrijgelaten. Kennelijk vonden hun gevangenbewaarders het voldoende dát ze deze wapens in handen hadden, die ze vervolgens voor hun eigen doeleinden zouden kunnen gebruiken.

Maar een bekentenis afleggen betekent niet altijd dat je wordt vrijgelaten. De Iraans-Amerikaanse scholier Kian Tajbakhsh, die werd vrijgelaten vlak nadat zijn zogenaamde bekentenis in 2007 werd uitgezonden, werd in 2009 weer gearresteerd en heeft volgens de Iraanse media bekend dat Amerikaanse instellingen zoals de non-profitorganisatie waar hij voor werkte, betrokken waren bij een zachte revolutie tegen het regime. Later is hij veroordeeld tot vijftien jaar gevangenisstraf voor verschillende misdaden, zoals spionage, voordat een hof van beroep zijn straf verlaagde tot vijf jaar.

Amnesty International heeft gemeld dat vele gevangenen in Iran zelfs zijn geëxecuteerd alleen op basis van een bekentenis die ze onder druk hadden afgelegd. Sommige gevangenen hebben hun bekentenis voor hun vrijlating ingetrokken, hoewel dat hun kans op vrijlating verminderde. Op het moment dat ik mijn bekentenis introk, was ik me niet bewust van het feit dat plaatsvervangend openbaar aanklager Haddad publiekelijk had verkondigd dat ik binnen een paar dagen werd vrijgelaten, maar de autoriteiten werden daardoor gedwongen deze beslissing terug te draaien. Veel andere gevangenen hebben gewacht met het intrekken van hun bekentenis tot na hun vrijlating, maar anderen hebben ook toen niets gedaan. Een bekentenis intrekken, vooral voor degenen die in Iran blijven, kan gevaarlijk zijn; niet alleen voor de mensen zelf, maar ook voor hun familie.

Een bekentenis, of een gevangene die nu wel of niet intrekt, wordt in het hedendaagse Iran door de meeste Iraniërs niet geloofd. Zoals schrijver Abrahamian zegt, beschouwen velen dergelijke bekentenissen eerder als bewijs dat iemand een mens is dan als een teken van zwakte. Bovendien is de kans groot dat ze de ondervrager belachelijk maken en tegelijk medelijden hebben met de gevangene.

Ik begrijp nu ook meer van een andere vorm van witte marteling: de praktijk dat gevangenen worden gedwongen leugens op te schrijven over mensen die ze kennen. Iraniërs hebben hier zelfs een woord voor: *taknevisi*, wat betekent dat je iets opschrijft over familieleden, kennissen, vrienden en collega's, over iedere persoon op een apart vel papier. Dat wordt vooral verlangd van gevangenen die in het middelpunt van de maatschappelijke belangstelling staan of van gevangenen met heel veel contacten. Velen van hen worden gedwongen iets op te schrijven over hervormingsgezinde politici of andere bekende figuren, die zelf ook de kans lopen gearresteerd te worden. Een reden dat ondervragers zelfs op het oog onbelangrijke informatie verzamelen is dat ze daarmee toekomstige gevangenen zo bang willen maken dat ze hun mond opendoen, door hen te laten denken dat hun ondervragers meer weten dan ze in feite weten; een methode die, dat realiseerde ik me later, ook op mij is toegepast. Ondervragers liegen ook vaak tegen gevangenen door te beweren dat hun vrienden verklaringen tegen hen hebben afgelegd.

Tijdens deze fase van het verhoor worden veel gevangenen gedwongen te beweren dat ze seksueel contact met iemand hebben gehad, waar of niet. In een islamitische samenleving kan een dergelijke verklaring schadelijk zijn voor henzelf maar ook voor anderen. Roozbeh Mirebrahimi, een Iraanse journalist en blogger die in 2004 gevangen is gezet, heeft me verteld dat hij gedwongen werd valse seksuele bekentenissen af te leggen. Mirebrahimi: 'Ze willen je persoonlijkheid breken door je zover te krijgen dat je deze beschuldigingen erkent, waardoor je wil wordt gebroken en je je verzet tijdens latere fasen van verhoor opgeeft.'

Ik heb ook gehoord dat bepaalde gevangenen er, net als ik, van werden beschuldigd dat ze geheime documenten in hun bezit hadden. Kort na mijn vrijlating hoorde ik tot mijn verbazing dat mijn advocaten tegen de pers zeiden dat ik geheime documenten had gekopieerd, wat in tegenspraak was met wat zijzelf tijdens mijn proces hadden verklaard. Ik weet niet waarom ze deze en andere onjuiste verklaringen over mij hebben afgelegd. Misschien werden ze door de Iraanse autoriteiten onder druk gezet of werkten ze met hen samen om mij in diskrediet te brengen. Andere advocaten hebben me verteld dat sommige Iraanse advocaten zo onder druk worden gezet door de autoriteiten dat ze hun ethische normen en hun verantwoordelijkheid naar hun cliënten soms opofferen. Advocaten die zich tegen deze druk verweren, worden soms zelf gevangengezet. Dit was het geval met de mensenrechtenadvocaten Abdolfattah Soltani en Mohammad Dadkhah, die na de verkiezingen van juni 2009 zelf een paar weken gevangen hebben gezeten.

Pas ruim anderhalve maand na mijn vrijlating wist ik zeker dat het artikel dat ik in mijn bezit had geen geheim document was. Tegen die tijd had ik met meerdere Iraanse juridisch experts gesproken, onder wie de winnaar van de Nobelprijs voor de Vrede Shirin Ebadi, die ik volgens Haddad niet als advocaat mocht aanstellen. Ze hebben me allemaal verteld dat een officieel document in Iran niet als geheim kan worden gekenmerkt met een mim, al dan niet handgeschreven. Een document is pas geheim als het woord GEHEIM erop is gedrukt of gestempeld ten tijde van publicatie. Ebadi zei tegen me: 'Het was gewoon een truc.'

Misschien voerden de Iraanse autoriteiten deze valse beschuldiging wel aan als mijn belangrijkste 'misdaad', omdat ze te midden van de internationale ophef hun gezicht wilden bewaren met een extra reden voor mijn gevangenschap, naast de bekentenis die ik tijdens mijn gevangenschap alweer had ingetrokken.

Of misschien wilden ze me toch gebruiken om het Center for Strategic Research zwart te maken, dat nog altijd banden heeft met gematigde en pragmatische conservatieven die een dialoog met het Westen zijn aangegaan en dat nadat Ahmadinejad in 2005 president was geworden onder steeds grotere druk van de hardliners is komen te staan.

Veel mensen hebben me gevraagd of ik begrijp waarom ik eigenlijk gearresteerd ben. Ik weet het niet zeker. Het Iraanse regime bestaat uit allerlei verschillende spelers en partijen, en de gang van zaken is verre van transparant. Zoals mijn bâzju en de plaatsvervangend openbaar aanklager min of meer hebben toegegeven, wisten ze dat ik geen spion was. Mijn ondervragers moeten dus andere redenen hebben gehad om mij gevangen te zetten, misschien om politieke redenen, misschien om het feit te rechtvaardigen dat ze me in de gaten hebben gehouden en misschien om me over te halen voor hen te spioneren.

Ze leken zich ook heel druk te maken over het feit dat ik vrijelijk, en zonder een regeringsoppasser, door Iran kon reizen om mensen in hun eigen taal te interviewen voor een boek dat de autoriteiten niet konden censureren. Ze dachten misschien dat het veel eenvoudiger was om de informatie voor mijn boek tegen te houden dan om de Iraniërs tegen te houden die bereid waren zich door mij te laten interviewen. In totaal waren dat er meer dan zestig, heb ik na mijn vrijlating geconstateerd. Van de analfabeet tot de wetenschapper en van de hervormingsgezinde tot de conservatieve, allemaal waren ze bereid hun visie met me te delen. Ze waren trots op hun land en ze wilden me helpen om buitenstaanders een vollediger beeld van hun land te geven.

Ik weet ook niet zeker waarom ik ben vrijgelaten. Ik denk dat mijn vrijlating voor een groot deel te danken is aan de internationale druk en aan de publiciteit over mijn twee weken durende hongerstaking. Het regime zal hebben gedacht dat het beter was me vrij te laten dan me gevangen te houden. Het besluit me vrij te laten, hoorde ik, was waarschijnlijk al genomen voordat ik in beroep was gegaan.

Nadat ik was vrijgelaten, werd gesuggereerd dat Teheran en Washington 'achter de schermen' een soort deal hadden gesloten, maar staatsambtenaren die zich met mijn zaak hebben beziggehouden hebben me verteld dat dit niet het geval is geweest. En toen Amerika in 2009 vijf Iraanse staatsambtenaren uitleverde die het in Noord-Irak gevangen had genomen, ontkende het ministerie van Buitenlandse Zaken dat dit iets met mijn zaak te maken had.

Op het moment dat ik dit schrijf weet ik dat ten minste twee van mijn voormalige celgenoten nog altijd gevangenzitten. Mahvash Sabet en Fariba Kamalabadi, samen met hun vijf mannelijke bahaicollega's, zitten nog altijd in Sectie 209 van Evin, na de eerste zitting achter gesloten deuren voor rechter Moqiseh in januari 2010. Na mijn vrijlating heb ik gehoord dat alle zeven hebben geweigerd een valse bekentenis af te leggen.

Silva Harotonian is overgeplaatst naar de gewone gevangenis nadat haar straf door het hof van beroep was bevestigd, net als de straf van de gebroeders Alaie. Zij zijn voorwaardelijk vrij en in afwachting van de laatste fasen van een gratieverlening. Mahshid Najafi, mijn laatste celgenote, is op 18 juli 2009 vrijgelaten, maar haar dossier blijft geopend en zij is in afwachting van een hoorzitting.

De autoriteiten hebben bevestigd dat de Iraans-Canadese blogger Hossein Derakhshan in de Evin-gevangenis zit. Omid Reza Mirsayafi, een andere blogger en journalist, is op 18 maart 2009 onder verdachte omstandigheden in Evin overleden in de tijd dat ik daar was. Talloze andere journalisten zijn na de verkiezingen in 2009 gearresteerd, waardoor Iran volgens de Reporters Without Borders de grootste gevangenis voor journalisten is geworden.

En hoewel de Iraans-Amerikaanse student Esha Momeni toestemming kreeg om in augustus 2009 terug te keren naar de Verenigde Staten, zaten drie Amerikaanse hikers, die volgens de Iraanse autoriteiten een maand eerder illegaal de grens van Iran naar Irak waren overgestoken, in eenzame opsluiting. Ze werden beschuldigd van spionage, volgens hun familie en vrienden een belachelijke beschuldiging.

Op een dag zou ik graag terugkeren naar Iran. Ik hoop dat dit een dag zal zijn zoals een Iraanse vriend van me beschrijft: 'Een tijd wanneer iedereen [in Iran] veilig en welvarend zal zijn en we geen politieke gevangenen zullen hebben.

Je moet terugkomen,' zei hij, 'omdat Iran je vaders land is, omdat je een Iraanse naam hebt en omdat jij Iraanse bent.'

Ik blijf trots op mijn Iraanse wortels en het doet me pijn Iraniërs te zien lijden onder onderdrukking en wreedheden wanneer ze op vreedzame wijze opkomen voor de fundamentele rechten van de mens, zoals de vrijheid van meningsuiting, vereniging en vergadering. Toch word ik ook geïnspireerd door hun edelmoedigheid, hun moed en hun hoop op een betere toekomst.

Iran is een ontwikkeld land met een rijke cultuur, een beschaving van duizenden jaren en een democratische geschiedenis. De inwoners verdienen veel meer dan het onrecht dat hun nu wordt aangedaan. Ik heb ondervonden welke impact internationale steun kan hebben en ik hoop dat anderen die op dezelfde wijze een onrechtvaardige behandeling ondergaan – niet alleen in Iran maar ook elders in de wereld – dezelfde aandacht krijgen en dat de internationale gemeenschap de schending van de mensenrechten in Iran bij de politieke betrekkingen met de Islamitische Republiek niet over het hoofd zal zien.

Ik ben van mening dat bepaalde Iraanse autoriteiten oprecht proberen iets te doen aan de schending van de mensenrechten en de tekortkomingen in hun land. Maar zij worden geconfronteerd met felle oppositie door de extremisten die verblind lijken door hun eigen streven naar macht en door hun onvermogen in te zien dat de sleutel naar veiligheid op lange termijn niet gelegen is in overheersing en intolerantie, maar in het uitwisselen van ideeën en het winnen van het hart en de ziel van ontrouwe groeperingen en onafhankelijke denkers. Deze veiligheid kan ook alleen maar worden bereikt door de oorzaak van de problemen aan te pakken in plaats van de mensen die erover schrijven of erover praten te onderdrukken. Hoewel onderdrukking mensen op de korte termijn het zwijgen kan opleggen, kweekt ze op de lange duur ontevredenheid en wantrouwen ten opzichte van het regime. Bovendien kan ze voorstanders van gematigde verandering in de illegaliteit duwen, waardoor ze in revolutionairen kunnen veranderen.

Enkele maanden na mijn vrijlating is het leven van mijn ouders weer normaal geworden. Jasper is van plan binnenkort te trouwen en weer aan de studie te gaan. Mijn beproeving heeft ons dichter bij elkaar gebracht en we genieten veel meer dan vroeger van de tijd die we samen doorbrengen.

Vanavond ben ik de hoofdspreker tijdens een evenement in Idaho. Als ik het hotel verlaat, kijk ik achterom om te zien of ik word gevolgd.

Ik kan er niets aan doen, net zoals ik er niets aan kan doen dat ik af en toe een nachtmerrie heb over mijn tijd in Evin. Net als veel andere voormalige gevangenen moet ik leren leven met dit soort emotionele littekens, maar de lessen die ik heb geleerd van mijn ervaringen en van mijn celgenoten helpen me bij mijn genezing.

Mijn gastheren vertellen me dat de zaal helemaal vol zit. Terwijl ik wens dat ik nooit gevangen had gezeten, realiseer ik me dat mijn gevangenschap belangstelling heeft opgewekt. Ze heeft er ook voor gezorgd dat ik wíl praten. Voor mijn arrestatie ben ik ook wel getuige geweest van onrecht, maar ik had nooit echt begrepen wat het inhield. Tot ik het zélf meemaakte en de pijn voelde van anderen die dit meemaken en zich ertegen verzetten.

Vanavond zal ik vrijuit praten, in de hoop dat ik kan spreken namens de vele Sara's, Fariba's en Mahshids die moeten vechten voor hun meest basale rechten. Van hen heb ik geleerd dat er licht is in de duisternis en dat, hoewel er altijd mensen zullen zijn die lijden, de waarheid uiteindelijk zal zegevieren.

Fargo, North Dakota
januari 2010

Dankwoord

Ik ben veel verschuldigd aan de mensen die me gedurende mijn zes jaren in Iran en mijn honderd dagen in de gevangenis hebben gesteund. Als het mogelijk was, zou ik hier ieders naam noemen en hen bedanken. Maar ik hoop dat ze, waar ze zich ook bevinden, mijn welgemeende dank willen accepteren.

Ik zou niet naar Iran zijn verhuisd als Simon Marks niet de gok had gewaagd mij naar Teheran te sturen als de eerste Iraanse correspondent voor zijn agentschap Feature Story News. Bedankt, Simon, dat je vertrouwen in me had, dat je mij hebt betaald om iets te doen waar ik van hield en dat je toen ik in de gevangenis zat met verschillende nieuwsagentschappen de coördinatie van alle inspanningen om mij vrij te krijgen op je hebt genomen. Ik wil vooral ABC, BBC, Fox News, NPR, PBS en *The Wall Street Journal* bedanken, die samen met Simon ter wille van mij een gemeenschappelijke verklaring naar de Iraanse autoriteiten hebben gestuurd.

Veel collega-journalisten – van Amerika tot Azië en van Europa tot Nieuw-Zeeland – hebben ervoor gezorgd dat mijn verhaal in de belangstelling bleef staan. Velen van hen hebben reportages en hoofdartikelen geschreven met als doel mijn zaak een menselijk gezicht te geven. Talloze journalisten hebben meer gedaan dan hun professie vereiste om mijn vrijlating te bewerkstelligen en hebben mijn ouders troost, hulp en advies geboden. Ik wil niet eens proberen al hun namen te noemen; ik weet dat ik die nooit allemaal kan opsommen.

Tientallen journalistieke groeperingen hebben mijn vrijlating verzocht, onder andere de Asian American Journalists Association, Association of Independents in Radio, Committee to Protect Journalists, National Press Photographers Association, Overseas Press Club, Radio Television Digital News Foundation, Society of Professional Journalists and UNITY: Journalists of Color. Reporters Without Borders heeft veel tijd, energie en geld in mijn zaak gestoken en heeft op allerlei manieren de aandacht van het publiek gevraagd voor mijn zaak. Toen ik hoorde wat deze en andere journalistenorganisaties voor me hadden gedaan, voelde ik zelfs nog meer waardering voor hun steun aan journalisten in de hele wereld.

Mensenrechtenactivisten en -groeperingen, zoals Amnesty International, Human Rights Watch en de International Campaign for Human Rights in Iran hebben ook een belangrijke rol gespeeld bij de bewustwording van en de steun voor mijn zaak. Bovendien hebben ze ervoor gezorgd dat de media aandacht bleven schenken aan mijn gevangenschap en vervolging.

Ik bedank ook het vrijwilligersteam dat de website freeroxana.net heeft geopend, een blog over mijn situatie heeft bijgehouden en mensen de kans heeft gegeven in te tekenen voor een hongerstaking om mij te steunen, vlak nadat de Reporters Without Borders hiermee begon. Deze website, samen met www.roxanasaberi.com, heeft laten zien waar de nieuwe media in combinatie met liefde en enthousiasme toe in staat zijn.

Ook wil ik de vele mensen in de hele wereld bedanken die op mijn vrijlating hebben aangedrongen op sociale netwerken zoals Facebook en Twitter. Dank aan iedereen die petities heeft ondertekend en brieven heeft geschreven, heeft gevast of deelgenomen aan bijeenkomsten en nachtwakes, voor me heeft gebeden, en me na mijn vrijlating felicitatie-e-mails, kaarten en bloemen heeft gestuurd. Het heeft me ontzettend ontroerd dat vrienden, onbekenden en mensen die me jaren tevoren kort hadden ontmoet zo veel medeleven hebben getoond. Zonder dit alles zou ik hoogstwaarschijnlijk nog steeds in de gevangenis zitten.

Ik ben ook ontzettend dankbaar voor de inspanningen van de vele faculteitsleden, medewerkers en studenten, alumni en vroegere studiegenoten van Fargo Public Schools, Concordia College, Northwestern University's Medill School of Journalism en de University of Cambridge. De inwoners van North Dakota en Minnesota, van Fargo-Moorhead en het Fargo VA Medical Center, waar mijn moeder werkt, waren bijzonder begrijpend en gul. Toen mijn ouders in Iran waren, hebben hun buren op hun huis gepast, bloemen in hun tuin geplant en zijn ze een *yellow-ribbon*-campagne begonnen. De organisaties Miss North Dakota en Miss America, het Aspen Institute en Rotary International, die me allemaal al voor mijn gevangenschap kenden, zijn maar enkele van de vele groeperingen die de Iraanse autoriteiten hebben verzocht om mijn vrijlating.

Ik heb het geluk gehad dat ik de steun heb gehad van president Barack Obama, minister Hillary Clinton en het ministerie van Buitenlandse Zaken, van de gouverneur van North Dakota, John Hoeven, van de Amerikaanse senatoren Kent Conrad en Byron Dorgan, van gedelegeerde Earl Pomeroy van North Dakota en van senator Amy Klobuchar van Minnesota. Onder andere een afvaardiging van het congres van North Dakota heeft in een brief aan de Allerhoogste Leider verzocht om mijn vrijlating. De wetgevende macht van North Dakota heeft een resolutie aangenomen waarin steun betuigd werd aan de inspanningen van het Congres om mijn vrijlating te bewerkstelligen.

De Zwitserse ambassade in Iran heeft een vitale rol gespeeld als vertegenwoordiger van de Amerikaanse belangen daar. De Zwitserse ambassadeur Livia Agosti heeft op hoog niveau contact gehad met verschillende Iraanse autoriteiten en daarbij aangedrongen op een eerlijke rechtszaak en snelle vrijlating. Zij en haar collega's hebben de ontwikkelingen in mijn zaak op de voet gevolgd en regelmatig contact gehouden met het ministerie van Buitenlandse Zaken en mijn ouders. De Zwitserse president Hans-Rudolf Merz heeft mijn zaak op 19 april tijdens een vergadering in Genève besproken met president Ahmadinejad.

Ook de Japanse regering en de Japanse ambassade in Teheran zijn ontzettend behulpzaam geweest. De toenmalige minister van Buitenlandse Zaken Hirofumi Nakasone heeft begin mei in Teheran zijn bezorgdheid over mijn zaak uitgesproken tijdens een ontmoeting met zijn Iraanse collega.

Ik bedank ook de Europese Unie, die een verklaring over mijn zaak heeft uitgegeven ondanks het feit dat ik, zoals mijn ondervrager onderstreepte, geen Europese ben. Ik heb gehoord dat mijn zaak ook is besproken tijdens verschillende vergaderingen van Europese ambassadeurs in Teheran. Daar ben ik dankbaar voor, evenals voor de inspanningen van Michael Postl, de toenmalige Oostenrijkse ambassadeur in Teheran, een vriend die mijn ouders moed heeft ingesproken en een beroep heeft gedaan op zijn uitgebreide contacten in Iran om op mijn vrijlating aan te dringen.

Nechervan Barzani, de toenmalige premier van de Regionale Regering van Koerdistan in Irak, heeft Teheran ook om mijn vrijlating gevraagd. Politici en staatsambtenaren in andere landen, waaronder Groot-Brittannië, hebben dat ook gedaan, evenals de secretaris-generaal van de Verenigde Naties Ban Ki-moon, die verschillende malen met de Iraanse regering over mijn gevangenschap heeft gesproken.

De Iraanse diaspora heeft bijzonder vaak over mijn zaak bericht en om mijn vrijheid verzocht. Ik heb vooral waardering voor de inspanningen van de Farsitalige journalisten wier reportages en analyses het Iraanse volk en het regime hebben bereikt.

Ik ben ook de Iraanse advocaten Shirin Ebadi en Abdolfattah Soltani dankbaar, die publiekelijk en moedig hebben verkondigd dat ik onschuldig was, en die maar bleven volhouden dat ik niet eens gearresteerd had mógen worden. Ik heb gehoord dat Soltani verschillende pogingen heeft ondernomen mij in de gevangenis op te zoeken, maar dat de autoriteiten hem niet bij me hebben toegelaten. Ik twijfel er niet aan dat hij, wanneer hij toestemming voor mijn verdediging had gekregen, dat deskundig en principieel zou hebben gedaan.

Mijn ouders zouden het in Iran veel moeilijker hebben gehad zonder het gezelschap van mijn vrienden en kennissen. Ik wil vooral Aresu Eqbali, Payam Mohebi en mijn buurman Nahid bedanken voor het feit dat ze nooit bang zijn geweest vrienden te zijn met mijn ouders en met mij.

Maanden na mijn vrijlating ontdekte ik op internet een open brief aan het hoofd van de rechterlijke macht van Iran, geschreven door Sadegh Zibakalam, hoogleraar politieke wetenschappen aan de universiteit van Teheran. Ik was ontroerd en verbaasd over de stelligheid waarmee hij mijn onschuld verkondigde in een tijd waarin de propagandamachine van het regime me probeerde af te schilderen als een van de ergste misdadigers. 'Roxana Saberi's enige misdaad,' schreef hij, 'is haar uitzonderlijke liefde voor Iran, een gevoel dat haar uiteindelijk in de problemen heeft gebracht.'

In de afgelopen maanden heb ik veel gehad aan het verstandige advies van mijn advocaat Robert Barnett en zijn collega's Deneen Howell en Margaret Keeley. Uitgevers Denise Godoy en Reenie Kuhlman van GoodPR en Gretchen Crary van HarperCollins hebben me geholpen te wennen aan het feit dat ik de geïnterviewde was in plaats van de interviewer.

Guillermo Arriaga, Alice Boelter, Hadi Ghaemi, Afshin Molavi, Karim Sadjadpour, Andrea Sanke, Stephanie Sy, Shane Tedjarati, Mindy Trossman en Alastair Wanklyn hebben het hele manuscript gelezen en mij hun visie hierop en mening hierover gegeven. Ook de andere mensen die dit hebben gedaan ben ik dankbaar, ook al willen ze hier niet bij name worden genoemd.

Victoria Rowan heeft me geholpen met het bijschaven van mijn teksten, terwijl Hossein Abkenar voorstellen heeft gedaan voor de levendige beschrijving van bepaalde scènes. Omid Memarian heeft me geholpen met de research, de dubbele controle van de feiten en zijn unieke kijk op het politieke stelsel en het rechtswezen van Iran. De b c c is zo vriendelijk geweest me toegang te geven tot de archieven van haar nieuwsdienst.

Mijn redacteuren, Margo Melnicove en Serena Jones, hebben geholpen mijn gedachten op een rij te zetten en me aangemoedigd als ik aan mijn teksten twijfelde. Dankzij Serena is mijn tekst beknopt gebleven en bovendien heeft ze de gave om de juiste vragen te stellen. Margo heeft met haar onvermoeibare passie voor dit project talloze concepten geredigeerd met oog voor detail en een uniek gevoel voor authenticiteit. Tim Duggan, onderdirecteur en hoofdredacteur van HarperCollins, heeft me geholpen bij de les te blijven. Shannon Ceci, de eindredacteur, heeft op een begripvolle en grondige manier de puntjes op de i gezet. Hoewel het schrijven van dit boek in veel opzichten een therapeutische ervaring was, is het ook een emotionele uitdaging geweest. Ik ben jullie dan ook allemaal dankbaar voor het feit dat jullie me door de zwaarste tijd hebben geholpen.

Bahman Ghobadi heeft altijd het beste voor me gewild en me in zware tijden bijgestaan. Voor dit boek heeft hij me geholpen met zijn ervaring met het schrijven van scripts en met zijn creativiteit. Bovendien heeft hij me deelgenoot gemaakt van zijn visie op de Iraanse cultuur en samenleving.

Mijn ouders en broer wil ik bedanken voor hun onvoorwaardelijke liefde en hun niet-aflatende geloof in mij. Jullie waren steunpilaren van geduld, kracht en onbaatzuchtigheid. Ik hou van jullie.

Ik ben dankbaar dat ik mijn voormalige celgenoten heb leren kennen, enkele van de bewonderenswaardigste mensen die ik ooit heb ontmoet. Bedankt dat jullie me hebben geholpen mijn angsten onder ogen te zien, dat jullie me hebben laten inzien dat je zelfs in de ergste omstandigheden kunt blijven hopen en dat jullie me hebben geleerd wat echt belangrijk is in het leven.

Ik zal de ontelbare Iraniërs eeuwig dankbaar blijven die me hebben verwelkomd als een van hen en die me niet alleen veel over Iran maar ook over de mensheid hebben geleerd. Bedankt voor jullie gastvrijheid, warmte en bereidheid me meer van het geboorteland van mijn vader te laten zien, en voor jullie goede wensen en verzoeken om mijn vrijlating toen ik nog gevangenzat. Ik weet dat velen van jullie het liefst anoniem willen blijven en ik hoop dat jullie als jullie dit lezen weten wie ik bedoel.

Wat ik het bijzonderst vind is dat zo veel mensen die me hebben gesteund dit uit liefde hebben gedaan. *Nemidânam bâ che zabâni az shomâ tashâkkor konam.* Ik weet niet hoe ik jullie moet bedanken.

Verklarende woordenlijst

Az to harakat, az khodâ barakat. God helpt diegenen die zichzelf helpen; Doe je best en God doet de rest; Onderneem actie en God zal je belonen met zegeningen.

azizam. Liefje.

bâzju. Ondervrager; onderzoeker.

Basij. Een vrijwillige militie die het Iraanse leger tijdens de Iran-Irakoorlog heeft geholpen. Ze hebben de Revolutionaire Garde, die formeel het commando over de basij heeft, geholpen met het verdedigen van het land tegen buitenlandse bedreigingen, het afdwingen van ideologische en islamitische waarden en het handhaven van de orde in het land, onder andere door burgerlijke opstanden te onderdrukken.

châdor; chador. Een vormeloos overkleed waardoor het lichaam van top tot teen wordt bedekt en dat wordt gedragen als een soort *hejâb;* hejab.

dust-et dâram. Een term die 'Ik mag je' of 'Ik hou van je' kan betekenen, afhankelijk van de context.

Hâj Âghâ; Hajj. De pelgrimage naar Mekka, verplicht voor iedere moslim die de reis kan maken. *Hâji* or *Hâj* wordt voor de naam van de man of vrouw geplaatst die deze pelgrimage heeft gemaakt. De term *Hâj Âghâ* wordt vaker gebruikt om respect voor iemand aan te geven.

havâ-khori. Ademen; recreatie in de openlucht.

hejâb. Letterlijk 'sluier' of 'gordijn'. Elke jurk die de islamitische principes volgt. Vrouwen in de Islamitische Republiek zijn wettelijk verplicht een hijab te dragen en daarmee de vorm van hun lichaam en hun haar te bedekken in openbare ruimten of in aanwezigheid van *nâ-mahram* oftewel mannen die niet nauw met hen verwant zijn.

Imâm; imam. Religieus leider; de titel van een van de twaalf nakomelingen van de profeet Mohammed, die, volgens de sjiieten, hem als moslimleider is opgevolgd.

javân. Jong, jong mens, jeugd.

Khâk bar saram. Letterlijk 'viezigheid op mijn hoofd'. Het kan ook betekenen 'Ik zou me moeten schamen' of 'Wee mij'.

mahramâneh. Geheim; vertrouwelijk.

maqna'e. Een mutsachtige doek om het haar en de hals van een vrouw te bedekken.

monâfeqin. Hypocrieten; het Iraanse islamitische regime gebruikt deze term voor de oppositiegroepering de Mujahedin-e Khalq.

nâ-mahram. Mannen en vrouwen die geen familie van elkaar zijn door huwelijk of nauwe familiebanden.

nazr. Een eed aan God. Iemand kan een nazr maken wanneer hij of zij zich in een moeilijke situatie bevindt en God om hulp smeekt en in ruil daarvoor zweert een goede daad te verrichten (dit wordt vaak gedaan in de vorm van geld geven voor een goed doel).

Nowruz. Het Iraanse Nieuwjaar.

pârti bâzi. Letterlijk 'het bespelen' van je relaties om iets voor elkaar te krijgen; vriendjespolitiek; nepotisme.

Qurân. Het heilige boek van moslims, de Koran.

riâl; rial. Valuta van Iran; de waarde bedraagt een tiende van een *tomân.*

roopoosh. Uniform; jurk; een soort jasje van verschillende lengten dat in Iran over de kleding heen wordt gedragen als een soort hijab.

shâh; sjah. Koning; vorst; de titel van de koningen van Iran voor de Islamitische Revolutie van 1979.

Shi'ite; sjiiet, lid van de sekte van de islam die de schoonzoon van de Profeet, Ali, en zijn nakomelingen als de rechtmatige opvolgers van Mohammed erkent.

sigheh. Tijdelijk huwelijk; een sjiitische praktijk die een stel in staat stelt een bepaalde tijd getrouwd te zijn, van een paar minuten tot negenennegentig jaar, door een vers uit de Koran op te zeggen. Veel Iraniërs beschouwen sigheh als een vorm van prostitutie of als een manier voor mannen en vrouwen om buitenechtelijke seks in de praktijk te brengen, maar het is ook een praktische manier geworden om te ontkomen aan de hardhandige manier waarmee het regime optreedt tegen stelletjes die daten.

ta'ârof. Een ingewikkeld systeem van geformaliseerde beleefdheid in

Iran, in andere landen van het Midden-Oosten en grote delen van Azië, hoewel de naam ervoor kan verschillen.

tasbih. Gebedskralen; rozenkrans.

tomân; toman. Valutaeenheid, waarde tien *rial.* Toen ik in de gevangenis zat, was de waarde van duizend toman iets minder dan één Amerikaanse dollar.

velâyat-e faqih. Vonnis van de islamitische rechtsgeleerde; verwijst naar de Allerhoogste Leider van de Islamitische Republiek, een geestelijke die het hoogste gezag bezit bij afwezigheid van de Twaalfde Imam van de sjiieten, die in de negende eeuw zou zijn verdwenen.

Bronvermelding

Honderd dagen in angst is vooral een verslag van mijn persoonlijke observaties, ervaringen en gesprekken met anderen tijdens mijn honderd dagen in de Evin-gevangenis en mijn zes jaren in Iran. Toch heb ik veel gebruikgemaakt van geschreven teksten en interviews. Vooral de hierna genoemde informatie is nuttig gebleken tijdens het schrijven van dit boek. Niet vermeld zijn nieuwsberichten die wijdverspreid waren of interviews met mensen die onbekend wilden blijven.

HOOFDSTUK 2

Amnesty International, 'Iran: Preserve the Khavaran Grave Site for Investigation into Mass Killings', www.amnesty.org/en/library/asset/mde13/006/2009/en/4c4f2ba8-e7b0-11dd-a526-05dc1810b803/mde130062009eng.html, 20 januari 2009.

Haleh Esfandiari, *My Prison, My Home: One Woman's Story of Captivity in Iran* (New York: HarperCollins, 2009), 178. Esfandiari schrijft dat het ministerie van Veiligheid twee zinnen van haar in haar op video opgenomen interview aan elkaar heeft gelast om het te doen voorkomen dat ze iets bekende wat ze niet had gedaan.

HOOFDSTUK 4

International Federation for Human Rights, 'Iran/Death Penalty: A State Terror Policy', april 2009.

HOOFDSTUK 5

Plutarchus, *Plutarch: Selected Lives and Essays*, vert. Louise Ropes Loomis (Roslyn, NY: Walter J. Black, 1951), p. 69.

Mahatma Gandhi, *The Essential Gandhi: An Anthology of His Writings on His Life, Work, and Ideas*, red. Louis Fischer (New York: Vintage, 1962), p. 185.

HOOFDSTUK 6

Michael Slackman, 'Americans Often Misunderstand Iranians, Whose Style of Conversation Often Hides Their Feelings', *The New York Times*, 6 augustus 2006.

HOOFDSTUK 8

Anthony Cordesman, 'Iran's Revolutionary Guards, the Al Quds Force, and Other Intelligence and Paramilitary Forces', Center for Strategic and International Studies, working draft, 16 augustus 2007.

'Covert Terror: Iran's Parallel Intelligence Apparatus', Iran Human Rights Documentation Center, http://www.iranhrdc.org/httpdocs/ English/pdfs/Reports/ Covert%20Terror-Iran%27s-Parallel-Intelligence-Apparatus.pdf, April 2009.

HOOFDSTUK 10

Volkslied van de Islamitische Republiek van Iran, vertaald door Reza Saberi.

De oosterse zon verscheen aan de horizon,
Het licht in de ogen van degenen die in de waarheid geloven.
Bahman is de glorie van ons geloof.
Uw boodschap, o, Imam, van onafhankelijkheid en vrijheid is in
onze ziel geprent.
Martelaren, jullie kreten weerklinken in de oren van de tijd.
Moge de Islamitische Republiek van Iran voor altijd voortbestaan.

HOOFDSTUK 11

Jim Muir, 'Iran Brother Plan Rejected', BBC News, http://news.bbc. co.uk/2/hi/ middle_east/2156975.stm, 28 juli 2002.

Mei 2007 informatie verzameld door de State Prisons Organization and Security and Corrective Measures. Volgens het hoofdkantoor van Irans Anti-Narcotics Headquarters heeft het land meer dan twee miljoen drugsverslaafden. 'Bijna de helft van de Iraanse drugsverslaafden is jonger dan 29 jaar', BBC Farsi, 17 augustus 2009. Volgens sommige waarnemers is dit aantal in werkelijkheid veel hoger.

Abdullah Yusuf Ali, *The Meaning of The Holy Qur'an*, Amana Publications, Beltsville, Maryland, 10th ed., 1999.

HOOFDSTUK 12
Mâ Hastims officiële website, http://www.mahastim.org.
'Guide to Iranian Media and Broadcasts to Iran', BBC Monitoring,
   27 maart, 2007.
'Five Million Internet Sites in the Country Have Been Filtered', Mehr
   News Agency, www.mehrnews.com/fa/newsdetail.aspx?NewsID=
   784979, 18 november 2008.
Iran's 1385 (2006) Census, Statistical Centre of Iran, http://www.sci.org.
   ir/portal/faces/public/sci_en/sci_en.selecteddata/sci_en.yearbook-
   data.

HOOFDSTUK 13
'Iran's Fight Against HIV', Press TV, www.presstv.ir/detail.aspx?id=
   78486, 14 december 2008.
'High Risk Sexual Behavior: The Current Cause of the Spread of AIDS
   in Iran', BBC Persian, www.bbc.co.uk/persian/iran/2008/11/
   081129_mg_aids_incidence.shtml, 29 november 2008.

HOOFDSTUK 14
'The Population of Young Iranian University Students Has Increased
   by Six Times in the Past Thirty Years', IRNA, 28 april 2009.
Behzad Yaghmaian, Social Change in Iran (Albany: State University of
   New York Press, 2002), 75.
Ali Afshari, 'The Challenges of the Student Movement in the Post-Re-
   form Era', Gozaar, www.gozaar.org/templatel.php?id=936&langu-
   age=english, 20 januari 2008.
Akbar Ganji, The Road to Democracy in Iran (Cambridge: MIT Press,
   2008), XIII.

HOOFDSTUK 16
'Gender Details for the College Entrance Exam Were Announced',
   Mehr News Agency, www.mehrnews.com/fa/newsdetail.aspx?News
   ID=644513, 24 februari 2008.
Miles Menander Dawson, The Conduct of Life: The Basic Thoughts of
   Confucius (New York: Garden City Publishing, 1941), 57.
Mattheus 6:31, deze tekst is overgenomen uit de Good News Transla-
   tion, American Bible Society, 1976.

HOOFDSTUK 17

Baha'i International Community, www.bahai.org/dir/worldwide/per-secution. 'A Look at the Religious Minorities and Ethnic and Language Groups in Iran', Public Relations Office, Iranian Embassy in Athens, www.iranembassy.gr/per/policy minoritiesinIran.htm.

Hafez, *Divan of Hafez*, Sonnet 250, vert. Reza Saberi (Lanham, MD: University Press of America, 2002), 302.

Will Durant, *The Story of Civilization*, vol. 5, *The Renaissance* (New York: Simon & Schuster, 1953), 160.

Viktor Frankl, *Man's Search for Meaning*, 3d ed. (New York: Simon & Schuster, 1984), 75.

HOOFDSTUK 19

Ali Mustashari en Ali Khodamhosseini, 'An Overview of Socioeconomic Characteristics of the Iranian-American Community Based on the 2000 Census', Iranian Studies Group, MIT, februari 2004.

William Samii, `Iran's Brain Drain: Causes and Trends', Radio Free Europe, www.rferl.org/content/article/1342765.html, 7 januari 2002.

HOOFDSTUK 21

El-Yasins officiële website, www.ostad-iliya.org.

NAWOORD

Amnesty International, 'Freedom of Expression', www.amnesty.org/en/ freedomof-expression. Iran ontkent dat het niet alleen politieke gevangenen heeft, maar ook 'gewetensgevange-nen', een term die Amnesty International gebruikt voor mensen die nooit geweld hebben gebruikt of tot geweld hebben opgeroepen en die gevangenzitten vanwege hun 'politieke, religieuze of andere over-tuigingen, etnische afkomst, sekse, huidskleur, taal, nationale of soci-ale afkomst, economische status, afkomst, seksuele voorkeur of an-dere status...' Niet alle politieke gevangenen, die Amnesty beschrijft als mensen die van op politieke overtuigingen gebaseerde misdaden worden beschuldigd, worden beschouwd als gewetensgevangenen.

Maziar Bahari, '118 Days, 12 Hours, 54 Minutes', *Newsweek*, www.news-week .com/id/223862, 21 november 2009.

Laura Secor, 'The Iran Show', *The New Yorker*, www.newyorker.com/

talk/comment/2009/08/31/090831tac0_talk_secor, 31 augustus 2009.
Michael Slackman, 'Top Reformers Admitted Plot, Iran Declares', *The New York Times*, www.nytimes.com/2009/07/04/world/middleeast/ 04confess.html, 3 juli 2009.
Free Kian 2009, www.freekian09.org.
Free the Hikers, http://freethehikers.org.
Amnesty International, 'Iran: Election Contested, Repression Compounded', http://www.amnestyusa.org/pdf/mde131232009en.pdf, december 2009. State Department Daily Press Briefing, www.state.gov/r/pa/prs/dpb/2009/july/125892.htm, 9 juli 2009.

Literatuurlijst en aanbevolen lectuur

BOEKEN

Abdo, Geneive, en Jonathan Lyons. *Answering Only to God: Faith and Freedom in Twenty-first-Century Iran.* New York: Henry Holt, 2003.

Abrahamian, Ervand. *Tortured Confessions: Prisons and Public Recantations in Modern Iran.* Berkeley: University of California Press, 1999.

Afshari, Reza. *Human Rights in Iran: The Abuse of Cultural Relativism.* Philadelphia: University of Pennsylvania Press, 2001.

Brumberg, Daniel. *Reinventing Khomeini: The Struggle for Reform in Iran.* University of Chicago Press, 2001.

Buchta, Wilfried. *Who Rules Iran? The Structure of Power in the Islamic Republic.* Washington, D C: Washington Institute for Near East Policy, 2000.

Ebadi, Shirin, en Azadeh Moaveni. *Iran Awakening: A Memoir of Revolution and Hope.* New York: Random House, 2006.

Entekhabifard, Camelia. *Camelia, Save Yourself by Telling the Truth: A Memoir of Iran.* New York: Seven Stories Press, 2007.

Erlich, Reese. *The Iran Agenda: The Real Story of U.S. Policy and the Middle East Crisis.* Sausalito, C A: PoliPointPress, 2007.

Ganji, Akbar. *The Road to Democracy in Iran.* Cambridge: MIT Press, 2008.

Ghahramani, Zarah, and Robert Hillman. *My Life as a Traitor: An Iranian Memoir.* New York: Farrar, Straus & Giroux, 2008.

Kar, Mehrangiz. *Crossing the Red Line: The Struggle for Human Rights in Iran.* Costa Mesa, C A: Blind Owl Press, 2007.

Keddie, Nikki R. *Modern Iran: Roots and Results of Revolution.* New Haven, C T: Yale University Press, 2003.

Majd, Hooman. *The Ayatollah Begs to Differ: The Paradox of Modern Iran.* New York: Anchor Books, 2009.

Miller, Frederic P., Agnes F. Vandome, en John McBrewster, eds. *Human*

Rights in the Islamic Republic of Iran. Beau Bassin, Mauritius: Alphascript Publishing, 2009.

Molavi, Afshin. *Persian Pilgrimages: Journeys across Iran*. New York: Norton, 2002.

Moslem, Mehdi. *Factional Politics in Post-Khomeini* Iran. Syracuse, NY: Syracuse University Press, 2002.

Nemat, Marina. *Prisoner of Tehran: One Woman's Story of Survival Inside an Iranian Prison*. New York: Free Press, 2007.

Price, Massoume. *Iran's Diverse Peoples: A Reference Sourcebook*. Santa Barbara, CA: ABC-CLIO, 2005.

Sciolino, Elaine. *Persian Mirrors: The Elusive Face of Iran*. New York: Simon & Schuster, 2000.

Semati, Mehdi, ed. *Media, Culture and Society in Iran: Living with Globalization and the Islamic State*. New York: Routledge, 2008.

Slavin, Barbara. *Bitter Friends, Bosom Enemies: Iran, the U.S., and the Twisted Path to Confrontation*. New York: St. Martin's Press, 2007.

Varzi, Roxana. *Warring Souls: Youth, Media, and Martyrdom in Post-Revolution Iran*. Durham, NC, and London: Duke University Press, 2006.

ARTIKELEN EN WEBSITES

Human Rights Watch. 'Like the Dead in Their Coffins: Torture, Detention, and the Crushing of Dissent in Iran', www.hrw.org/en/reports/2004/06/06/deadtheir-coffins, 6 juni 2004.

Human Rights Watch. 'You Can Detain Anyone for Anything: Iran's Broadening Clampdown on Independent Activism', www.hrw.org/en/reports/2008/01/06/ you-can-detain-anyone-anything-0, 6 januari 2008.

International Campaign for Human Rights in Iran geeft links naar meer informatie over mensenrechten in Iran op www.iranhumanrights.org/links.

Iran Human Rights Documentation Center. 'Forced Confessions: Targeting Iran's Cyber-Journalists', www.iranhrdc.org/httpdocs/English/pdfs/Reports/ Forced%20Confessions%20-%20Targeting%20Iran%27s7020Cyber-Journalists.pdf, september 2009.

Reporters Without Borders. www.rsf.org.

INTERVIEWS EN CORRESPONDENTIE

Abrahamian, Ervand, auteur en hoogleraar, e-mailcorrespondentie met de auteur, november 2009.

Ala'i, Diane, vertegenwoordiger van de Internationale Bahai Gemeenschap van de Verenigde Naties in Genève, een aantal interviews met de auteur, 2009.

Alexander, Paige, vicepresident van de International Research & Exchanges Board, een aantal interviews met de auteur, 2009.

Auerbach, Elise, Iran-specialist voor Amnesty International USA, een aantal interviews met de auteur, 2009.

Batebi, Ahmad, journalist en voormalig gevangene in Evin, interview met de auteur, 21 januari 2009.

Ebadi, Shirin, advocaat en in 2003 winnaar Nobelprijs voor de Vrede, telefonisch interview met de auteur, 30 juli 2009. Ebadi, de advocaat van Zahra Kazemi's familie, zei dat de Iraans-Canadese journaliste is overleden ten gevolge van een klap op haar hoofd, maar dat de informatie in het sectieverslag niet juist was. Ebadi heeft ook bevestigd dat de reportages zonder perskaart die ik heb gemaakt niet illegaal waren volgens de Iraanse wet.

Esfandiari, Haleh, voormalige Evin-gevangene en directeur van het Midden-Oosten Programma van het Woodrow Wilson International Center for Scholars, e-mailcorrespondentie met de auteur, 2009.

Ghaemi, Hadi, International Campaign for Human Rights in Iran, meerdere interviews met de auteur, juni-november 2009.

Javanfekr, Ali Akbar, e-mailinterview met de auteur, Teheran, 11 oktober 2008.

Kamalabadi, Iraj, broer van Fariba Kamalabadi, interview met de auteur, 23 september 2009.

Keynezhad, Paris, telefonisch interview met de auteur, 20 oktober 2009.

Lahidji, Abdol-Karim, voorzitter van de Iranian League for the Defense of Human Rights, e-mailcorrespondentie met de auteur, 2009.

Memarian, Omid, journalist en voormalig Evin-gevangene, meerdere interviews met de auteur, augustus-november 2009.

Mirebrahimi, Roozbeh, journalist en voormalige Evin-gevangene, telefonisch interview met de auteur, 18 november 2009.

Moeni, Reza, Reporters Without Borders, e-mailcorrespondentie met de auteur, oktober-november 2009.

Mohammadi, Majid, auteur en hoogleraar, e-mailcorrespondentie met de auteur, oktober 2009.

Molavi, Afshin, senior research fellow bij de New America Foundation, telefonisch interview met de auteur, 14 december 2009.

Montazeri, Ahmad, interview met de auteur, Qom, 24 december 2008.

Moradkhan, Klara, Silva Harotonians nicht, meerdere interviews met de auteur, 2009.

Sadjadpour, Karim, lid van de Carnegie Endowment for International Peace, meerdere interviews met de auteur, 2009.

Setayesh, Hamidreza, UNAIDS-vertegenwoordiger voor Iran, interview met de auteur, Teheran, 9 september 2007, en e-mailcorrespondentie, oktober 2009, toen hij bij UNAIDS regionaal programma-adviseur was voor het Midden-Oosten en Noord-Afrika.

Soltani, Bahram, directeur communicatie IRIB, interview met de auteur, Teheran, 13 januari 2008.